Universale Economica Feltrinelli

Opere di Alessandro Baricco:

Il genio in fuga. Sul teatro musicale di Rossini (Il Melangolo 1988)
Castelli di rabbia (Rizzoli 1991, Feltrinelli 2007)
L'anima di Hegel e le mucche del Wisconsin (Garzanti 1992, Feltrinelli 2009)
Oceano Mare (Rizzoli 1993, Feltrinelli 2007)
Novecento (Feltrinelli 1994)
Barnum. Cronache dal Grande Show (Feltrinelli 1995)
Seta (Rizzoli 1996, Feltrinelli 2008)
Barnum 2. Altre cronache dal Grande Show (Feltrinelli 1998)
City (Rizzoli 1999, Feltrinelli 2007)
Senza sangue (Rizzoli 2002, Feltrinelli 2009)
Next. Piccolo libro sulla globalizzazione e sul mondo che verrà (Feltrinelli 2002)
Omero, Iliade (Feltrinelli 2004)
Questa storia (Fandango 2005, Feltrinelli 2007)
I barbari. Saggio sulla mutazione (Fandango 2006, Feltrinelli 2008)
Herman Melville. Tre scene da Moby Dick (Fandango 2009)
Emmaus (Feltrinelli 2009)

ALESSANDRO BARICCO
QUESTA STORIA

Feltrinelli

Copyright © Alessandro Baricco, 2005
Tutti i diritti riservati

Prima edizione Fandango Libri 2005

© Giangiacomo Feltrinelli Editore Milano
Prima edizione nell'"Universale Economica" maggio 2007
Quinta edizione maggio 2010

Stampa Nuovo Istituto Italiano d'Arti Grafiche - BG

ISBN 978-88-07-81966-7

www.feltrinellieditore.it
Libri in uscita, interviste, reading,
commenti e percorsi di lettura.
Aggiornamenti quotidiani

IL RAZZISMO
È UNA
BRUTTA STORIA.
razzismobruttastoria.net

OUVERTURE

Tiepida la notte di maggio a Parigi, mille novecento tre.

Dalle loro case, centomila parigini lasciarono a metà la notte, scolando in massa verso le stazioni Saint-Lazare e Montparnasse, stazioni ferroviarie. Alcuni neanche andarono a dormire, altri puntarono la sveglia a un'ora assurda per poi scivolare via dal letto, lavarsi senza far rumore e sbattere nelle cose, cercando la giacca. In alcuni casi erano intere famiglie a venir via, ma per lo più furono singoli individui a intraprendere il viaggio, spesso contro ogni logica o buon senso. Le mogli, nel letto, poi, stiravano le gambe dalla parte adesso vuota. I genitori scambiavano due parole, dedotte dalla discussione del giorno prima, dei giorni prima, delle settimane prima. Erano incentrate sull'indipendenza dei figli. Il padre si alzava sul cuscino e guardava l'ora. Le due. Era un rumore molto strano perché centomila persone alle due di notte sono come un torrente che corre in un letto di nulla, spariti i sassi, muto il greto. Solo acqua contro acqua. Così le loro voci correvano tra saracinesche chiuse, strade vuote e oggetti fermi. In centomila presero d'assalto le stazioni Saint-Lazare e Montparnasse, perché temevano di non trovare più posto sulle vetture per Versailles. Ma alla fine tutti trovarono posto sulle vetture per Versailles. Il treno partì alle due e tredici. Corre, il treno per Versailles.

Nei giardini del re, a pascolare nella notte, provvisoriamente miti, sotto le carcasse di ferro, intorno al cuore di pistoni, li aspettavano 224 AUTOMOBILI, ferme sull'erba, in un vago odore di olio e di gloria. Erano lì per correre la grande corsa, da Parigi a Madrid, giù per l'Europa, dalla nebbia al sole. Lasciami andare a vedere il sogno, la velocità, il miracolo, non fermarmi con uno sguardo triste, questa notte lasciami vivere laggiù sull'orlo del mondo, solo questa notte, poi tornerò   Ai giardini di Versailles, madame, parte la corsa dei sogni, madame, Panhard-Levassor, 70 cavalli, 4 cilindri fatti di acciaio forato, come i cannoni, madame   Potevano arrivare, le AUTOMOBILI, ai 140 chilometri orari, strappati a strade di terra e buche, contro ogni logica e buon senso, in un tempo in cui i treni, sulla scintillante sicurezza dei binari, arrivavano con fatica ai 120. Tanto che ai tempi erano sicuri – sicuri – che più veloci non si potesse andare, umanamente parlando: quello era il confine ultimo, e quello era l'orlo del mondo. Questo spiega come sia stato possibile che centomila persone siano sbucate fuori dalla stazione di Versailles, alle tre del mattino, nella tiepida notte di maggio, lasciami andare a vivere laggiù, sull'orlo del mondo, solo questa notte, ti prego, poi tornerò   Se una sola risaliva la strada di campagna, correvano a perdifiato in mezzo al grano per andare a incrociare quella nube di polvere, e dai retrobottega come bambini correvano a vederne passare una davanti alla chiesa, facendo sì con la testa.   Ma 224 tutte insieme, questa era meraviglia pura. Le più veloci, le più pesanti, le più famose. Erano regine – l'AUTOMOBILE era regina, perché come serva non era ancora stata pensata, lei era nata regina, e la gara era il suo trono, la sua corona, non esistevano automobili, ancora, esistevano REGINE, vieni a vederle a Versailles, in questa notte tiepida di maggio, Parigi mille novecento tre.

Per partire aspettarono l'alba. Poi, con ordine, presero la strada per Madrid.   Il regolamento prescriveva che partissero a un minuto l'una dall'altra. Il percorso era stato disegnato su tre tappe: la somma dei tempi avrebbe determinato il vincitore.

C'erano anche delle moto: ma non era la stessa cosa.

L'auto davanti era una nube di polvere partita un niente prima di te. Quando entravi nella nube spessa, sapevi che l'avevi a tiro. Non la vedevi, ma sapevi che era lì. Allora alla cieca ti buttavi dentro. Poteva andare avanti così per chilometri. Quando alla fine ne vedevi il dorso, iniziavi a urlare, per chiedere strada. Restavi nella polvere cieca fino a quando non l'affiancavi e scivolavi col muso davanti. Allora la nube si apriva e tornavi a vedere di fronte a te. Qualsiasi cosa apparisse era per te, te l'eri guadagnata nella follia del sorpasso, e adesso ti stava aspettando. Una curva a gomito, la strettoia di un ponte, l'estasi di un rettilineo in mezzo ai pioppi. Le ruote gommate sfioravano fossi, paracarri, spallette e facce stralunate di pubblico incredulo. Mai capito come se ne uscisse vivi.   Quanto agli spagnoli, là a Madrid, attendevano l'arrivo della corsa per la mattina dopo, all'alba. Nel dubbio, decisero di passare la notte – ballando.

I capelli ben divisi come filari di grano lucido sulla collina della mia cabeza, sono io il cameriere capo di questa tavolata che adesso conta 224 coperti, tanti quanti ne ha voluti il re, sotto il tendone azzurro, di questa Spagna mille novecento tre. Proprio davanti allo striscione dell'arrivo, questo sfavillio di argenti e cristalli.   Uno ad uno ho spolverato i calici di cristallo, e lo rifarò tra qualche ora, per cancellare l'umidità del mattino. Ho promesso che perfetti tintinneranno al boato delle automobili regine – per questo faccio innaffiare gli ultimi cento metri di strada a intervalli regolari di due ore e mezza. Nessuna polvere sul mio cristallo, hombre   Dammi le labbra delle signorine che si appoggeranno sul cristallo, dammi l'alito che lo appannerà – dammi il battito del cuore con cui provano il vestito, in questo momento, davanti a specchi spagnoli che invidierò tutta la vita

Mentre già le prime automobili arrivavano a Chartres. All'ingresso delle città frenavano e a passo lento, scortate da commissari di gara in bicicletta, attraversavano l'abitato, come bestie al guinzaglio. Friggevano ancora della corsa appena interrotta, e avevano l'odore greve di una cosa successa. I piloti ne approfittavano per bere, e pulire gli occhialoni. Quelli che viaggiavano con il meccanico a bordo, nelle automobili più grosse, scambiavano due parole. Arrivati in periferia, il commissario in bicicletta si scostava, e i motori tornavano a rombare verso la campagna.   Il primo ad arrivare a Chartres fu Louis Renault. A Chartres c'era la cattedrale, e nella cattedrale c'erano le vetrate. Nelle vetrate c'era il cielo.

Quelli accorsi a vedere erano milioni, appiccicati ai bordi delle strade come mosche su una bava zuccherata, goccia lunga a colare sui campi di Francia.   Il primo a fermarsi fu Vanderbilt, con un cilindro crepato nel cuore della sua Mors, dal profilo di torpedine. Lo videro accostare a un canale.   Il barone di Caters passò i tre abitati della Ronde, salutando con la mano, poi attaccò Jarrot e Renault, sui lunghi rettilinei lungo il fiume. Dove era rimasta una curva inosservata, allargò troppo la sbandata della sua Mercedes, e finì a frenare contro un castagno. Il legno aveva secoli, squarciò l'acciaio.   Una donna, ad Ablis, era mezz'ora che sentiva quel gran rumore, uscì da casa e andò a vedere. Neanche posò le uova, due, che aveva in mano, per faccende di cucina. Dal centro della strada aspettò la prossima nube di polvere, per capire. Quella arrivò a una velocità che la donna non conosceva. La donna si mosse a una lentezza che il pilota aveva dimenticato. La mano si chiuse sulle uova. Lo scricchiolio dei gusci lo sentì un dio, forse, mentre la Panhard-Levassor di Maurice Farman stracciava via la donna dalla vita, rimbalzandola qualche

10

metro più in là, dove la donna prima soffrì, poi morì di una morte teoricamente fuori dalla sua portata   Le prime notizie dicevano di Marcel Renault, un incidente, ma nient'altro. Si poteva pensare a un'avaria. Poi la bava della corsa fu risalita dall'immagine di Marcel Renault sdraiato per terra, sul ciglio della strada, e di un parroco chinato su di lui, mentre sfrecciavano le altre automobili secondo l'ordine di gara, impolverando l'unzione estrema. Qualcosa l'aveva sbalzato via, dissero poi, così che le quattro ruote senza controllo se n'erano andate verso la pancia nera della folla. Nessuno sapeva dire perché non era stata una strage. Marcel Renault, lui era rimasto con qualcosa rotto dentro. Proprio era morto.   Naturalmente il vento solleva i tovaglioli di fiandra e questo è seccante, per cui abbiamo dovuto ritirarli e la tavola non è più la stessa cosa. In centro, corbeille di fresie. Rosse e gialle, si intende, i colori del regno.   Alla notizia della morte di Renault, ricevuta per cablogramma, gli spagnoli si immaginarono il minuto di silenzio che avrebbero osservato in suo onore. E intanto negli animi si faceva strada l'idea che adesso sì, grazie a quella morte, la corsa aveva davvero assunto la statura che le competeva, così che nessuna eleganza o ricchezza sarebbe suonata esagerata, né infantile, al suo cospetto. Lo capirono con un certo sollievo.   Mentre lei, che era la più giovane, disse che sarebbe rimasta in casa, fino al tramonto, e solo di notte sarebbe andata a ballare. Perché mi fai questo, le chiese il padre. Lei era di una bellezza accecante. Si mise a posto un ricciolo, sulla nuca   Un tabellone, vicino allo striscione d'arrivo, dava le notizie sulla corsa, così da mezzogiorno iniziarono ad arrivare da tutta la Spagna gli intenditori, e poi le prime famiglie nobili, alcune coi bambini. Molti avevano programmato di tornare a casa nel pomeriggio per cambiarsi d'abito e rinfrescarsi prima della lunga notte.   Poi qualcuno disse che la Wolsley di Porter era andata a sbattere contro un passaggio a livello e si era incendiata.

Quel che non posso dimenticare è la folata delle altre auto che mi passano alle spalle, senza nemmeno rallentare, mentre io in piedi guardo quell'uomo che con grande dignità, la schiena dritta contro lo schienale, le braccia composte, sta bruciando, nel fuoco della sua automobile – solo la testa pende da un lato, per dirci che è già morto. Ci sono quelli che con secchi d'acqua arriveranno, poi. Il fumo nero sa di carcassa al sole. Vi dico che passavano le auto alle mie spalle, non era un'illusione.   All'entrata di Angoulême, tre chilometri dal controllo, il contadino disse che se ne fotteva di cosa stava succedendo, lui aveva il suo lavoro da fare, così fischiò al cane e quello spinse le tre vacche ad attraversare la strada. Richard arrivò a centoventi chilometri orari, non provò nemmeno il freno, ma lesse nello spazio tra due pioppi l'ultimo spiraglio per l'infinito. La sua Mercedes rispose male, e i due pioppi si strinsero come non avresti detto mai. Richard morì sul colpo, con il legno lucido del volante diventato costola scura, tra le altre.   I cablogrammi rimbalzavano a Parigi una storia illeggibile, perché ovunque la corsa passasse schizzava il disordine di schegge telegrafiche come dedotte da un'esplosione. Segnalo l'incidente occorso. fantastica cornice di folla. tempi parziali al controllo di Bartam. per morte sopravvenuta alle 11 e 46. che ha reso ormai impossibile garantire le condizioni.   In quella confusione, gli addetti al tabellone di Madrid faticavano sotto il sole ormai alto, attaccando e staccando cartelli, molto lavorando di gesso, a scrivere sul nero della lavagna. Gli passavano foglietti che poi loro infilzavano su uno spillone, dopo averli mandati a memoria e trascritti in grande per gli occhi altrui. Quando lo spillone era pieno, un ragazzino lo svuotava nell'immondizia. Ma il ragazzino aveva un qualche talento, per cui non buttò via niente e il giorno dopo, a casa, si rilesse tutto. Poi, nella vita, non riuscì mai più a leggere altro, perché qualsiasi letteratura gli sembrava una semplificazione per bambini, o un'inutile concessione al sentimento   In ogni caso si convenne che la parola giusta era *retirado*, perché non chiariva la nuance tra l'aver accostato con il motore in panne, e l'esser morto per sempre in un groviglio di ferro e benzina. I *retirados* erano scritti nella parte bassa del tabellone, in stampatello. La gente guardava crescere la lista, e sorridendo alcuni iniziarono a chiedersi se sarebbe rimasto qualcosa da vedere, per loro che aspettavano sul rettilineo finale di Madrid.   La bellezza di mia figlia, ecco cosa vi rimarrà da vedere, lui pensò   Proprio nell'istante in cui l'enorme De Diétrich di Stead decollava oltre la spalletta del ponte, a Saint-Pierre de Palais, travolta dalla propria velocità. Giurarono che le ruote ancora giravano ossessivamente nell'aria, bruciando cavalli, un attimo prima che tutto andasse a sfracellarsi nel greto del torrente. Videro passare l'acqua torbida di sangue e di benzina, le lavandaie, due chilometri più a valle, ma non potevano capire.   A Parigi invece qualcuno iniziò a capire.

Distante un tiro di fucile dal fiume che ancora sanguinava, in un posto che si chiamava Bélamas, una nebbia di fatica calò sugli occhi di Tourand, al trentaduesimo sorpasso, e l'automobile scivolò via di lato, come se volesse soltanto andarsene   Il bambino gridò, ma senza voce, solo la gola spalancata   Allora il soldato Dupuy, in licenza, si gettò in mezzo, tra l'automobile e il bambino, giusto per inceppare la linea mortale che il caso stava disegnando e che andava da un mostro a un bambino. L'enorme cofano a conchiglia lo sollevò da terra come uno straccio, e prima di ricadere era già morto da eroe   Deviata dal fantoccio soldato l'automobile si ritrovò in centro alla strada ma come un animale ferito impazzì definitivamente e tagliò di netto verso destra, precipitando cieca tra il pubblico, e colpendo a caso. Poi si seppe che era morto un uomo.   Ma i padri ancora portavano i figli, e le ragazze ridevano nervose muovendosi a gruppi, avanti e indietro, lungo il ciglio della strada. Alle botteghe si restava per ore sulla soglia, a scuotere la testa. E chi veniva a comprare si fermava, e guardava. Alcuni scalavano i campanili per vedere dall'alto, perché tutto, quel giorno, sembrava possibile.   Tre milioni di persone, si disse, allineate dalla meraviglia, e ipnotizzate dal miracolo   Negli uffici di Parigi, a poco a poco, i cablogrammi disegnarono l'immagine di un lungo serpente che scendeva la Francia senza controllo, cieco di furore o di stanchezza, schizzando veleno a caso, esasperato dalla polvere e dal fracasso della gente   Mentre sul tabellone di Madrid era ancora tutto un febbrile scivolare di cartelli, pulito e silenzioso, da cui nessuno avrebbe potuto evincere qualcosa d'altro che la giusta animazione di una gara e il fiero alternarsi di vicende sportive. Le bande provavano sotto il sole musiche d'ottone, e i primi a ballare ritrovavano passi imparati da bambini con cui assurgevano a inaspettata bellezza. Balleranno con noi, i cavalieri impolverati?, cosa dici, balleranno con noi?, ho giusto un fazzoletto che gli vorrei donare, e in serbo un bacio, da tener prezioso   A Versailles, dove tutto era iniziato, i giardinieri misurano lo sconquasso, nel silenzio regale ormai deserto, e come corvi sul seminato vagano senza traiettoria, chinandosi a raccogliere i rimasugli della festa. Uno si alza e guarda verso la Spagna. Ha come il sospetto di vederne qualcuna tornare, a rilento, vinta da un rimorso che non saprebbe

dire. Ma le automobili non tornano.   Chiesero a
monsieur le Président cosa ne pensasse, e lui disse che era difficile da capire. Disse che non era chiaro cosa stava succedendo.
Si voltò verso Dupin, perché di lui si fidava. Dupin fece un
gesto in aria, come a indicare un volo d'uccelli. Uno stormo
messo in fuga da una fucilata.

Mentre le prime automobili arrivavano a Bordeaux, primo traguardo fissato nella prosa della corsa. Cronometristi in vestito
elegante studiavano le lancette sui quadranti scuri, snocciolan-
do la poesia di numeri complicati che significavano il tempo. I
piloti allora scendevano dai sedili, e barcollando chiedevano da
bere, mentre sorridevano per obbligo alle battute della gente.
Alle pacche sulle spalle. Quando sollevavano gli occhialoni sulla
fronte, dalla pelle bianca sbucavano occhi spiritati. Come di chi
avesse visto fantasmi, o incendi.   Ogni tanto do
un'occhiata al tabellone perché un cameriere capo deve sapere
tutto, e non farsi sorprendere da niente. Una battuta sul vincitore, ad esempio, può ingentilire il gesto con cui si raccoglie una
forchetta caduta, e questo lo si impara col tempo. Tutto il
tempo che ho speso a piroettare intorno a tavole imbandite. Se
metto in fila i miei passi, i passi di una vita, potrei arrivare a
Parigi, leggermente chino in avanti, lasciando dietro una scia,
discreta, di Eau de Cologne. Un angelo in contromano, hombre   Aprì la porta, dopo aver bussato, e le disse che
erano arrivati a Bordeaux, ma la figlia non ne parve impressio-
nata e, anzi, neanche si voltò, solo chiedendo, con voce annoiata, se era una giornata di vento. Non lo so, disse lui. Non lo sai,
disse lei, piano.   A Parigi, i deputati indugiavano nei
corridoi, alcuni chiedendo a gran voce l'intervento del governo.

Si può dire che fino al giorno prima neanche sapessero veramente cosa erano le automobili: tutt'al più le immaginavano come ipertrofici gioielli da uomo. Ora ammazzavano. E questo li spaventò: come il morso imprevisto di un cane fedele, o la cattiveria di un bambino, o la lettera perfida di un'amante.   Le lancette dissero che provvisoriamente primo era Fernand Gabriel, nel caos di Bordeaux. Lui disse che dalla partenza di Versailles alla linea dell'arrivo aveva compiuto 78 sorpassi. Le mani gli tremavano, e rise quando nemmeno riuscì ad accendersi la sigaretta. Risero tutti, intorno.   Alzando gli occhi su Dupin, monsieur le Président chiese quante ore ci volevano ancora prima che se ne sparissero tutti dal suolo francese, andando a insanguinare le strade di Spagna. Dupin consultò un foglio che teneva in mano.   Ancora in corsa, al duecentosettantunesimo chilometro, Loraine Barrow sentì che le braccia erano di un altro, e il volante uno strano oggetto davanti agli occhi. Viaggiava con il suo meccanico al fianco. Provò a urlare qualcosa, ma dalla gola non uscì niente.   Forse non ho ancora detto che alla tavola siederà la famiglia reale, e questo spiega la mia calma innaturale, e il silenzio dei gesti, e la dorata luce di questo après-midi
Ma fare il meccanico in corsa era stato il suo sogno, per cui non si immalinconì quando vide il faggio secolare venirgli incontro, e risucchiare l'auto che perdeva se stessa tra le braccia addormentate di Loraine Barrow.   Chi avrebbe detto, finire come un verso di poeta spagnolo, stirato dal gesso su una lavagna nera, *Retirado Loraine Barrow* – l'esplosione restò in Francia, il sangue e il fumo – in Spagna solo un verso, di poeta, da danzare   Dupin corresse il dato, aggiungendo la vita mozza del meccanico alla contabilità della follia / la minuzia dei cronometristi, e gli applausi lieti dei vecchi, sul ciglio della strada / all'uscita di Bordeaux già erano in migliaia ad aspettare di vederle ripartire / ricordami quanti ne han fatti fuori, disse mon-

sieur le Président, stanco   ma come solo corrono i
bambini, corrono loro due, dalla campagna alla strada, incontro
alla grande corsa, da soli e piccolini, in segreto da tutti, correndo, poi camminando, e poi di nuovo di corsa, GRIDANDO
quando la strada è in vista, gridando dei suoni, senza parole,
come gli uccelli nel cielo delle piazze d'estate: alla fine arrivano
alla gente, scivolano tra i pantaloni delle attese altrui, fino alla
prima fila, negli occhi la traccia bianca della strada e in fondo il
profilo della collina, ultimo orizzonte, grembo che partorirà il
miracolo, lo sbuffo di una nube di polvere, un rumore che non
sanno, e qualcosa che ricorderanno in eterno come la prima
aurora della vita. Scossi dal fiatone. Si scambiano uno sguardo.
Amici per sempre.   Ma: Dupin ripiega il foglio e se lo
mette in tasca. un colpo di vento spagnolo solleva la fiandra,
sotto i calici di cristallo. a Versailles i corvi alzano di scatto la
testa come al rintocco di un campanile sconosciuto. *monsieur le
Président fa un cenno secco, con la mano aperta, mano bianca,
quasi una lama. Fermate quegli idioti, dice.* con la mano il capo
cameriere ridistende le pieghe della tovaglia, che il vento ha disegnato, e lui cancella. il mite Dupin accenna un inchino ed esce
dalla stanza. in quarantamila, in quel momento, danzano a
Madrid, senza sapere. Che *c'est fini.*

In effetti interruppe la corsa, il governo di Francia, con decre-
to fulmineo e solenne. Soffocarono il mostro, prima che
potesse uccidere ancora.   Non era assente, nei francesi, il timore di dispiacere al re di Spagna, Alfonso XIII, che
a Madrid stava aspettando le automobili regine, nel lusso e
nella mondanità. Così suggerirono agli organizzatori di tra-
sportare le automobili in treno da Bordeaux ai Pirenei. E, in

terra di Spagna, riprendere la corsa, fino al previsto traguardo reale. Era un'idea.   Tuttavia al re spagnolo non piacque, per ragioni che non ritenne opportuno chiarire. In segno di lutto fece smantellare prima di sera i palchi che avrebbero dovuto ospitare il meglio di Spagna. Proibì la musica, e vietò le danze, dal tramonto, per tre giorni. Si sgonfiarono i tendoni azzurri sotto i quali era pronta la magia della luce elettrica. E lentamente, con panni scuri, qualcuno scosse via il gesso dal grande tabellone di lavagna, commutando la gloria dei nomi e la verità dei responsi cronometrici in polvere bianca, nel vento, sulle mani, e sui vestiti   Ho appreso la notizia inclinando il capo leggermente in avanti, e col sorriso. Ho preteso dai miei camerieri che non si togliessero i guanti di panno bianco, perché a questa tavola si deve onore, e rispetto. In questi casi – che possono accadere – l'ordine da osservare, nello sgombero della tavola, è: cristalli, posateria, piatteria, tovaglioli. Quindi le decorazioni. Solleveremo infine la grande tovaglia di fiandra – come una vela – ripiegandola per sette volte, dove il tessuto ancora conserva l'invito del ferro caldo. Così si chiuderà il cerchio delle cose non accadute, che nel nostro mestiere, come nella vita, custodisce il segreto, e il significato più profondo, di tutto ciò che è. Tornerò a casa camminando lentamente, la schiena dritta, e una sigaretta alle labbra. Per quel che conta, posso assicurare che non ci sarebbe stata polvere sul cristallo dei miei bicchieri. Ma anche questo, nessuno è tenuto a saperlo, tranne me. Nel fradicio delle mie lenzuola, lento verrà il sonno, nel sudore della notte. Dio mi salvi dalla mia solitudine.   Figlia, perché balli da sola sulla pista deserta di questa notte mancata, in mezzo a uomini già spariti e sospiri immaginari? Che tempo conta il tuo cuore malato di lentezza e presunzione, per arrivare sempre all'ora inutile? Non aspetteranno ancora il tuo splendore, e la mia fierezza morirà di stenti. Sia clemente il castigo, per tanto spreco. E accorto l'angelo

che veglia sulle nostre solitudini.   Le automobili
rimaste furono trainate fino alla stazione, e lì caricate su un
interminabile convoglio ferroviario che, a velocità misurata, le
riportò a Parigi.

L'INFANZIA DI ULTIMO

Ultimo si chiamava così perché era stato il primo figlio.

– E Ultimo –, aveva subito precisato sua madre, appena ripresi i sensi dopo il parto.

Così fu Ultimo.

All'inizio sembrava non volerne sapere. Nei primi quattro anni di vita si fece tutte le malattie possibili. Lo battezzarono tre volte: il prete non riusciva a dare l'estrema unzione a una cosa così piccola, con quegli occhi lì: per cui ogni volta optava per il battesimo, tanto per non tornare senza aver sacramentato.

– Male non farà.

In effetti Ultimo ne uscì sempre vivo: piccolo, secco, bianco come uno straccio, ma vivo. Ha il cuore forte, diceva il padre. Ha culo, diceva la madre.

Per cui era vivo quando, all'età di sette anni e quattro mesi, nel novembre del 1904, il padre lo portò nella stalla, gli indicò le ventisei mucche fassone che erano tutta la sua ricchezza, e gli comunicò che non doveva ancora dirlo alla mamma, ma stavano per liberarsi, una volta per tutte, di quella montagna di merda.

Fece un ampio gesto, piuttosto solenne, che abbracciava l'intero locale, scuro e puzzolente. Poi scandì molto lentamente:

– Garage Libero Parri.

Libero Parri era il suo nome. Garage era una parola francese che Ultimo non aveva mai sentito prima. Lì per lì pensò che dovesse significare qualcosa come "allevamento" o tutt'al più "latteria". Ma non capiva la novità.

– Ripareremo automobili –, chiarì, lapidario, il padre.

Quella, in effetti, era una novità.

– Non esistono ancora, le automobili –, annotò la madre, quando alla fine fu informata della cosa, una sera, a letto, a luce spenta.

– È questione di mesi. E poi esisteranno –, la informò Libero Parri, suo marito, infilandole la mano sotto la camicia da notte.

– C'è il bambino.

– Non c'è problema, ci sarà lavoro anche per lui, imparerà.

– C'è il bambino, leva quella mano.

– Ah –, disse Libero Parri ricordandosi che d'inverno si dormiva tutti nella stessa stanza, per economizzare sulle stufe.

Rimasero un po' lì, in leggera bonaccia comunicativa. Poi lui riattaccò.

– Ne ho parlato con Ultimo. Lui è d'accordo.

– Ultimo?

– Sì.

– Ultimo è un bambino, ha sette anni, pesa ventun chili e ha l'asma.

– Che c'entra, è un bambino speciale.

C'era, in famiglia, questa idea che lui fosse un bambino speciale. Per via di tutte le malattie, e di altre storie che era difficile spiegare.

– Non potresti parlarne col Tarìn, piuttosto?

– Lui non capirebbe. Lui è come gli altri, c'ha solo la terra in testa, terra e animali, mi darebbe del pazzo.

– Magari avrebbe ragione.

– No, non avrebbe ragione.

– Come fai a dirlo?

– Lui è di Trezzate.

Da quelle parti era un argomento inattaccabile.

– Allora parlane col prete.

Se Libero Parri non era ateo e socialista era solo per mancanza di tempo. Si trattava di trovare un paio d'ore per informarsi un po' e lo sarebbe diventato. Nel frattempo, odiava i preti.

– Altri consigli? –, chiese.

– Scherzavo.

– No, non scherzavi.

– Giuro che scherzavo –, e allungò una mano nei pantaloni del marito. Era una cosa che le piaceva.

– Il bambino –, borbottò Libero Parri.

– Fa' finta di niente –, suggerì lei.

Si chiamava Florence. Suo padre era un francese che aveva girato per anni l'Italia vendendo una scarpa da donna di sua invenzione. In pratica era una scarpa normale cui però si poteva applicare, all'occorrenza, un tacco. Lo potevi mettere e togliere grazie a un praticissimo sistema di tiranti. Il vantaggio era che con un solo paio di scarpe finivi per averne due, uno da lavoro e uno da sera. Svantaggi non ce n'erano, secondo lui. Una volta era stato a Firenze, e ne era rimasto come stregato. Per questo alla sua prima figlia aveva dato quel nome. Anche a Roma, peraltro, se l'era spassata un bel po': così il figlio maschio che venne l'anno dopo lo chiamò Romeo. Poi prese la deriva shakespeariana e da lì in poi fu tutta una faccenda di Giuliette, Riccardi, e nomi del genere. È importante vedere come la gente sceglie i nomi. Morire e dare nomi – non si fa altro di *sincero*, probabilmente, per tutto il tempo che si campa.

Florence completò il lavoretto scivolando sotto le coperte e finendo con la bocca. Non era una pratica di solito giudicata consona a una moglie, ma da quelle parti quel modo di fare l'amore lo chiamavano *alla francese*, per cui lei si sentiva autorizzata.

– Ho fatto casino? –, chiese, dopo, Libero Parri.

– Non so, ma non mi pare.

– Speriamo.

In ogni caso Ultimo non avrebbe sentito perché fisicamente era nel suo letto, in fondo alla stanza, ma con la testa era finito sulla strada per il fiume, in un giorno di due inverni prima, di fianco a suo padre, ad aspettare. Mattino presto. La campagna ancora scricchiolante della brina notturna, sotto la luce di un sole volenteroso. Si era portato da casa una mela, da mangiare, e adesso stava lucidandola sulla manica del cappotto. Suo padre fumava, e canticchiava. Avevano fatto a piedi da casa al bivio per Rabello, e adesso aspettavano lì.

– Dove lo porti? –, aveva chiesto la mamma.

– Cose da uomini –, aveva risposto Libero Parri, e da lì Ultimo non si era fatto più domande perché se hai cinque anni e tuo padre ti porta con sé, in quel modo, sei felice e basta. Per cui aveva corricchiato dietro di lui fino al bivio per Rabello. L'aveva fatto senza sapere che per infinite volte, da grande, avrebbe rivisto quella immagine, proprio quella: la sagoma massiccia del padre che camminava a grandi passi davanti a lui, contro il volo della nebbia mattutina, *senza mai voltarsi*, né per aspettarlo né per controllare che ci fosse ancora. In quella severità, e in quella assenza totale di dubbi, vi era quanto suo padre gli aveva insegnato dell'essere padri: che è saper camminare, senza mai voltarsi. Camminare il passo lungo degli adulti, senza pietà, ma un passo limpido e regolare, perché tuo figlio possa capirlo e starci attaccato, nonostante il suo passo bambino. E farlo senza mai voltarsi, se ne avrai la forza: perché lui sappia che non si perderà, e che camminare insieme è un destino di cui non bisogna mai dubitare, giacché è scritto nella terra.

Poi, lontano, Ultimo vide alzarsi una nube di polvere. Suo padre non disse nulla ma buttò la sigaretta e gli posò una mano sulla spalla. La nube scendeva da Rabello, seguendo le curve della strada. Si avvicinava, con lei, un rumore che Ultimo non aveva mai sentito, come il borbottare di un demonio metallico. Vide dapprima le grandi ruote e il ghigno di un radiatore enorme. Poi un uomo seduto incredibilmente in alto, dritto nella polvere, con occhi giganti da insetto. La strana cosa puntava dritto verso di loro, a una velocità inaudita, nel fracasso crescente delle proprie interiora. Era una visione spaventosa, e Ultimo intuì forse qualcosa del suo destino quando si accorse che nella sua mente, nel suo cuore, nei suoi nervi, non c'era, in quel momento, paura, da nessuna parte, neanche un refolo, di paura, ma solo voglia, senza condizioni, e fretta di farsi assorbire da quella nube di polvere che adesso sferragliava puntando su di loro, scendendo la collina e precipitandosi verso il bivio: l'uomo-insetto impassibile là sopra, le ruote ad incassare le buche del terreno, con un dinoccolato rollìo da zattera naufraga in mare, ma zattera sicurissima di sé, che strillando ferro dalle viscere inquadra il bivio e senza esitazioni lo decifra, in certo modo lo seziona, piegando verso destra la coppia di ruote gommate. Ultimo sentì la mano del padre stringersi, sulla spalla, e vide l'uomo lassù buttarsi da un lato, appeso con le mani al volante, come se lo spostasse lui tutto il grande animale acceso, con la sola forza di quel gesto audace che da subito Ultimo gli invidiò, quasi sentendoselo addosso, come se l'avesse da sempre conosciuto – la fatica delle braccia, la visione obliqua della strada, la forza invisibile che ti porta via, il volo apparente controvento. Alla fine, scivolando solenne nel dovuto cambio di direzione, il grande animale scoprì sotto i loro occhi il fianco, e con grande eleganza svelò la silhouette di una donna, invisibile prima perché posata in un più recesso ricovero tra le costole metalliche, su un sedile più in basso che Ultimo però percepì regale come un trono, forse a causa del grande cappello, rosa, che la donna portava sul capo, annodato sotto il mento con uno chiffon color ambra. Mai più avrebbe dimenticato, in quella donna, il collo reclinato di fianco, come ad accettare l'invito della curva, in un gesto che replicava l'acrobazia del pilota, ma convertita a un'indicibile gentilezza – o a un elegante scetticismo, chissà.

Sul suo nuovo binario, virata la prua verso il fiume e il mezzogiorno, l'animale se ne sparì rapido dalla vista, ingoiato dalla polvere. Ultimo e suo padre restarono fermi dov'erano, a sentire le note lontane del concerto meccanico sfilare tra i pioppi, nel nulla. C'era nell'aria un odore che era indeducibile dalla campagna, e che per anni, poi, sarebbe diventato il loro profumo, quello che le loro donne avrebbero imparato ad amare.

Libero Parri aspettò che l'aria ritornasse limpida, e silenziosa. Poi chiarì:

– Non diciamo niente, alla mamma.

– No –, convenne Ultimo.

Aveva appena visto la sua prima automobile. A voler esser precisi l'aveva vista *in curva*, cioè nell'esibizione perfetta e controllata di un cambio di direzione: la qual cosa potrebbe contribuire a spiegare la follia a cui quel bambino, divenuto adulto, avrebbe dedicato tanta parte della sua vita.

Sferragliante in curva, la stava rivedendo, quell'automobile, quando il sonno se lo prese, nel buio, a pochi metri dal letto in cui suo padre e sua madre avevano appena finito di amarsi *alla francese*. Così, non li sentì ridere sottovoce, e neppure si accorse del padre che scendeva dal letto e andava di là a prendere qualcosa. Tornò che teneva in mano una candela accesa e un foglio di carta. Nel foglio c'era scritto che il conte Palestro comprava le sue ventisei mucche fassone per la cifra, moderatamente alta, di sedicimila lire. Florence Parri prese il foglio e lesse quel che c'era da leggere. Poi spense la candela.

Stavano uno di fianco all'altra, sotto le coperte, immobili.

A Libero Parri batteva forte il cuore.

Alla fine lei parlò.

– Libero, tu non sai nemmeno come son fatte, le automobili.

Lui si era preparato.

28

– Se è per questo, non lo sa nessuno, piccola.

Il libro su cui Libero Parri e suo figlio Ultimo impararono come erano fatte le automobili era in francese (*Mécanique de l'automobile*, Editions Chevalier). Il che spiega come, per i primi anni, quando proprio non riuscivano a venirne a capo, stesi sotto una Clément Bayard 4 cilindri, o chini dentro una Fiat 24 cavalli, Libero Parri fosse solito uscire dall'impasse dicendo al figlio:

– Chiama tua madre.

Florence arrivava con il bucato sulle braccia, o tenendo una padella in mano. Il libro l'aveva tradotto parola per parola, per cui se lo ricordava a memoria. Si faceva raccontare il problema, senza neanche degnare di uno sguardo l'automobile, risaliva mentalmente alla pagina giusta, e staccava la sua diagnosi. Poi si voltava e riportava il bucato in casa. O la padella.

– *Merci* –, borbottava Libero Parri, incerto tra l'ammirazione e l'incazzatura pura e semplice. Dopo un po' dall'ex-stalla, ora garage, saliva il rombo del motore risuscitato. Andava così.

Peraltro, la cosa succedeva assai di rado, giacché, per tutti i primi anni, il Garage Libero Parri si dovette adattare, per sopravvivere, a ogni sorta di riparazione, senza star troppo a sottilizzare. Automobili ne arrivavano poche, per cui si andava dalle balestre dei carri alle stufe di ghisa, passando per gli orologi. Quando, a grande richiesta, Libero Parri dovette aprire un servizio di ferratura per i cavalli della zona, un altro l'avrebbe presa come un'umiliante sconfitta: ma non lui, che aveva letto da qualche parte come i primi a far soldi costruendo armi da fuoco erano stati gli stessi che, fino al giorno prima, erano vissuti facendo il filo alle spade. Il fatto è che – come non aveva mancato di rilevare, ai tempi, Florence – le automobili non esistevano ancora, o quanto meno, se esistevano non le facevano da quelle parti. Così l'arrivo all'orizzonte della salvifica nube di polvere con relativo concerto meccanico era una rarità salutata con ironia da tutto il circondario. Accadeva così poco sovente che, quando accadeva, Libero Parri saliva sulla bicicletta e andava a prendersi il figlio a scuola. Entrava in classe, col cappello in mano, e diceva soltanto:

– Un'emergenza.

La maestra sapeva. Ultimo schizzava via come un proiettile, e mezz'ora dopo erano a ungersi le idee sotto a cofani che pesavano come vitelli.

Così furono anni di fatica, passati a risparmiare su tutto, e ad aspettare nubi di polvere che non arrivavano. Quel che c'era da vendere lo vendettero, e alla fine Libero Parri dovette rassegnarsi a mettere la cravatta e andare a parlare col direttore della banca. Un'emergenza, disse, col cappello in mano. Da quelle parti, la gente era orgogliosa fino alla malattia: quando l'uomo andava in banca col cappello in mano, le donne, a casa, nascondevano il fucile da caccia, tanto per evitare tentazioni. Libero Parri tornò che aveva impegnato anche la cascina, ma neanche quel giorno lo videro dubbioso. Rise e scherzò tutta la cena. Sapeva che il futuro sarebbe arrivato e che lui, solo, poteva aspettare senza paura. Perché c'erano venticinque latte piene di benzina, nel suo capanno, e quella era l'unica benzina nell'arco di cento chilometri. Perché era l'unico uomo, da lì all'orizzonte, che sapesse cos'era un giunto cardanico, e come si rifacevano le bronzine. Perché, comunque andasse, era il primo Parri, da sei generazioni, a non avere le mani che sapevano di vacca. Per cui mangiò di buon appetito, quella sera. Prese anche due volte di minestra. Poi, soddisfatto, uscì a dondolarsi su una sedia, appoggiato al muro del cortile, in faccia al tramonto. C'era anche il Tarìn, il suo amico, quello di Trezzate. Era venuto a dare un saluto, così, per prudenza. Ma dell'affare della banca neanche avevano parlato. Libero Parri sembrava preso da altri pensieri.

– Senti che roba... –, disse a un certo punto, inspirando deliziato l'aria della sera.

– Quale roba? –, chiese il Tarìn.

– L'odore di letame –, chiarì Libero Parri, tornando a inspirare teatralmente.

Il Tarìn tirò su col naso un paio di volte, ma senza convinzione.

– Non c'è odore di letame –, disse.

– Appunto –, concluse Libero Parri, trionfale.

Era il genere di cosa che lo faceva impazzire.

La notte si buttò sul letto, e subito capì che c'era qualcosa che non andava.

– Cosa cazzo c'è qua sotto?

La moglie si alzò, sfilò via il fucile da caccia da sotto il materasso, e andò a rimetterlo a posto. Quando tornò sotto le coperte, Libero Parri stava sventolando un foglio di giornale.

– Tu proprio non vuoi capire –, le disse, e le passò il giornale. Florence lesse che tre italiani – Luigi Barzini, Scipione Borghese ed Ettore Guizzardi – si erano fatti 16 mila chilometri in automobile partendo da Pechino e arrivando a Parigi. In sella a una Itala da quarantacinque cavalli e milletrecento chili, avevano attraversato il mondo e l'avevano fatto in soli sessanta giorni.

– Strano. Non li ho visti passare –, disse Florence, pragmatica.

– Io sì –, borbottò Libero Parri, in buona fede.

Perché lui li aveva visti passare. Li vedeva passare ogni minuto della sua vita, con incrollabile fiducia. Erano coperti di polvere, e, con la mano – guantata – salutavano.

Il futuro arrivò a piedi, nel 1911, un pomeriggio di marzo che pioveva. Libero Parri lo vide da lontano. Vide il lungo spolverino e riconobbe gli occhialoni tirati su, sulla cuffia di cuoio. L'automobile non c'era, ma tutto il resto sì.

– Ci siamo –, sussurrò a Ultimo, che stava raddrizzando la ruota di una bicicletta. A scanso di equivoci, nascose il bidone del latte che stava rattoppando, e andò a sedersi vicino a una pila di pneumatici che aveva appena comprato, usati, dalla caserma di Brandate. Facevano la loro figura.

L'uomo con lo spolverino camminava lentamente. Si riparava dalla pioggia con un grande ombrello verde, e questo gli dava una vaga sfumatura irreale. Come di profezia, volendo. Arrivò davanti al garage e per un po' rimase a guardare, inspiegabilmente, quel ragazzino e la bicicletta. Poi lesse l'insegna. Lo fece adagio, con l'aria di decifrare un'iscrizione antica. Alla fine abbassò lo sguardo su Ultimo.

– È vero che avete benzina, qui?

Ultimo si voltò verso il padre. Libero Parri stava facendo finta di contare gli pneumatici.

– È vero –, disse, con il tono di uno che era stufo di rispondere sempre alla stessa domanda.

L'uomo con lo spolverino chiuse l'ombrello e si mise al riparo, vicino agli pneumatici.

Stette per un po' lì, a guardare la campagna che allagava, intorno. Poi si voltò verso Libero Parri.

– Non voglio essere scortese, ma che cazzo di senso ha aprire un garage in mezzo a questa fanga?

– Facciamo grande affidamento sui coglioni che rimangono senza benzina in mezzo ai campi.

L'uomo fissò Libero Parri come se iniziasse a vederlo solo in quel momento. Poi si tolse un guanto e tese la mano.

– Molto lieto, conte D'Ambrosio. Non si illuda: non sono coglione come sembro.

– Libero Parri, piacere. Non mi illudo.

– Molto bene.

– Molto bene.

Anni dopo sarebbero finiti sui giornali, uno accanto all'altro, quasi ridotti a un solo nome: D'Ambrosio Parri. Ma allora non lo potevano ancora sapere. Erano solo agli inizi.

– Ce l'ha davvero la benzina?

– Quanta ne vuole.

– E un bagno caldo?

Finì che il conte si fermò ad asciugare l'anima davanti al fuoco della cucina. Poi Florence mise un piatto in più e la cena filò via tra mille chiacchiere. Parlarono dei motori a metano, delle fabbriche di Torino e di come cucinare la testina. Quando il vino fece effetto, sbandarono vistosamente verso certe storie di donne andaluse e profumi francesi. Ci scappò anche una barzelletta sul re, ma mentre Ultimo era di là, a prendere qualcosa, in camera.

Era buio pesto quando D'Ambrosio decise che era ora di andare. Indossò lo spolverino, si calò in testa la cuffia di cuoio, si mise gli occhialoni in tasca e infilando con gesto teatrale i guanti si diresse verso la porta. Fuori, il vento si era portato via la pioggia e adesso il nero della notte sembrava dipinto di fresco.

– Che meraviglia –, commentò D'Ambrosio, sulla soglia, respirando l'aria frizzante. Si inchinò verso il suo pubblico e senza aggiungere una parola si allontanò. Scomparve nel buio, camminando con una certa fierezza nella direzione da cui era arrivato.

Libero Parri andò a chiudere la porta poi tornò a tavola. Rimasero un po' lì, lui Florence e Ultimo, a giocare con le briciole sulla tovaglia a quadretti bianchi e blu.

– Ottimo, il bollito –, disse Libero Parri, per guadagnare tempo.

– Sembrava che gli piacesse, no?

– Ha dimenticato anche l'ombrello –, annotò Ultimo.

Libero Parri fece un vago cenno in aria, come per dire che non era il caso di fare troppo i fiscali. Poi sentirono bussare alla porta.

Il conte D'Ambrosio sembrava ancora più allegro di prima.

– Scusate il dettaglio, ma io ricordo distintamente che avevo un'automobile, quando sono arrivato.

Libero Parri gli ricostruì la sequenza della giornata. Dalla benzina al vino.

– Dev'essere andata proprio così –, concesse il conte. Poi disse che per lui anche una poltrona andava benissimo. Mai avuto problemi di sonno.

Lo sistemarono in camera con Ultimo, rimettendo in sesto una branda che stava invecchiando in cantina. Prima di spegnere la candela D'Ambrosio si cautelò.

– Non farci caso se parlo nel sonno. Di solito non sono cose interessanti.

Ultimo disse che non c'era problema, e che anche lui parlava nel sonno.

– Bene. È una cosa che piace alle donne.

Poi aggiunse un'annotazione sul silenzio della campagna, ma non si capì bene. Con un soffio spense la candela. Ultimo si domandò se era il caso di dire qualcosa tipo buonanotte. Ma poi sentì un cigolio e capì che il conte si era drizzato su un gomito. Aveva ancora un dubbio da chiarire.

– Dormi già?

– No.

– Avrei una domanda.

– Sì?

– Secondo te tuo padre è pazzo?

– No, signore.

– Risposta esatta, ragazzo.

Ultimo lo sentì che si lasciava ricadere sul letto, come se si fosse tolta una preoccupazione.

– Buonanotte, signore.

Non si udì nessuna risposta.

Solo dopo un po', Ultimo sentì una specie di borbottio.

– Guarda te: erano anni che nessuno me lo diceva.

Il giorno dopo era domenica. Riempito il serbatoio, il conte D'Ambrosio decise che in una mattina tersa come quella c'era solo una cosa da fare: lezione di guida. Seduto su una pila di pneumatici, Ultimo vide suo padre infilare gli occhialoni e appoggiare le mani sul volante. L'aveva già visto, così, in passato, ma quello che seguiva era che il padre faceva il motore con la bocca e mimava le curve, dimenandosi sul sedile: volendosi attenere ai fatti, l'automobile era sempre molto ferma. Quella volta, invece, si faceva sul serio. Libero Parri ascoltò le ordinate raccomandazioni del conte fissando un punto immaginario davanti a sé. Poi fece una domanda che Ultimo non sentì bene.

– Non dica cazzate –, rispose D'Ambrosio, ma sorridendo.

Per un po' non successe niente. Libero Parri era sempre inchiodato con lo sguardo davanti a sé. Le mani strette al volante, le braccia rigide. Una statua. Florence, che si era affacciata alla porta, con una gallina in mano, morta, scosse la testa.

– Da quant'è che non respira?

Prima che Ultimo potesse rispondere, si sentì uno schiocco meccanico. Poi l'automobile si avviò dolcemente, perfetta, una biglia su un panno inclinato. Imboccò la strada come se l'avesse fatto da sempre e si allontanò senza fretta per la campagna. Ultimo vide la nube di polvere che si alzava rotonda sulla campagna e per un attimo sentì che per sempre sarebbe stato al sicuro, giacché quello era suo padre, e suo padre era dio.

Stettero in silenzio, fino a che il rumore del motore non si perse in lontananza. Poi Ultimo disse:

– Torna, vero?

– Se riesce a girare...

Seppero poi che Libero Parri aveva preteso di entrare in paese e, nonostante le proteste del conte, l'aveva attraversato, a velocità sostenuta, gridando frasi sconnesse in cui c'entravano le vacche, il direttore della banca e, forse, i preti.

– No, i preti non c'entravano.

– Strano, avrei giurato di aver sentito proprio la parola preti.

– Prati, ho detto *prati*.

– Prati di merda?

– Concimati, volevo dire prati concimati.

– Ah.

– Lascia perdere, conte, è roba che non puoi capire.

Erano passati al tu. Ma restando ancora ai cognomi.

– Te la sei cavata bene, Parri.

– Ho un buon maestro.

Sarebbe finita lì, ma il conte sentì distintamente che mancava un dettaglio alla disciplina di quella mattinata. Così si voltò e trovò gli occhi di Ultimo, sospesi nell'aria del cortile, che aspettavano. Sembrava che fossero lì dalla preistoria. Galleggiavano sul borbottìo del motore ancora acceso.

– Ti andrebbe un giro, ragazzo?

Ultimo sorrise e gettò uno sguardo al padre. Libero Parri diede un'occhiata a Florence. Florence si sistemò una ciocca di capelli dietro l'orecchio e disse:

– Sì, gli andrebbe.

Così lui si arrampicò sul sedile, si infilò le mani sotto il sedere e, per essere più alto, strinse a pugno le dita.

– Dove vuoi andare? Passiamo davanti a scuola gridando maestra di merda?

– No, voglio andare alla cunetta di Piassebene.

La cunetta di Piassebene era un inspiegabile dosso in mezzo alla pianura. Nessuno sapeva bene cosa ci fosse, là sotto, ma, di fatto, la campagna, che per chilometri correva piana come un biliardo, lì dava una spallata in alto, per poi tornare al suo mutismo. E la strada saltava con lei. Quando ci passavano a piedi, Ultimo e il padre, finiva sempre che si mettevano a correre, appena ci arrivavano sotto, e poi sul colmo della cunetta saltavano in faccia alla pianura, urlando i loro nomi. Poi tornavano a comporre in silenzio il passo ordinato della gente di campagna, come se niente fosse successo.

– Vada per la cunetta di Tassabene.

– Piassebene.

– Piassebene.

– Dritto di là.

Il conte D'Ambrosio innestò la marcia, domandandosi cosa c'era, in quel ragazzino, che non era normale. Se lo ricordava il giorno prima, in quella pioggia, chinato sulla bicicletta, sotto l'insegna GARAGE: per quanto potesse sembrare assurdo, *c'era soprattutto lui*, in quel piccolo paesaggio: tutto il resto era un passo indietro. D'improvviso gli venne in mente dove aveva già visto una cosa del genere, ed era precisamente nei quadri che raccontano la vita dei santi. O di Cristo. Erano sempre pieni di gente, e tutti facevano anche cose strane, ma era *il santo* che vedevi subito, non c'era mica bisogno di cercarlo, negli occhi arrivava per primo il santo. O il Cristo. Forse sto scarrozzando per la campagna Gesù Bambino, si disse ridacchiando: e si girò verso di lui. Ultimo guardava davanti a sé, con gli occhi tranquilli, incurante dell'aria e della polvere: serio. Neanche si voltò, quando disse ad alta voce:

– Più veloci, per favore.

Il conte D'Ambrosio tornò a far caso alla strada e si vide la cunetta proprio davanti, assurda e nitida, nella pigrizia della campagna. In altre circostanze avrebbe mollato l'acceleratore per assecondare la gobba del terreno con la forza leggera di un'inerzia controllata. Fu con un certo stupore che si sorprese a dare gas come un bambino.

Sul dosso, i 931 chili del mostro di ferro si staccarono da terra con un'eleganza tenuta in serbo, segretamente, da sempre. Il conte D'Ambrosio sentì il motore ruggire nel vuoto, e intuì il frullare d'ali con cui le ruote s'arrotolavano nell'aria. Le mani strette sul volante, gridò un grido di sorpresa mentre il ragazzino al suo fianco, con tutt'altra freddezza e gioia, urlava, sorprendentemente, il proprio nome, a squarciagola.

Nome e cognome, per l'esattezza.

La macchina dovette venire a recuperarla Libero Parri, con il biroccio e i cavalli. La trascinarono fino in officina e poi ci fu da lavorare una settimana. Volare, aveva volato bene. Era dopo, che si era un po' disunita.

Quando il conte D'Ambrosio tornò a prendersela, la domenica dopo, sembrava nuova di zecca. Libero Parri l'aveva lustrata con una sapienza cui non erano estranei gli anni spesi a lucidare vacche per l'esposizione annuale al foro boario. Il conte commentò con un fischio d'ammirazione, più volte collaudato nei bordelli di mezza Europa. Poi tirò fuori una borsa di cuoio marrone e la spinse verso Libero Parri.

– Aprila.

Libero Parri la aprì. Dentro c'erano occhialoni, cuffia di pelle, guanti, un foulard colorato e un giaccone con sopra cucita un'etichetta che diceva: D'Ambrosio Parri.

– Che significa?

– Mai sentito parlare di corse d'automobili?

Libero Parri ne aveva sentito parlare. Cose da ricchi.

– Ho bisogno di un meccanico che corra con me. Che ne dici?

Libero Parri deglutì facendo uno strano rumore.

– Non c'ho tempo, per quelle cose. Ho da lavorare, io.

– Quaranta lire al giorno, più le spese e un quarto dei premi.

– Premi?

– Quando vinciamo.

– Quando vinciamo.

– Già.

Poi tutt'e due si voltarono istintivamente verso la porta, come richiamati da un rumore. Tutto era silenzioso, e la porta spalancata, e la soglia deserta. Rimasero un istante con lo sguardo fisso lì, come in attesa. Ultimo passò nello specchio della porta, senza nemmeno accorgersi di loro, attento a non far cadere la fascina che teneva sulle braccia. Com'era apparso, scomparve.

– E chi la convince Florence? –, disse Libero Parri.

Ma il conte D'Ambrosio non sembrò sentire.

– Quel ragazzino ha qualcosa.

– Chi, Ultimo?

– Sì.

– Non ha niente.

– Sì, ha qualcosa.

Libero Parri alzò gli occhi al cielo, imbarazzato, come uno beccato a barare alle carte.

– Non è niente, è solo... È che ha l'ombra d'oro.

– Prego?

– È una cosa che si dice da queste parti. Ci sono quelli che hanno l'ombra d'oro, tutto lì.

– E che vuol dire?

– Non so... sono diversi, e la gente li riconosce. Alla gente piacciono quelli che hanno l'ombra d'oro.

Il conte non sembrava convinto. Libero Parri azzardò una spiegazione.

– È che lui è già morto due o tre volte... Quando era piccolo, lo davano sempre per spacciato, ma lui ne usciva sempre. Chi lo sa, magari sono cose che ti cambiano.

Al conte D'Ambrosio venne in mente l'unica donna che avesse mai amato più del tennis e delle automobili. Quando entravi in una stanza piena di gente, potevi *sentire* se lei era là, senza bisogno di vederla o di sapere che era rimasta a casa. E a teatro, non c'era bisogno di cercarla: era la prima cosa che vedevano i tuoi occhi. Non era neanche tanto bella. Ed era perfino difficile capire se fosse, in effetti, intelligente. Ma la luce era dov'era lei, e *lei* era il quadro. Aveva l'ombra d'oro, capì.

– A Florence ci penso io.

Libero Parri si mise a ridere.

– Tu non la conosci.

– Questione di un attimo.

Il conte D'Ambrosio restò con Florence per dieci minuti, seduto al tavolo della cucina. Le spiegò cos'erano le corse, dove si facevano e perché.

– No –, disse lei.

Allora lui le parlò dei soldi e del pubblico e dei viaggi.

– No –, disse lei.

Così le spiegò cosa significava la celebrità nel mondo degli affari. E le assicurò che davanti a quell'officina, tra qualche mese, ci sarebbe stata la coda.

– No –, disse lei.

– Perché?

– Mio marito è un sognatore. E anche lei lo è. Svegliatevi.

Allora il conte D'Ambrosio rimase un po' lì a pensare. Poi disse:

– Voglio raccontarle una cosa, Florence. Mio padre era un uomo molto ricco, molto più di me. Si mangiò quasi tutto inseguendo un sogno assurdo, una faccenda di ferrovie, una bestialità. Gli piacevano i treni. Quando incominciò a vendere le proprietà io andai da mia madre e le chiesi: Perché non lo fermi? Avevo sedici anni. Mia madre mi diede un ceffone. Poi mi disse una frase che adesso lei, Florence, deve imparare a memoria. Mi disse: se ami qualcuno che ti ama, non smascherare mai i suoi sogni. Il più grande, e illogico, sei tu.

Senza nemmeno aspettare una risposta, salutò con grande cortesia e se ne uscì in cortile. Libero Parri stava prendendo a martellate un cofano che aveva trovato, mesi prima, sul bordo della strada per Piàdene. Meditava di farne un tettuccio per la legnaia.

– Tutto a posto –, scandì il conte, strofinandosi le mani.

– Cos'ha detto?

– Ha detto di no.

– Ah.

– Si inizia la prossima domenica. C'è la Venezia-Brescia –, e iniziò ad avviarsi verso l'automobile.

– Ma se ha detto di no...

– Ha detto di no ma ha pensato di sì –, rispose il conte, da lontano.

– E tu come lo sai?

– Io come lo so?

– Eh.

Il conte D'Ambrosio si fermò. Cercò per qualche secondo la risposta. Ma non la trovava. Si voltò. Si trovò di fronte Florence. Sapeva dio com'era arrivata lì. Parlò sottovoce, che solo lui sentisse, ma scandendo le parole. Con dolcezza.

– Suo padre non si è mangiato un bel niente, è uno degli uomini più ricchi d'Italia, e probabilmente non glien'è fregato mai niente delle ferrovie. Quanto a sua madre, escludo che le abbia mai dato un ceffone in vita sua.

Fece una breve pausa.

– Ammetto che la frasetta sui sogni non è male, ma frasi del genere sono vere solo nei libri: nella vita sono false. La vita è maledettamente più complicata, mi creda.

D'Ambrosio fece un cenno che voleva dire Le credo.

– Comunque ha ragione lei. Ho detto di no ma pensavo di sì. Il perché non glielo dico. E anzi, sa una cosa?, non lo dico neanche a me stessa, così siamo più sereni tutti.

D'Ambrosio sorrise.

– Veda di riportarmelo a casa. Che vinciate o perdiate non me ne frega niente. Veda solo di riportarmelo a casa. Grazie.

D'Ambrosio la guardò girarsi e tornare in casa. Per la prima volta, e senza cautela, pensò che era una donna bella. Un passaggio dal sarto non sarebbe guastato, certo: ma quella era una

41

donna bella.

– Allora? –, chiese ad alta voce Libero Parri.

Il conte fece un cenno in aria, che poteva voler dire un sacco di cose.

La Venezia-Brescia la fecero alla grande per tre quarti del percorso, poi, in un paesino che si chiamava Palù, il conte accostò e spense il motore.

– C'è un posto, qui, che fa un coniglio da perdere la testa.

Libero Parri scoprì poi che la cuoca arrotondava con una stanza al piano di sopra, dove, diceva, ci si poteva riposare un po'. Il conte si riposò un po'. Libero si attenne al coniglio. Che in effetti non era niente male.

– Per me va anche bene, io i soldi li prendo comunque –, disse poi, quando risalirono in automobile. – Ma a Ultimo cosa racconto?

Il conte non rispose. Però la corsa dopo si attaccò al culo della Peugeot di Alberto Campos – un argentino che non perdeva una gara da cinque mesi e undici giorni – e non lo mollò più fino a quando, sotto un acquazzone infernale, si inventò un sorpasso all'esterno che la gente, da quelle parti, si sogna ancora adesso.

– Ecco cosa gli racconti –, mormorò quando scese dall'auto, ridotta a un monumento di fango.

Arrivarono terzi a Torino, ottavi ad Ancona e inaspettatamente primi sulle montagne siciliane. Su un giornale uscì una loro foto dove sembravano insetti giganti. La didascalia diceva: *D'Ambrosio Parri, l'impavida coppia che ha domato i tornanti del Colle Tarso.* Ultimo la ritagliò e se l'attaccò sul letto. La sera la guardava e cercava di immaginare cosa fossero, precisamente, questi *tornanti.* Era propenso a credere che si trattasse di animali selvaggi, dal pelo lungo e la caratteristica andatura dinoccolata. Vivevano sopra i mille metri: se affamati, potevano essere letali.

Un giorno Libero Parri prese un foglio e glieli disegnò. Fece la montagna, e la strada che saliva su, un tornante dopo l'altro, fino alla vetta. Invece che rimanerne deluso, Ultimo ne fu stregato. Per un bambino cresciuto in una campagna in cui l'unica anomalia dell'orizzonte era la cunetta di Piassebene, quella strada che scivolava in salita con la freddezza di un serpente era un'iperbole dell'immaginazione. Ci premette il dito sopra e la percorse dall'inizio alla fine.

– Dall'altra parte è uguale, solo che è in discesa –, chiarì Libero Parri.

Ultimo fece col dito la discesa. Poi chiese al padre se poteva rifare tutto da capo.

– Puoi.

Questa volta ci mise anche il rumore del motore, con la bocca, e lo stridio dei freni. Con la testa seguiva il ritmo delle curve: sotto il sedere sentiva la spinta della forza centrifuga e nelle mani la frusta delle sbandate. In vita sua aveva fatto sì e no quattro chilometri in automobile, ma *conosceva* tutto quello. Giacché il talento vero è possedere le risposte quando ancora non esistono le domande.

Poi D'Ambrosio prese male una curva, vicino a Livorno, una volta che era in rimonta, e ne uscì con un polso spezzato. Così per un po' non se ne parlò più. Solo, una domenica, andarono tutti a Mantova, perché c'era Lafontaine, e Lafontaine, tra tutti i piloti, era il più grande. Fu la prima e sola corsa che Ultimo vide in vita sua.

Contro ogni aspettativa, aveva accettato di andare anche Florence.

– Se proprio devo vedere una corsa, che almeno sia una in cui si ammazzano altri, non voi due.

Il conte aveva procurato i posti nella tribuna davanti all'arrivo, dove c'erano signore dai grandi cappelli, e i bambini portavano la giacca con i bottoni dorati. Libero Parri, che sfoggiava una camicia a quadri e per l'occasione si era pettinato all'indietro, incominciò a sudare dal fastidio quando ancora dovevano salirci. Se ne stette buono per un po', dimenandosi sul sedile, poi si mise a borbottare che non si vedeva niente, da lì. Alla fine prese Ultimo per mano e svicolò via, lasciando Florence col conte a farsi spiegare cos'era una corsa di automobili. Infilarono un viottolo che entrava fra le case, e andando a naso attraversarono la città fino a sbucare dalla parte del fiume. La strada carrabile, che per chilometri veniva dalla campagna costeggiando l'acqua, lì girava bruscamente a destra, per imboccare un ponte, e poi si riallungava sulla sponda opposta, correndo parallela alle mura.

– Qui sì c'è qualcosa da vedere –, decise Libero Parri.

Si fece largo tra la gente, ma non c'era verso di arrivare fino al ciglio della strada. Alla fine allungò cinque lire a un calzolaio che aveva bottega a due passi dal ponte, e in cambio ottenne due sedie e una cintura di vitellino per Florence.

– Ma è orrenda –, obbiettò Ultimo.

– Non pensarci e sali sulla sedia.

Ultimo guardò la pagina del giornale che il calzolaio aveva ordinatamente disteso sul vimini, e gli fece un po' impressione mettere i piedi sul re e un ambasciatore prussiano. Ma quando fu salito dimenticò tutto, perché il ponte, e la esse bianca della strada, erano sotto i suoi occhi, nella luce del mezzogiorno, come un regalo del creatore, disegnato apposta per i suoi occhi di bambino.

– È bellissimo –, disse. C'erano solo la strada e il ponte, non c'era l'ombra di un'automobile a pagarla, ma lui disse: È bellissimo. Senza accorgersene, vedeva solo quella esse di terra battuta, come un tratto di matita lasciato sul foglio del mondo dalla mano precisa di un artista. La gente, i colori, il fiume, gli alberi allineati, non erano che un fastidio destinato a spegnersi. Rumori e odori si facevano largo a stento nella sua percezione, come un'eco lontana. C'era quel movimento di danza, nei suoi occhi, e solo quello: curva e contro curva, come il distillato di una sapienza geometrica che dopo aver sbagliato mille volte, lì aveva trovato la sua perfezione. E quando, alla fine, arrivarono le automobili, annunciate da un brivido scomposto della folla, a stento le vide, perché con i suoi occhi, in verità, continuava a guardare la strada, solo lei, spiando il ritmo con cui respirava i mostri metallici – li deglutiva forse – uno dopo l'altro, ricevendo la loro violenza per convertirla alla sua immobilità, regola contro il caos, ordine imposto al caso, letto per l'acqua, numero a contare l'infinito. Svaporavano, le automobili regine, in una nube di polvere, sconfitte.

Nella mente ragazzina capace di un simile assioma – che fosse la strada a domare le automobili, e non il contrario – era già inscritta tutta una vita. Curioso come la gente sia già se stessa ancor prima di diventarlo.

Finché suo padre non intravide una piccola figura femminile risalire il vento della corsa a piccoli passi, sul ciglio della strada: cercando tra la folla qualcosa, incurante del pericolo.

– Cosa ci fa Florence lì?

Si dimenticò di tutto e le andò incontro, facendosi largo tra la gente, sgomitando come un matto. Ultimo saltò dalla sedia e gli si buttò dietro. Arrivarono davanti a Florence giusto in tempo per vederle sfrecciare a un passo la Lancia numero 21 guidata da Botero.

– Che ci fai qui?

Florence era coperta di polvere. Si lasciò portare via tranquilla, con una mitezza che non le apparteneva. Quando Libero Parri cercò di capire cosa diavolo era successo lei disse:

– Niente. Era solo che volevo stare vicino a te.

Aveva sul volto come un riflesso di spavento.

Alla fine, quando tutto fu finito, mentre la folla sciamava a casa, il conte li fece entrare nell'area riservata ai piloti: si beveva champagne e si potevano vedere le automobili da vicino. Molti parlavano francese. Libero Parri se ne stette in un angolo, tenendo Florence per mano e controllando da lontano Ultimo che era andato a guardare la Fiat di Barthez. Ogni tanto passava qualche meccanico che lo riconosceva, e che lo salutava con un segno della mano. Lui rispondeva con un cenno della testa, senza dar troppo corda. Non vedeva l'ora di andarsene. Non sapeva bene perché ma era così. A un certo punto vide Lafontaine che a passo deciso andava verso l'uscita, chiuso regalmente nei suoi pensieri, gli occhi bassi, le labbra serrate sotto i baffi a manubrio, impeccabili. La gente si scostava e lo lasciava passare, perché lui era il più grande. Non si era neanche tolto la cuffia di cuoio e teneva sotto il braccio la coppa appena vinta, con una noncuranza che rasentava la noia. Libero Parri non l'aveva mai visto, di persona, ma sapeva tutto di lui, compresa quella storia che di notte amava guidare a fari spenti, per sorprendere gli avversari e, diceva lui, per non disturbare la luna. Stava pensando di fare qualche passo avanti e andare a stringergli la mano, per dare un senso a quella strana giornata, quando vide Lafontaine alzare lo sguardo, girarsi, e salutare un ragazzino portando scherzosamente la mano alla visiera che non aveva. Poi lo vide fermarsi, e tornare indietro, per avvicinarsi al ragazzino che, immobile, lo stava guardando. Si accovacciò davanti a lui e gli disse qualcosa.

Libero Parri diede di gomito a Florence, indicando la scena.

– Tuo figlio –, le disse, con l'aria di annotare qualcosa di ovvio.

– E quello accovacciato chi è? –, chiese lei.

– Lafontaine.

– Lafontaine il più grande?

– Quello.

– Ultimo lo sa?

Libero Parri alzò le spalle. Non sapeva dire. Però vide suo

figlio che con grande semplicità indicava qualcosa sulla testa di Lafontaine. Lafontaine si mise a ridere, e si sfilò gli occhialoni dalla cuffia di cuoio nero. Se li passò su una manica della giacca, per togliere la polvere. Poi li porse a Ultimo. Ultimo li prese in mano, e sorrise. Lafontaine allora si alzò: gli diede ancora una carezza sulla testa, dicendo qualcosa, e se ne andò. Tornò a camminare con gli occhi bassi, chiuso nella sua regalità. Libero Parri se lo vide passare davanti, ma non si mosse, perché l'idea di stringergli la mano gli sembrò, tutt'a un tratto, sorpassata.

La sera, tornato a casa, Ultimo si fece appendere gli occhialoni al muro, sul suo letto, di fianco alla foto di D'Ambrosio Parri sul Colle Tarso.

– Veramente io volevo la cuffia di cuoio, non gli occhiali. Ma lui non ha capito.

– Che sfortuna –, disse Libero Parri.

La stagione delle corse finì con il primo fango, all'inizio di ottobre. Libero Parri aveva tirato su qualche soldo per tenere a bada la banca, ma la coda, davanti all'officina, non si vedeva.

– È che siamo un tantino fuori mano –, spiegò a Florence.

Segretamente, però, incominciava a dubitare. Girare l'Italia con le corse gli aveva fatto capire che tutti sognavano le automobili ma pochissimi, in effetti, le avevano. Erano ancora un giochetto per ricchi a cui cresceva del tempo: fare il meccanico era come vendere racchette da tennis. Forse, pensò Libero Parri sette anni dopo aver barattato una stalla per un garage, il futuro si è perso per strada.

Un uomo al mondo che ne sapesse qualcosa doveva esserci: e Libero Parri decise che quell'uomo era il signor Gardini. Gardini era un ligure geniale che all'inizio del secolo aveva deciso, similmente a Libero Parri, che il futuro era l'automobile. Così insieme ai due fratelli aveva affittato un hangar, nella periferia di Torino, e si era messo a lavorare su certe sue idee, apparentemente visionarie, ma in realtà tutt'altro che imbecilli. Veniva da un certo successo nella produzione di biciclette: tempo sette mesi e sfornò un'automobile di nuova e brillante concezione. Quando si pose il problema di darle un nome, scelse *Itala*. Erano tempi in cui neanche si era ancora deciso se le automobili erano di genere maschile o femminile. C'erano pubblicità che dicevano "Ho comprato un automobile sicuro e bello". Ma Gardini la pensava in altro modo. Aveva in mente qualcosa di docile, che rispondeva ai comandi, e trasfigurava la sua bellezza solo tra le mani sapienti del pilota. Quindi, dato che era un maschilista vergognoso – come tutti, ai tempi – non aveva dubbi: l'automobile era donna. Così quella che inventò la chiamò *Itala*. Come si è detto, crepare e dare nomi, non si fa altro di *sincero*, probabilmente, per tutto il tempo che si campa.

Quel nome, Libero Parri aveva imparato ad amarlo ai tempi del raid Pechino-Parigi, quando un'automobile appositamente costruita dal signor Gardini aveva dato birra a tutti i migliori costruttori del mondo, tagliando per prima il traguardo nell'incredulità generale. Si ricordava ancora quando si era messo a sventolare il giornale sotto il naso di Florence, per dimostrarle che le automobili esistevano eccome, e anzi attraversavano il mondo. È vero che lei aveva risposto in quel modo là, ma comunque Libero Parri ripensava a quei momenti con struggente nostalgia. Anni dopo, all'arrivo di una corsa, dalle parti di Rimini, il conte gli aveva fatto vedere un signore magrolino, vestito tutto elegante, e gli aveva detto che era lui Gardini, quello dell'Itala. Libero Parri era andato a stringergli la mano e per un po' se ne erano rimasti lì a chiacchierare. A Gardini piacque quella storia delle ventisei mucche fassone. "Venga a trovarmi, una volta", disse alla fine.

– Vado a trovare il signor Gardini –, comunicò Libero Parri alla moglie, mentre erano al cimitero, il giorno dei morti.

– Chi è?

Libero Parri le spiegò.

– E perché vai da lui?

Libero Parri disse che andava da lui perché doveva chiedergli una cosa. Era vero. Si era preparato una domanda sintetica e chiara, perché sapeva che i magnati dell'industria non hanno tempo da perdere e vanno dritti al sodo. La domanda recitava così:

– Signor Gardini, mi dica la verità, devo ricomprarmi le ventisei mucche fassone?

Però a Florence non la formulò così, nella sua interezza. Stette sulle generali e disse che doveva chiedere un consiglio sui nuovi modelli.

– Perché non ti porti Ultimo? –, lei disse, senza approfondire la storia dei nuovi modelli.

Quella di portare Ultimo, a Libero Parri, proprio non era venuta in mente. Intanto c'era il problema dei soldi. E poi era cresciuto in un mondo nel quale neanche i padri andavano in città: figurarsi i figli.

– Gli fai vedere Torino. Sarebbe così felice.

Non aveva torto. Restava il problema dei soldi, ma non aveva affatto torto.

Partirono il 21 novembre 1911, sul carro del Tarìn. Poi avevano in mente di trovare un passaggio. Alla mala parata c'era sempre il treno. Avevano una valigia in due, comprata per l'occasione. Ultimo ci aveva messo anche gli occhialoni di Lafontaine. Aveva 14 anni, era piccolo e magro come uno delle elementari, e stava per vedere Torino.

Florence li baciò tutt'e due come se stessero partendo per l'America. Aveva insistito perché il marito prendesse anche una bottiglia di conserva fatta in casa. Non voleva che arrivasse dal signor Gardini a mani vuote. E poi aveva in mente una cosa.

– Già che ci sei gli puoi fare una domanda da parte mia? –, chiese a Libero Parri mentre lo abbracciava.

– Quale?

– Chiedigli se secondo lui dobbiamo ricomprarci le ventisei mucche fassone.

Libero Parri intuì d'improvviso un sacco di cose sull'istituzione del matrimonio.

– Lo farò –, disse, serio.

La segretaria del signor Gardini aveva una gamba di legno e un curioso difetto di pronuncia: caratteristiche entrambe singolari, in una segretaria. Li accolse con simpatia un po' formale. Chiese se avevano un appuntamento.

– Il signor Gardini mi ha detto di venirlo a trovare –, rispose Libero Parri.

– Ah sì?

– Sì.

– E quando, esatamente?

Non le riuscivano le doppie.

– Sarà stato a giugno, sì a giugno... eravamo dalle parti di Rimini.

– E il signor Gardini le ha deto di venirlo a trovare.

– Esatto.

La segretaria rimase un istante con lo sguardo nel nulla, come se le fosse caduta un'otturazione.

Poi disse:

– Solo un momento.

E sparì da qualche parte.

Libero Parri sapeva esattamente cosa stava facendo. Era evidente che se avesse chiesto un appuntamento con Gardini non l'avrebbe ottenuto mai. Così aveva messo a punto un piano. La prima parte consisteva nel recitare la parte del campagnolo imbecille. La seconda scattò dopo che per tre ore la segretaria aveva continuato ad andare avanti e indietro, scusandosi tanto, e pregandoli di aspettare, che forse il signor Gardini avrebbe trovato il tempo per.

Forse? Libero Parri si alzò. Detestava ricorrere a quel trucco, e in genere ne faceva a meno. Ma lì era questione di vita o di morte.

– Io esco un attimo –, disse a Ultimo. – Tieni questa e non muoverti da lì. Prima o poi torno.

Ultimo prese la bottiglia di conserva e se la posò vicino.

– Va bene –, disse.

Libero Parri uscì dall'Itala e camminò senza fretta fino al Po. Rimase lì a guardare le colline oltre il fiume, seduto su una panchina. Sapevano di ricchezza e di eleganza. Quando fu l'ora di pranzo trovò una vineria dove facevano un minestrone niente male e un curioso dolce di castagne. Finito di mangiare si fermò a fumare con un postino anarchico che aveva tre figlie e le aveva chiamate Libertà, Uguaglianza e Fraternità. Bei nomi, disse Libero Parri. Lo pensava veramente. Erano ormai le tre quando si ripresentò davanti alla segretaria con la gamba di legno. Lei lo guardò con un sorriso, e senza smettere di sorridere gli diede la bella notizia.

– Suo figlio è con il signor Gardini.

– Lo so –, rispose Libero Parri, in tono neutrale.

Allora la segretaria lo accompagnò in officina e lì trovarono Gardini e Ultimo, chini su un motore, mentre studiavano un certo sistema di lubrificazione.

– Eco il padre del ragazzo –, comunicò la segretaria, sottolineando la doppia zeta, evidentemente l'unica che le riusciva.

Gardini fissò il nuovo arrivato con la faccia di uno che cercava invano nella memoria. Ma quando Libero Parri citò la storia delle ventisei mucche fassone, allora qualcosa gli tornò in mente. Fu cordiale e amichevole, come il suo vestito di taglio inglese, sportivo.

– Stavo mostrando a suo figlio quello che i francesi non riescono a copiarci.

Poi fecero il giro dell'officina, e la cosa prese loro due ore buone, perché Gardini ne parlava come se fosse sua figlia. Era abbastanza incredibile cosa era riuscito a mettere in piedi. Solo in quell'officina ci saranno stati duecento operai. Gardini li conosceva uno ad uno e li salutava per nome. Ogni tanto li presentava a Libero Parri: lui faceva grandi sorrisi, e cercava di nascondere la pena. Perché per chi è nato contadino, l'operaio è sempre cane alla catena. Il giro terminò nel reparto delle pelli, dove si facevano sedili e capotte, e tutti sembravano sarti. Alla fine si ritrovarono nel cortile, a vedere le automobili luccicanti che aspettavano in fila un futuro di polvere e champagne. Solo allora Libero Parri tornò a ricordarsi cos'era venuto a fare lì. E trovò il coraggio di dire al signor Gardini che aveva bisogno di parlare un attimo con lui, in privato. Aveva una domanda da fargli.

– Allora dobbiamo tornare nel mio ufficio –, disse cordialmente Gardini, a cui ormai la giornata era andata a puttane.

Ultimo restò ad aspettare fuori. Seduto su un divano di vimini, si mise a studiare la segretaria. A un certo punto le disse:

– Come mai ha una gamba di legno?

La segretaria sollevò lo sguardo dalla lettera che stava copiando. Istintivamente si appoggiò una mano sul ginocchio. Poi rispose con una calma e una dolcezza a cui non era preparata neanche lei. Disse che era stato un incidente. Un'automobile, un giorno che pioveva, su al suo paese.

– Un'Itala? –, chiese Ultimo.

La segretaria sorrise.

– No.

Ma capì che così non aveva risposto.

– Al volante c'era il fratelo del signor Gardini.

– Ah –, capì Ultimo.

Poi chiese se era vero che ogni tanto si sentiva come un solletico, come se ci fosse ancora la gamba vera. Alla segretaria vennero le lacrime agli occhi. Erano tre anni che incrociava gente con la voglia di farle quella domanda, e adesso qualcuno, final-mente, aveva avuto il coraggio di fargliela. Fu come una libera-zione.

– No. Sono tute bale.

Risero.

– Tutte balle –, ripeté Ultimo, perché quelle parole avevano aspettato tanto tempo, e adesso si meritavano tutte le doppie che ci volevano.

Libero Parri uscì dall'ufficio di Gardini che era già buio da un pezzo. I due uomini si strinsero la mano con un'energia che voleva dire tante cose. Non ci scappò l'abbraccio solo perché erano gente del nord, di quella che ha vergogna dei propri movi-menti. Gardini strinse la mano anche a Ultimo.

– Allora buona fortuna, ragazzo.

– Anche a lei, signore.

– Stacci attento con le automobili. Possono fare male.

– Lo so, signore.

– Andrà tutto bene.

– Sì.

– E magari ti ritroviamo tra qualche anno al volante di un'I-tala, campione d'Italia.

– Non è questo che ho in mente, signore.

Gardini scosse la testa, un po' preso in contropiede.

– Ah no? E cos'avresti in mente?

Per Ultimo non era facile rispondere a quella domanda. Erano cose a cui non aveva ancora dato dei nomi. Come ani-maletti appena trovati nel bosco.

– Non so, signore, mi è difficile spiegare.

– Provaci.

Ultimo stette un po' a pensare.

Poi fece un gesto nell'aria, come a disegnare un serpente.

– Le strade –, disse. – Mi piacciono le strade.

Non disse più nulla.

Lui e suo padre se ne uscirono tenendosi per mano. La segretaria li accompagnò fin sulla porta d'ingresso e ancora li stava salutando con la mano quando, attraversato il corso, si voltarono un attimo verso di lei.

Quella serata, poi, Ultimo se la sarebbe ricordata per sempre. Il padre era euforico perché il signor Gardini aveva detto che lui una risposta non ce l'aveva, alla sua domanda: ma un consiglio sì. E una proposta.

– Dove sta lei, signor Parri, le automobili arriveranno quando noi due saremo già morti e sepolti. Ascolti me, da quelle parti hanno bisogno di altro.

– Mucche? –, aveva azzardato, pessimista, Libero Parri.

– No. Camion.

Automobili per lavorare, gli aveva spiegato. Autocarri, macchine per lavorare la terra, furgoncini.

– Lo so che è meno poetico: ma c'è da fare i soldi con quella roba.

Aveva aggiunto che lui non ce l'aveva un uomo che vendesse i suoi camion, in quella campagna là.

– Camion Itala? –, aveva chiesto Libero Parri, con fatica, perché gli sembrava una bestemmia.

– Già.

Mezz'ora dopo era diventato l'unico rivenditore autorizzato di camion Itala nel giro di trecento chilometri da casa sua. Quando firmò il contratto che Gardini gli aveva fatto scivolare sotto gli occhi, sentì distintamente l'odore di letame prendere commiato, per sempre, dalla sua vita.

Così adesso camminavano verso il centro della città, lui e Ultimo, decisi a festeggiare l'inizio della discesa, dopo tante salite. Arrivarono in una piazza enorme che scambiarono per Piazza Castello, e persero un po' di tempo a cercarci il palazzo reale. Non lo trovarono, perché non c'era, ma in compenso cascarono su un ristorantino che prometteva bolliti misti e buon vino. Ultimo non aveva mai mangiato in un ristorante in vita sua. Il padre gli spiegò che in effetti i contadini non vanno al ristorante. Poi aggiunse che i venditori autorizzati di camion, invece, sì. E spinse la porta per entrare. Il battente, di legno e vetro, fece scattare un campanellino a due note che suonò nella testa di Ultimo con una sfumatura di peccato che nessun bordello sarebbe più riuscito a uguagliare. Una volta dentro, si mossero con circospezione fino al terzo bicchiere di vino. Poi andò tutto più liscio. La cameriera era delle loro parti, e si dimenticò di mettere il dolce nel conto. Uscirono che i loro passi erano passi di ballerini argentini e il campanellino della porta un rintocco di campanile in festa. Fuori, la città era sparita, ingoiata da una nebbia che in teoria non li avrebbe dovuti sorprendere. Ma quello che nel buio delle loro campagne era solo latte nero, lì era un velo regale, tenuto su dalle luci dei lampioni e sollevato di tanto in tanto dal soffio dei fanali in corsa, occhi accesi d'automobile. Il bavero rialzato, le mani in tasca, si lasciarono andare all'ordine straziante di quella città in cui tutto era allineato, come in attesa di un rompete le righe mai arrivato. Camminavano lenti, respirando nebbia. Con la malinconia che è il regalo ultimo del vino, Libero Parri iniziò a parlare, la testa bassa, pescando da certi suoi ricordi. Sentiva il passo del figlio, accanto, e parlava perché era un modo di far durare quel momento e quella vicinanza. Gli venne da raccontare di sua madre, che Ultimo non aveva mai visto: il modo in cui spaccava le noci, e le strane idee che aveva sul Giudizio Universale. Il giorno in cui era andata a ripescare il marito nel fiume, e quello in cui aveva deciso di non dormire più. Raccontò che c'erano allora due strade, per tornare a casa, ma solo in una si sentiva il profumo di more, sempre, anche d'inverno. Disse che era la più lunga. E che suo padre prendeva sempre quella, anche quando era stanco, anche quando era vinto. Spie-

55

gò che nessuno deve credere di essere solo, perché in ciascuno vive il sangue di coloro che l'hanno generato, ed è una cosa che va indietro fino alla notte dei tempi. Così siamo solo la curva di un fiume, che viene da lontano e non si fermerà dopo di noi. Adesso, ad esempio, è facile dire le automobili, e pensare che sia nato tutto così, d'un colpo. Ma il fratello di suo padre non aveva lavorato la terra, e prima di lui, la donna che lo aveva generato se ne era scappata con un prestigiatore che ancora tutti ricordavano perché aveva portato in paese la prima bicicletta. Alle volte non facciamo altro che finire lavori lasciati a metà. E iniziare lavori che altri finiranno per noi. Lo diceva continuando a camminare, anche se ormai da un po' aveva smesso di capire dove stava andando. Portato dai suoi passi involontari aveva preso a girare intorno a un isolato, perché una forma di inerzia prudente, forse generata dalla nebbia, l'aveva inclinato a rifiutare, a un certo punto, l'attraversamento della strada. Così, senza neanche accorgersene, aveva girato a sinistra, seguendo la sponda dei palazzi, e da lì, continuando a girare a sinistra, era come se avesse trovato una sua corsia, un riparo per le sue parole. Quando finirono il primo giro, Ultimo si ritrovò davanti a una vetrina che aveva già visto, e che mai si sarebbe aspettato di rivedere in vita sua. Ne rimase stupefatto. Avevano camminato senza pensare, come fanno quelli che si perdono: ma la città li aveva riportati lì, come un cane pastore. Mentre suo padre tirava diritto, continuando a recitare il rosario del sangue e della terra, lui, seguendolo, cercò di capire cosa, precisamente, era successo, e perché un'inezia del genere lo aveva turbato. Forse era la nebbia, o le storie di suo padre, ma gli venne da pensare che se avessero proseguito così, per ore, alla fine *sarebbero scomparsi*. Sarebbero stati deglutiti dai loro passi. Perché di solito camminare è sommare dei passi, ma quello che loro due stavano facendo, lì, era sottrarli, in un calcolo esatto che periodicamente riportava allo zero. Pensò alla purezza, indiscutibile, di quel cammino alla rovescia. E per la prima volta, seppur in modo confuso, intuì che ogni movimento tende all'immobilità, e che bello è solo l'andare che conduce a se stesso.

Qualche anno dopo, sul rettilineo di una pista d'atterraggio, in terra straniera, Ultimo avrebbe fatto di quell'intuizione il disegno consapevole della sua vita. Per questo quella nebbia, e quella città, assurdamente ordinata, non gli riuscì di dimenticarle mai. Una volta, quando ormai era diventato un uomo solo, pensò perfino di tornarci: ma poi andò diversamente, e fu meglio così. Gli sarebbe piaciuto ritrovare il punto del marciapiedi in cui suo padre, dopo quaranta minuti di cammino, per un totale di undici giri dell'isolato, si era bloccato di colpo, e alzando la testa aveva fatto una domanda meravigliosa:

– Dove cazzo siamo finiti?

Non c'era risposta, a quella domanda, raccontò una volta Ultimo a Elizaveta. E questa era la cosa meravigliosa. Dov'è finito uno che da un'ora fa il giro dell'isolato? Pensaci. Non c'è risposta.

Elizaveta pensò che non c'era risposta mai, perché circolare è ogni cammino, e troppo fitta la nebbia della nostra paura.

Da Torino partirono all'alba, dopo aver dormito in una locanda che si chiamava Deseo. In spagnolo voleva dire desiderio. Ma la proprietaria non era spagnola. Veniva dal Friuli. Si chiamava Faustina Deseo.

– Non c'è più poesia –, commentò Libero Parri.

In treno provò a vendere una cisterna Itala a un produttore di latte del basso Veneto. Ma giusto così, per rodarsi. Non faceva sul serio, era per mandare a memoria le cose da dire.

Quando il lattaio disse che ci stava, e la comprava, Libero Parri sentì qualcosa dentro. Come quei giorni in cui esci di casa, e l'inverno è finito.

L'ultimo tratto di strada, dopo la stazione, lo fecero a piedi, perché di avvertire il Tarìn non c'era stato verso. C'era un vento freddo che aveva spazzato la nebbia e adesso faceva brillare la campagna, nella luce del pomeriggio inoltrato. Camminavano in silenzio, uno davanti all'altro. Libero Parri, ogni tanto, canticchiava. La musica era quella della Marsigliese, ma le parole erano in dialetto, e parlavano d'altro. Uscirono dal pioppeto, e casa loro era là, sola come un cappello dimenticato, in mezzo alla campagna amica. Nel cortile, davanti al garage, si vedevano un'automobile, rossa, e a qualche passo da lei, come un'ancella, una motocicletta, dritta e alta sul cavalletto.

– Vedi, fanno già la coda –, commentò, sulle ali dell'entusiasmo, Libero Parri.

Ma in realtà non era proprio così. A casa trovarono il conte, sdraiato sul sofà, che dormiva della grossa.

– Ha portato la nuova automobile da farti vedere –, disse Florence.

Indossava un vestito beige che aveva poco di contadino.

– È un regalo del conte. Ha voluto a tutti i costi che lo accettassi –, spiegò.

– Sei bellissima –, disse Libero Parri. E lo pensava davvero.

Si abbracciarono come due ragazzi.

Restava da spiegare la motocicletta, e a quello ci pensò il conte quando finalmente si svegliò. Prese Ultimo per mano, lo portò in cortile, e gli disse:

– È tua.

Ultimo non capì bene.

– È una motocicletta –, chiarì il conte.

– Lo so.

– È un regalo.

– Per chi?

– Per te.

– Lei è pazzo.

In effetti era la stessa cosa che aveva pensato Florence. E fu quello che disse Libero Parri.

– Tu sei pazzo.

Ma il conte non era pazzo. Aveva trentasei anni e nessuna ragione per stare al mondo, ma non era pazzo. Veniva da un mondo senza illusioni, in cui il privilegio di un'assoluta libertà era pagato, quotidianamente, con il presentimento di un castigo che li avrebbe colti di sorpresa, un giorno o l'altro. L'unico artigianato a cui lo avevano addestrato, fino ad abilità quasi mistiche, era quello di anticipare l'inevitabile apocalisse in una liturgia infinita di raffinati gesti vuoti, e desolati. La chiamavano lusso. Non aveva figli, non ne voleva, e detestava quelli degli altri, ritenendoli comicamente inutili, privi di futuro com'erano. Gli piacevano le donne, e forse ne avrebbe sposata una, per non complicare le cose. Ma voleva bene ai suoi cani, e a nessun altro. Un giorno il caso l'aveva fatto cascare su un assurdo garage, perso nella campagna. Tutto quello che aveva trovato lì, poi, era stato come un viaggio nel rovescio del mondo, dove le cose avevano ancora una ragione e le parole indicavano ancora le cose: ogni giorno una forza sconosciuta vi separava il vero dal falso, come il grano dalla pula. Non ne aveva dedotto niente, né aveva pensato, neppure per un istante, di interpretarla come una lezione da imparare. Era tutta roba perduta, per lui, e nulla avrebbe rovesciato il corso delle cose. Però, riprendere di tanto in tanto quella strada nella campagna, era diventato il suo personale anestetico contro la pena dell'insensatezza generale. Così aveva scelto i gesti giusti con cui scivolare sempre più nelle abitudini di quel mondo, arrivando a farsi accettare come una sorta di clandestino un po' bizzarro, e degno di pietà. Non aveva in mente di far loro del male, né era abbastanza onesto, con se stesso, da capire che far loro del male sarebbe stato inevitabile. Voleva solo stare lì. E per farlo, nulla sarebbe stato troppo insensato, o pazzo. Figuriamoci regalare una motocicletta.

– Quanto pesa? –, chiese Libero Parri, pensando ai quarantadue chili di suo figlio.

– Niente, se ce l'hai sotto il culo e non smetti di dare gas.

Così qualche giorno dopo accadde a Florence di alzare lo
sguardo sulla campagna, senza nulla aspettarsi se non la tran-
quillizzante immobilità di sempre, e di ricevere invece la sorprendente apparizione di un animale dal cuore meccanico che
violava le più banali regole della fisica piegandosi su un fianco,
in una posizione impossibile, a disegnare la stretta curva che
conduceva al fiume. L'animale portava appeso sulla schiena il
corpo lieve di un ragazzino, posato su di lui come uno straccio
bagnato, ad asciugare al sole. Florence gridò un grido di madre,
perché quello era suo figlio, e non c'era terra sotto di lui, e
quello era un volo che lei non gli aveva insegnato a volare. Ma
la motocicletta si raddrizzò, sotto l'invito della strada che tornava diritta, e lo straccio non sventolò nell'aria, perduto, ma
leggermente si alzò, a prendere il vento addosso, sicuro e
calmo: staccò una mano dal manubrio, appena un po', giusto
per abbozzare un gesto che sembrava proprio un saluto. Florence sentì lo spavento piegarle le gambe e si lasciò cadere in
ginocchio per terra. Sentì le lacrime salirle agli occhi e smise di
guardare la campagna, e tutto, chinando il capo a fissare l'infinito che era dentro di lei, come fanno gli adulti quando d'improvviso non sanno più capire. Avrebbe voluto sapere dove stavano andando, e quanto lontano stavano finendo dalla loro
terra. Le sarebbe piaciuto essere sicura che i suoi occhi erano
nati davvero per vedere suo figlio appeso nell'aria, o leggere il
nome del suo uomo stampato sui giornali. Le sarebbe piaciuto
essere sicura che l'odore di benzina era pulito come quello dei
campi, e che il futuro era un dovere e non un tradimento.
Aveva bisogno di sapere se le notti febbrili passate nel buio a
ricordare i baci del conte erano il castigo per aver peccato contro la vita, o la ricompensa per aver avuto il coraggio di vivere.

Inginocchiata lì, per terra, in mezzo alla campagna, sarebbe stata grata di sapere se era innocente. Se lo erano tutti, e se lo erano per sempre.

Ultimo fermò la motocicletta proprio davanti a sua madre. Non capiva cosa poteva esserle successo. Spense il motore e si tirò su gli occhiali. Non sapeva bene cosa dire. Poi disse:

– Non ce la faccio da solo a metterla sul cavalletto.

Florence alzò lo sguardo su di lui. Si passò una mano sugli occhi. Sentì il buio sparire.

– Ti aiuto io –, disse.

Stava sorridendo.

Dov'eri cuore mio, leggero e bambino, dov'eri finito?

– Ti aiuto io, fenomeno.

L'infanzia, per Ultimo, finì una domenica di aprile del 1912, e non prima, perché a certi ragazzini riesce di trascinarla fino ai quindici anni, e lui era uno di quelli. Ci vogliono un cervello strano e tanta fortuna. Lui li aveva avuti entrambi.

Al paese avevano portato il cinema, quel giorno. L'aveva portato il cognato del sindaco, il Bortolazzi, uno che lavorava nel ramo della biancheria, e girava l'Italia. Il nesso evidente tra lui e i film era che un buon lenzuolo poteva sempre funzionare come schermo. Il nesso non evidente era che a Milano aveva un'amante che strappava i biglietti alla Sala Lux, e questo lo inclinava a sentirsi introdotto nel mondo del cinema. Un po' per il gusto di stupire, un po' perché subodorava il business, aveva caricato sul suo camioncino un proiettore e le pizze di un film e li aveva portati in pompa magna al paese. Il camioncino era un Fiat della prima generazione. Il film aveva a che fare con Maciste.

Florence non ne aveva voluto sapere, e Libero Parri aveva una corsa, con il conte, non lontano da lì: così, al cinema, Ultimo ci andò da solo. Non sapeva nemmeno bene cosa fosse, e non si aspettava un granché: ma c'era un bel sole, alto nel cielo, e l'idea di camminare fino al paese, passando a prendere i suoi amici, nelle altre cascine, gli era piaciuta. A sua madre disse che tornava per cena, e che non si doveva preoccupare.

Nella sala del municipio avevano riempito tutto di sedie. Sulla parete, in fondo, c'era un'abile composizione di lenzuola, appesa al muro, tirata che non faceva una piega. Il Bortolazzi, che non era scemo, aveva organizzato un piccolo avanspettacolo, consistente nella vendita del suo catalogo a prezzi speciali. Quando Ultimo e i suoi amici entrarono, stava sfoderando un cuscino con gesto da prestigiatore, mentre urlava qualcosa sul cotone inglese. Ci sapeva fare, ma la gente non comprava, un po' per dispetto, e molto perché non aveva una lira, e le lenzuola non le buttava neanche quando i vecchi ci morivano dentro. Una bella lavata e via.

Ultimo si infilò con gli altri tra le sedie, cercando un posto libero. Alla fine si sistemarono sulle casse che il sindaco aveva fatto mettere al fondo della sala, e che probabilmente nella sua testa costituivano il loggione. Se ti giravi potevi vedere, a pochi metri, issato su un tavolo della parrocchia, il grande proiettore: era smaltato e luccicante, e un signore con il cappello lo stava oliando con una serietà da chirurgo. A Ultimo piacque molto perché gli ricordava la sua motocicletta: c'erano perfino le ruote, ma in una posizione strana. Diciamo che sembrava la sua motocicletta dopo un incidente. Un applauso di sincera riconoscenza salutò il Bortolazzi che si era deciso a ritirare la merce, ed era passato a presentare il film. Disse qualcosa sul fatto che il cinema era l'invenzione del secolo, ma non si sentì bene perché la gente era passata a fischiare. Aggiunse che alcune scene potevano risultare "dolorosamente impressionanti" per il pubblico locale, e allora Ultimo e i suoi amici si misero a ululare di paura, e la cosa ebbe un certo seguito. Alla fine salutò tutti, ringraziando la ditta Ala Bianca che aveva permesso la realizzazione dello spettacolo. La ditta Ala Bianca era la sua. Quello che seguì va interamente accreditato al profilo per così dire culturale di quei tempi, e di quei posti. Si alzò il parroco e guidò l'uditorio nella recita del Salve Regina, in latino. Poi benedì la sala e lo schermo, con la collaborazione di un chierichetto in divisa da santo patrono. Tutti chinarono la testa, il cappello in mano. Follie.

Fu appena prima che si spegnessero le luci che Ultimo vide scivolare nella fila davanti alla sua – a piccoli passi, scusandosi con un sorriso memorabile – la donna più bella che lui aveva mai incontrato. Le avevano tenuto un posto libero, e il posto era proprio quello davanti a Ultimo. Lei ci arrivò, e, sempre per via dell'ombra d'oro, prima di salutare l'uomo che la stava aspettando, si perse per un attimo a guardare quel ragazzino: senza sapere perché gli disse Ciao, inclinando un poco la testa. Ultimo sentì il sangue che momentaneamente si assentava da tutti i posti dove avrebbe dovuto stare. Lei si voltò e si sedette. Con un gesto tanto sapiente da risultare invisibile, si fece scivolare la maglia dalle spalle, lasciandola ricadere sullo schienale della sedia. Indossava uno di quei vestiti che lasciano spalle e braccia nude, e che in campagna si conoscono solo per sentito dire. C'era da chiedersi come stesse su, senza spalline, e niente. Ultimo non osò dirsi che a reggere tutto era il seno, sul davanti, ma lo pensò. Così per un po' ebbe problemi a deglutire. Provò a guardarsi attorno, per sdrammatizzare, ma gli occhi continuavano a tornargli sul collo sottile, perfetto, che i capelli, raccolti sulla nuca, lasciavano scoperto. Solo qualche ciocca, lasciata libera ad arte, scivolava giù a smorzarne il bagliore. Ultimo si sentì sulle labbra il tepore che quella pelle avrebbe restituito alla pressione leggera di un bacio. Così, quando la luce si spense, neanche lo sentì il boato di urla e applausi con cui l'uditorio esorcizzava l'emozione. Né alzò lo sguardo, come tutti gli altri, sulla biancheria del Bortolazzi che si tingeva di mondi inaspettati. Rimase a fissare il profilo scuro che, contro la luce dello schermo, scendeva dall'orecchio destro della donna, correva sul collo, poi risaliva leggermente lungo la spalla, le ruotava intorno e infine si lasciava cadere fino al gomito, dove scompariva nel buio. Era una visione, quella sì, "dolorosamente impressionante", e Ultimo vi scoprì, per la prima volta, quanto straziante possa essere il desiderio, quando a porgerlo è il corpo di una donna. Ne fu come spaventato. E forse fu per questo che lentamente, ripassando avanti e indietro con gli occhi quel profilo senza incrinature, prese, per così dire, a spogliarlo di quel che aveva di femminile, e a spingerlo verso una bellezza più segreta, dove la pelle diventava semplice linea, e il corpo un disegno inciso a sbalzo sul chiarore dello schermo. Era qualcosa che lo tranquillizzava, perché quella bellezza lui la conosceva. Si dimenticò della donna e si concesse a un'altra perfezione, ripassando la linea pura e il disegno fino a quando non diventarono traiettoria, e tracciato – e strada. Allora ne prese possesso, come sapeva fare. Scendeva lungo il collo, poi piegava verso sinistra, dava gas sul rettilineo leggermente in salita, mollava tutto in cima alla spalla, si lasciava cadere sulla destra e usciva all'esterno imboccando il rettilineo morbido del braccio. Prima lo fece solo con il cervello, per prendere le misure, poi iniziò a sentire la strada sul corpo e, piano, a fare il rombo del motore, con la bocca. A vederlo si sarebbe potuto equivocare, perché i movimenti del bacino ricordavano altre cose. Ma non era colpa sua se le moto si guidano innanzitutto col culo. Nell'analogia, peraltro, si svelava, ancora una volta, che infiniti sono i modi di possedere un corpo, e che non necessariamente quello più istintivo è anche il più irrevocabile. Ultimo, che mai avrebbe osato, o potuto, toccare quella spalla, adesso ci stava correndo sopra, scoprendone i segreti uno ad uno. Lì, in mezzo alla gente, lui approfittava di un'intimità che un amante raffinato avrebbe impiegato mesi a ottenere.

Ci si può anche non credere, ma la donna sollevò una mano, e, con le dita, si sfiorò la spalla, come a scacciare qualcosa che non sapeva.

Lì finì l'infanzia di Ultimo. Ma non per la magia di quel gesto inspiegato. Finì perché una voce si mise a chiamarlo, ed era la voce del Tarìn. Ultimo si voltò, scese dalla moto, e vide che effettivamente il Tarìn lo stava cercando, facendosi largo, piegato in due, tra la gente. Lo chiamava per nome, a bassa voce, per paura di disturbare. Ultimo si alzò e uscì dalla sua fila, chiedendo scusa.

– Ultimo!

– Che c'è?

– Devi tornare a casa.

– Perché?

– Corri a casa, Ultimo.

– Ma c'è il film –, disse Ultimo, che non ne aveva visto un fotogramma.

– Tua madre ha detto di correre a casa.

– Perché?

Il Tarìn aveva la faccia di uno che lo sapeva il perché. Ma non era attrezzato per tradurlo in parole.

– Ti prego, vai. Fa' presto!

Allora Ultimo andò. Prese la strada per casa, prima correndo, poi camminando, e mettendosi a correre solo quando c'erano le curve. Si piegava un po' sul lato e sgasava con la bocca. Non pensava a niente. Non aveva niente a cui pensare.

Quando arrivò in vista di casa sua, si fermò. C'era della gente, fuori, davanti al garage. Erano quelli delle cascine vicine. E un paio di persone che non conosceva. Stette per un po' ad aspettare. Non era proprio sicuro di voler andare. Poi qualcuno lo vide e allora non ci fu più niente da fare.

Lo portarono davanti alla porta di casa sua. Era chiusa.

– Non vuole fare entrare nessuno –, gli dissero.

Lui bussò.

– Sono Ultimo, mamma.

Non arrivò nessuna risposta.

Ultimo girò la maniglia e spinse la porta, piano. Entrò e si chiuse la porta alle spalle, senza far rumore.

Florence era in piedi, in un angolo della stanza, appoggiata al muro. Come un animale che cerca con la schiena il fondo della sua tana. Piangeva.

Ultimo le andò vicino. La abbracciò. Lei prima non fece nulla, poi prese a colpirlo con i pugni, sul petto, sempre più veloce, e forte. Lui aspettò che si stancasse e che si lasciasse andare tra le sue braccia. Sembrava che non pesasse nulla, e che se ne fosse andata da se stessa.

– Dov'è papà?

Lei non riusciva a parlare.

– È vivo?

Florence fece cenno di sì, col capo.

– Andrà tutto bene, mamma.

Lei fece di nuovo cenno di sì.

– Cos'è successo?

Florence disse qualcosa su un'automobile in fiamme.

– E dov'è adesso?

– In città. All'ospedale.

– Dobbiamo andare da lui.

Ma lei non si mosse.

– Devo andare da lui, mamma.

– Sì.

– Andrà tutto bene.

– Sì.

Ultimo pensò a suo padre e non gli riuscì proprio di vederlo in un letto d'ospedale. Con qualche sforzo riusciva a vederselo impettito nel rogo di un'automobile, ma tutto bianco in un letto d'ospedale, no. Non poteva andare così. Oppure era andata proprio così e allora il mondo non aveva un minimo di logica, e tutti loro erano fottuti, da sempre e per sempre.

– Fa' entrare la gente. Vogliono solo aiutarti.

Florence non si mosse.

– Vieni.

La prese per mano e la portò a una delle sedie che c'erano intorno al tavolo. La fece sedere. Lei stringeva un fazzoletto in mano. Aveva le nocche bianche perché lo stringeva forte. Allora Ultimo si ricordò della forza che sua madre aveva sempre avuto, e si chiese cosa mai stesse succedendo per riuscire a spezzare una donna come quella. Si chinò a lasciarle un bacio sui capelli.

– Forse è meglio che io corra da papà.

– Sì.

– Poi torno qui.

– Sì.

Per la prima volta alzò lo sguardo e cercò gli occhi del figlio.

– Digli che questa non me la può fare.

Lo disse con un filo di quella durezza che era la sua, da sempre. Ultimo sorrise.

– Glielo dirò.

Poi andò verso la porta. Prima di uscire, si voltò ancora, e chiese:

– Il conte?

Florence fece una piccola smorfia. Poi disse lentamente:

– Non ce l'ha fatta.

E dopo un attimo:

– Il conte è morto.

Lo disse senza nessuna emozione nella voce. E Ultimo capì in quel momento che sua madre aveva due cuori, e che entrambi, quel giorno, erano stati feriti a morte.

Uscì di casa lasciandosi dietro la porta aperta. Si fece dire dalla gente quello che sapevano. Pareva che l'automobile fosse impazzita, in un rettilineo vicino a un fiume. Era andata a schiantarsi contro un platano e aveva preso fuoco. Il conte era rimasto intrappolato tra le lamiere. Suo padre era stato sbalzato via dal colpo, e adesso era all'ospedale, in città, con qualcosa rotto dentro. I medici non sapevano dire se l'avrebbero salvato. Bisognava vedere se arrivava alla notte. Ci arriverà, è un pezzo d'uomo, disse qualcuno.

Ultimo guardò il cielo per vedere quanto mancava al buio. Quando il Baretti si offerse di portarlo in città sul suo biroccio, disse No, grazie, ci vado da solo. E andò a prendere la motocicletta. Lo videro che si metteva gli occhialoni di Lafontaine e si infilava un foglio di giornale sotto il maglione. Qualcuno gli diede una pacca sulle spalle. Avevano tutti la morte nel cuore a vederlo andarsene così, da solo. Ma aveva movimenti da uomo, d'improvviso, e nessuno osò fermarlo. Sii prudente, disse una donna.

La strada per la città correva diritta in mezzo ai campi. Le ombre erano lunghe e la sera stava rinfrescando. Ultimo mise il motore al massimo e si chinò sulla moto, perché aveva qualcosa da dirle, e voleva che sentisse bene. Le disse che lui doveva arrivare prima della morte, e ce l'avrebbe fatta sicuramente se solo lei si comportava bene. Le disse di guardare come la strada aveva deciso di aiutarli e si era messa tutta diritta, perché arrivassero prima. E le spiegò che la bellezza di un rettilineo è inarrivabile, perché in essa è sciolta qualsiasi curva, e insidia, in nome di un ordine clemente, e giusto. È una cosa che possono fare le strade, le disse, e che invece non esiste nella vita. Perché non corre diritto il cuore degli uomini, e non c'è ordine, forse, nel loro andare. Poi smise di parlare, e rimase a lungo in silenzio, a chiedersi da dove gli venivano quelle parole.

Minuscola, nel niente della sera, sfilava, la motocicletta, piccolo battito di cuore nell'immensità della campagna. Al suo passaggio sollevava una fragile cresta di polvere e si lasciava dietro un profumo, acido, di bruciato. Poi il profumo svaniva e la polvere si dissolveva nella luce. Così si richiudeva il cerchio dell'accadere, nella quiete apparentemente immutata delle cose.

MEMORIALE DI CAPORETTO

Fronte italiano, settembre 1917

Erano in tre. Tornavano alla trincea, ma allargarono un po' verso il fondovalle perché gli andava di vedere il fiume – l'acqua pulita, e della gente, forse. Ragazze.

C'era il sole.

Cabiria, che aveva gli occhi buoni, vide il corpo affiorare a pelo d'acqua, fare un giro su se stesso e poi incastrarsi in un gorgo di rami e pietre. Veniva giù, il morto, con la nuca e il culo verso il cielo blu – gli occhi a guardare sott'acqua come a cercare qualcosa. Di dimenticato.

Poi lo videro anche gli altri due.

Gente intorno, niente.

Quello che si chiamava Ultimo lasciò cadere lo zaino e disse qualcosa sulle sue scarpe – queste maledette scarpe. Poi tirò fuori della roba dalle tasche, e si mise a masticare. L'altro, che era il più giovane, andò ad accovacciarsi sul greto del fiume. Da lì si mise a tirar sassi verso il morto, e ogni tanto lo prendeva.

– Piantala lì –, disse Cabiria.

Ultimo guardava le montagne indifferenti. Sempre era difficile spiegarsi il mistero di quella silenziosa mansuetudine da animale domestico che non reagiva allo sconcio che gli uomini facevano di lui, piagandolo di guerra bombardata e reticolati, senza rispetto e senza requie. Per quanto ci si dannasse a farne un cimitero, la montagna ristava, incurante dei morti, ricucendo ad ogni ora il dettato delle stagioni, e mantenendo l'impegno a tramandare la terra. Crescevano i funghi, e si spaccavano le gemme. C'erano pesci, nei fiumi, e deponevano uova. Nidi tra i rami. Rumori nella notte. Rimaneva inspiegato quale lezione ci fosse da imparare in quel messaggio muto di inattaccabile indifferenza. Se il verdetto dell'irrilevanza umana, o l'eco di una resa definitiva all'umana follia.

– E piantala lì –, ripeté Cabiria.

– È un tedesco –, disse il piccolo, come se fosse una scusante. Ma aveva ragione. La divisa si vedeva bene, e quello non era un morto austriaco.

Cabiria disse che non c'erano tedeschi da quelle parti, ma lo disse senza convinzione. Guardò meglio, e la divisa era proprio quella dei tedeschi. Ogni tanto una delle scarpe affiorava, e poi se ne tornava sotto.

– Ehi, Ultimo, quello è un tedesco.

Ultimo neanche si voltò. Però fece un gesto che voleva dire Fate silenzio. Gli altri due alzarono gli occhi verso il cielo. Con la mano contro il sole, socchiudevano gli occhi e cercavano.

L'aereo arrivò da dietro il Monte Nero. Sfiorò la cima e scese di quota, imboccando la valle. Era poco più che un ronzio – una mosca lontana.

– Chi si gioca la razione? –, chiese il piccolo.

Cabiria disse che a lui stava bene.

– Austriaco –, disse il piccolo.

– Italiano –, disse Cabiria.

Solitario, là in aria, poteva essere effettivamente l'uno o l'altro. Gli veniva proprio dritto in bocca, e c'era solo da aspettare. Quando si abbassò ancora di quota, il piccolo si tolse dal greto e fece qualche passo verso gli alberi. Aveva ancora addosso il sorriso della scommessa, ma l'occhio guardava vigile in aria, e controllava distanza e intenzioni.

– Ti pisci addosso, eh, piccolo? –, disse Cabiria. E rise grasso.

Il piccolo gli fece un gesto che non voleva dire niente. Si fermò a metà strada tra il fiume e gli alberi.

È che la paura degli aerei non la conoscevano ancora. Erano gli occhi dal cielo, per spiare trincee e postazioni di artiglieria. Erano astuzia, ma ancora non erano forza. Non portavano morte, se mai presagi. Insetti svolazzanti intorno alla carogna – poco più che un fastidio.

Un colpo di vento scosse il trabiccolo di legno e lo fece un po' sghembare. Nello sghembare mostrò il fianco, e allora si lesse la croce nera dell'imperial-regio esercito nemico.

– Molla la razione –, disse il piccolo.

Cabiria sputò per terra. Poi imbracciò il moschetto.

Per capire: solo nel 1915 i tedeschi avevano messo a punto un sistema per sincronizzare lo sparo di una mitragliatrice, sistemata a prua, e l'elica che le ruotava davanti. Il marchingegno aveva del miracoloso. I proiettili invece di sforacchiare l'elica e far precipitare tutto quanto, sguisciavano in mezzo a quel gran roteare e andavano a colpire lontano. Avresti detto che era la pala di legno, a sparare, in un qualche modo che non sapevi. E invece c'era il trucco. Francesi e inglesi ci misero un po' a impararlo. Sincronizzare mitragliatrice ed elica: a voler evitare guai, si dovrebbe avere una cosa del genere per tenere insieme uccello e cuore, dissero. Perché la guerra ancora non li aveva ammutoliti.

Quando l'aereo gli passò sopra, a bassa quota, Cabiria sollevò il moschetto e sparò due volte, e poi una terza, quando ormai se n'era andato.

– Crepa! –, gli gridò dietro. E si immaginò i due proiettili entrare nel legno secco della fiancata, come viti luccicanti nella nervatura di una cassa di violino. E il terzo perdere spinta nell'aria blu dell'alta quota, fino a diventare leggero come un respiro, e infine immobile, per una frazione di secondo, stupefatto dalla perdita di qualsiasi peso.

L'aereo piegò a sinistra e iniziò a disegnare senza fretta una larga virata di ritorno.

– Che diavolo fa? –, disse Cabiria.

– Quello torna –, disse il piccolo, che non rideva più.

L'aereo si lasciò scivolare sotto la pancia il fianco della montagna e si raddrizzò solo quando li ebbe giusto davanti a sé, come un bersaglio. Il vento lo scuoteva, ma erano aggiustamenti di una calma senza rimedio. Iniziò ad abbassarsi.

Cabiria e il piccolo presero a bestemmiare e corsero verso gli alberi.

– Ultimo!, vieni via da lì!

Ma Ultimo se ne stava in piedi, immobile, con gli occhi fissi all'aereo. Continuava a masticare, e intanto riepilogava a bassa voce:

– Fokker Eindecker E.1, motorizzato con un nove cilindri da 100 cavalli.

– Ultimo!, la madonna, vieni via!

Quando volano in pattuglia sono in genere armati di piccola bocca da fuoco a prua. Ma l'aereo solitario indica fuori da ogni dubbio un volo di ricognizione. Probabilmente equipaggiato con un apparecchio Kodak per fotografie da alta quota. Poi alzò un po' la voce:

– Datti una pettinata, Cabiria, che c'è il fotografo.

Cabiria aveva gli occhi buoni, guardò verso l'aereo e vide uscire un braccio dalla carlinga. Poi vide spuntare la testa del pilota. Sporgersi di fianco, per mirare. Alla fine vide anche la pistola, stretta in pugno.

Corse allo scoperto, e si gettò su Ultimo. Finirono a terra e lui se lo tenne sotto mentre il motore dell'aereo, a volo radente, gli raschiava l'aria sopra la schiena. Aveva gli occhi chiusi quando gli parve di sentire gli scatti metallici di tre spari, e forse il sibilo di un proiettile, a una spanna dalla testa.

Rimasero un po' così. Poi Cabiria aprì gli occhi. L'aereo ronzava lontano. Ultimo stava ridendo.

– Non farlo più, stronzo –, disse Cabiria senza muoversi.

Ultimo continuava a ridere.

– Stronzo –, disse Cabiria.

Se ne andarono quasi subito, perché la storia dell'aereo gli aveva rovinato il gusto per il fiume, la luce, e tutto quanto. Camminavano uno dietro l'altro, con il piccolo che faceva strada. Il morto era ancora là, impigliato tra la corrente e quel groviglio di rami e pietre. Continuava a cercare sott'acqua qualcosa, ma proprio non c'era verso. Non era giornata, per il tedesco.

– Che ci fa da 'ste parti? –, chiese a un certo punto Ultimo.

– Un tedesco non dovrebbe essere qui.

– Neanch'io dovrei essere qui –, disse Cabiria.

Ma quella *fratellanza*, di uomini in guerra, non l'avrebbero trovata mai più. Era come se remote ragioni del cuore si fossero schiuse per loro sotto la cova della sofferenza, scoprendoli capaci di sentimenti miracolosi. Senza dirlo, si amavano, e questa gli sembrava, semplicemente, la parte migliore di sé: la guerra l'aveva liberata. Era d'altronde proprio ciò che erano andati a cercarsi, ognuno a modo suo, compiendo quel gesto oggi incomprensibile che era stato *volere* la guerra, e, in molti casi, andare *volontariamente* alla guerra. Tutti avevano risposto, d'istinto, a una precisa volontà di fuga dall'anemia della loro gioventù – volevano che gli si restituisse la parte migliore di sé. Erano convinti che esistesse, ma che fosse ostaggio di tempi senza poesia. Tempi di mercanti, di capitalismo, di burocrazia – alcuni iniziavano già a dire: di giudei. Loro avevano in mente qualcosa di eroico, e comunque di intenso, e in ogni caso di speciale: ma seduti pigramente al caffè vedevano passare i giorni senza altro obbligo che quello di essere disciplinate macchine tra le nuove macchine, in vista di un comune progresso economico e civile. Per questo noi oggi possiamo guardare increduli le foto di quegli uomini che si alzano dal tavolino e abbandonando bicchierini di blandi alcolici corrono all'ufficio di leva, sorridendo all'obbiettivo, con la sigaretta ai labbri, e nelle mani, sventolata, la prima pagina di giornali che annunciavano la guerra – una guerra che poi li avrebbe maciullati, nel più orribile e metodico dei modi, con una pazienza che nessuna ferocia bellica, prima, aveva uguagliato. In un certo senso, cercavano l'infinito. Volendo riassumere la tragedia di quegli anni, si potrebbe dire che fu la mancanza di fantasia a distruggerli – non si era immaginato niente di meglio che la guerra, per accelerare il battito dei cuori. Era tutto quel che c'era.

Batteva adesso forte il cuore, su quel pendio innevato, mentre il capitano urla Al coperto, dannazione!, ma non c'è riparo, ci fosse un albero, qualcosa, giusto i muli, che impazzano però, incatenati ai pezzi da 149, non si può scappare con un cannone legato alle reni, sta' addosso al mulo, Cabiria!, Maledizione, qui ci fanno fuori tutti, capitano bisogna uscire da qui!, Capitano!, e il capitano ha i suoi trent'anni da salvare, chissà cos'ha lasciato sul tavolino nel bicchiere, quel giorno, iniziando a correre una corsa che adesso allunga sul crinale gridando Baionetta!, ed ha ragione lui, Cabiria, via da qui prima di farsi spazzare, parte Ultimo, parte Cabiria, parte il piccolo e partono tutti incontro al nido della mitragliatrice accovato nella neve, cinquanta metri risaliti tra i proiettili che filano morte a casaccio, un grido aspro in gola – come batte forte il cuore, Ultimo. Li videro in faccia, alla fine, e poi di schiena, in fuga – i *nemici*. Nella buca scavata alla veloce, ne trovarono uno con un braccio spappolato, l'altro alzato in aria, come a voler fare una domanda. Falla, *Kamerad*. Posso non morire?

E Ultimo si accovacciò davanti al piccolo, che stava seduto nella neve e singhiozzava. Lo guardò bene, ma non aveva ferite, niente. Che c'è piccolo? Gli tolse il moschetto dalle mani, e lo posò lì vicino. Il capitano stava urlando ordini per rimettere in marcia la truppa. Il piccolo tremava e singhiozzava. Faceva impressione vederlo. Era un ragazzone di cento chili, il più alto di tutti. La sera, per scommessa, tirava su i muli, e per qualche lira in più ci ballava il valzer, cantando in tedesco. Ultimo gli accarezzò gli occhi. Perché scalda il cuore. Dobbiamo andare, piccolo. E il ragazzone disse soltanto: no. Così Ultimo se lo prese sulle spalle, come se fosse ferito, e lo era, ma dove, lo sapevano solo loro.

– Molla qui –, disse Cabiria.

– Ce la faccio –, disse Ultimo.

– Stronzate.

Si passò un braccio del piccolo intorno al collo, e se lo portarono via così. Aveva smesso di singhiozzare.

Così si ritrovavano in quella sorta di *fratellanza*, ed era ciò che avevano cercato. Era la morte, e la paura, a farli sentire in quel modo – sicuramente – ma certo c'entrava anche quella assenza, a perdita d'occhio, di bambini e donne – situazione surreale da cui loro deducevano un'euforia tutta particolare, quasi fondativa. Dove non ci sono figli né madri, tu sei il Tempo, senza prima e senza dopo. E dove non ci sono amanti né mogli, tu sei di nuovo animale, e istinto, e puro esserci. Provavano la primitiva sensazione di essere, semplicemente, *maschi* – qualcosa che avevano forse appena sfiorato nei riti camerateschi dell'adolescenza, o in fuggitive serate al bordello. In guerra era tutto più vero, e completo, giacché nel gesto obbligatorio del combattere quella identità pura di animali maschi trovava compimento, e per così dire si chiudeva su se stessa, disegnando l'inattaccabile figura di una sfera perfetta. Erano maschi, sottratti a qualsiasi responsabilità procreativa, e sfilati via dal Tempo. *Combattere* – quella non sembrava altro che una conseguenza.

Poiché non è dato in genere di percepire con simile purezza la semplicità assoluta di una propria identità, molti ne ricavarono un'ebbrezza euforica, e un'inaspettata considerazione di sé.

Condividevano, oltre alla quotidiana atrocità della trincea, quella sensazione di essere vita allo stato puro, formazioni cristalline di un'umanità riportata alla sua primitiva semplicità. Diamanti, eroici. Non l'avrebbero potuta spiegare davvero a nessuno, quella sensazione, ma ciascuno di loro la riconosceva nello sguardo dell'altro, come in uno specchio – così la faceva sua, ed era il segreto con cui cementavano la propria fratellanza. Niente avrebbe potuto spezzarla. Era la parte migliore di loro, e nessuno gliel'avrebbe portata via.

Per molto tempo, poi, i sopravvissuti l'avrebbero ricercata nella vita normale, nei giorni di pace, ma senza trovarla. Tanto che alla fine pervennero a ricostruirla, in laboratorio, nel cameratismo di un'utopia politica che elevava i loro ricordi a ideologia, e militarizzava la pace, e le anime, cercando, per vie atroci, la parte migliore di tutti. Donarono così a tanta Europa l'esperienza dei fascismi – molti credendo onestamente di insegnare ai propri villaggi la purezza che avevano imparato in trincea. Ma la geometrica precisione con cui quell'esperimento li ricondusse in un'altra guerra – falene contro la luce – spiega agli occhi dei posteri quel che loro forse sapevano, ma non volevano ammettere: che solo nella fragranza del macello poteva diventare reale ciò che per loro era ricordo e sogno. Come degli umani avvertiti abbiano potuto entrare in guerra nuovamente, ventun anni dopo la Prima Guerra Mondiale, e spesso nell'arco di una vita sola, è cosa che deve far riflettere su quanto accecante dovesse essere stata, là nel marcio delle trincee della Somme o del Carso, quella sensazione di primordiale fratellanza – si sarebbe detto l'annuncio di un'umanità *vera*. Non fu possibile astenersi dall'attenderla, una volta scoppiata la pace.

Ma la pace, quella era cosa più complicata.

Io stesso l'ho attraversata con passo incerto e spesso smarrito, senza capirne mai, veramente, il significato. Tanto che non mi spiace ammettere di aver dilapidato quei vent'anni nella preparazione di questo memoriale, che oggi finalmente scrivo, pur sotto l'insidia di una fretta cui mi costringono le circostanze. Avevo da cercare testimonianze e capire i fatti, e questo, com'è comprensibile, mi ha preso molto tempo, giacché non è semplice render conto di qualcosa che non si è vissuto. Ma dovevo questo doloroso esercizio di memoria al sentimento più profondo e caro che mi fosse rimasto: e a un certo senso di giustizia che, questo sì, mai mi ha abbandonato, neppure nelle ore più insignificanti del mio invecchiare. Così sono tornato per anni, in ogni momento di libertà che l'esercizio della mia professione mi concedeva, ai giorni di una guerra che non ho fatto: e questo è stato il mio unico compito, per tutto il tempo della pace. Non ho pressoché vissuto per altro, e qualsiasi decisione io abbia preso in tutto questo tempo, sempre è stata la più ovvia e la più remissiva. Non ne vado fiero, ma neanche sento di dovermene vergognare perché il presente era per me poco più di un ronzìo fastidioso mentre risalivo il tempo per trovare le orme di quegli uomini, e di uno, in particolare, nella speranza di ricostruirne il cammino. Così poteva accadere che mentre la vita mi chiedeva di prender partito, io non potessi rivolgerle che una superficiale attenzione, perché ogni mia energia in quel momento era spesa a intuire cosa dovesse essere, nelle trincee del fronte, la muta attesa dei fanti, acquattati nel fango, in procinto di attaccare. Rimanevano per ore ad aspettare che l'artiglieria spianasse davanti a loro la terra di nessuno e quella dei nemici, ed era un esercizio sovrumano di passiva sopportazione. Le granate fischiavano sopra le teste, e, per errore umano o deficienza tecnica, spesso addosso alle teste – il cosiddetto fuoco amico. Così si moriva di piombo patrio. In un frastuono scioccante, gli uomini rimanevano abbandonati ai propri pensieri, costretti a trascorrere nella passività più assoluta quelli che in molti casi erano gli ultimi istanti della loro vita. La vertigine di una simile solitudine l'ho capita forse quando ho preteso di sapere, da chi c'era, con che trucco erano riusciti a sopravviverle. C'era chi pregava, certo, ma anche chi leggeva, e chi incolonnava le proprie cose, come per fare ordine, dovendo partire. Alcuni piangevano, semplicemente, e altri rimettevano in fila i ricordi, per costringersi a non pensare. Un uomo mi confessò che lui ripassava mentalmente tutte le donne che aveva baciato, e questa era l'unica cosa che riuscisse a soffocare l'angoscia. Cabiria e Ultimo consumavano quell'attesa atroce uno di fianco all'altro, *guardandosi*. Avevano sperimentato tutti i pensieri possibili, cercando i più adatti a intrattenere quel tempo vuoto. Ma alla fine guardarsi era risultata la tecnica più efficace: era sottintesa la convinzione che fino a quando i loro sguardi si fossero sostenuti, l'uno all'altro, nessuno dei due si sarebbe spento in un lamento, un bagliore, uno sguazzo di sangue. E funzionava. Cabiria masticava tabacco, Ultimo scrocchiava le dita. E tenevano la vita appesa a uno sguardo. A pochi passi da loro, il capitano, coi suoi trent'anni da salvare, contava i minuti e le esplosioni, ripassando le direttive dei comandi. Era un ragazzo ordinato: si fidava dei numeri, perché era ciò che aveva studiato. Ogni giorno combatteva contro quella rissa folle riportandola all'eleganza formale di cifre incolonnate. Morti, feriti, calibro degli obici, altezza delle cime, chilometri del fronte, munizioni, giorni di permesso. Che ora è adesso. Che giorno è oggi. Numeri. In tasca aveva una lettera, l'avevano in tanti. Era *l'ultima lettera*, quella che non spedivano mai, ma sempre portavano addosso. Dopo la loro morte, sarebbe stata aperta dalle mani tremanti di una madre, o di una ragazza, nella penombra di un tinello, o per strada sotto un sole assurdo. Era la voce che immaginavano di lasciare dopo di loro. La sua diceva, ordinatamente, così. *Padre, vi ringrazio. Grazie per avermi accompagnato al treno, il mio primo giorno di guerra. Grazie del rasoio che mi avete regalato. Grazie per le giornate a caccia, tutte. Grazie perché casa nostra era calda, e i piatti senza incrinature. Grazie per quella domenica sotto il faggio di Vergezzi. Grazie per non aver mai alzato la voce. Grazie per avermi scritto ogni domenica da quando sono qui. Grazie per aver lasciato sempre aperta la porta quando andavo a dormire. Grazie per avermi insegnato ad amare i numeri. Grazie per non avere mai pianto. Grazie per i soldi infilati tra le pagine del sussidiario. Grazie per quella sera a teatro, voi ed io, come principi. Grazie dell'odore di castagne, quando tornavo dal collegio. Grazie per le messe in fondo alla chiesa, sempre in piedi, mai in ginocchio. Grazie di aver indossato l'abito bianco, per anni, il primo giorno d'estate. Grazie per la fierezza e la malinconia. Grazie per questo nome che porto. Grazie per questa vita che stringo. Grazie per questi occhi che vedono, queste mani che toccano, questa mente che comprende. Grazie per i giorni e gli anni. Grazie perché eravamo noi. Mille volte grazie. Per sempre.* L'artiglieria cessò il fuoco di sbarramento. Il capitano si mise a contare. Le direttive del comando fissavano a quattro minuti l'attesa prima dell'attacco. Lui li contò mentalmente, cercando gli occhi dei suoi soldati, e toccandoli uno ad uno, come una lancetta i secondi. Era il terzo assalto, da quando era lì. C'era da uscire, gridando, e correre avanti fino ai reticolati. Trovare il varco aperto dalle bombe e passare oltre. Continuare a correre: e poi di solito finiva lì. Altri reticolati, nidi di mitragliatrici, campi minati. A quel punto era solo un macello. La prima volta si era fermato perché il sottotenente Malin era saltato in aria proprio davanti a lui e adesso stava senza più gambe a gridare qualcosa. Lui si era fermato. C'era da accompagnarlo nel grande addio. C'aveva messo un po'. Poi aveva finito per vomitare, e il resto era tutto confuso. La seconda volta, e la terza, era corso indietro quasi subito, non funzionava niente, l'artiglieria italiana aveva ripreso a far fuoco proprio quando avevano attaccato, e tutti gridavano di rientrare. Che si ricordasse, non aveva neanche mai sparato. E gli austriaci, non li aveva mai visti. Quelli morti, certo, spappolati nella terra di nessuno o appesi ai reticolati come anime a stendere. Ma in faccia, vivi, cattivi, in quegli attacchi non li aveva mai visti. Era una discesa all'inferno e basta, stupida e mortale, un assurdo giro nel culo del male.

Per quanto possa sembrare folle – mi spiegò il dottor A., chirurgo della compagnia – era quel che gli alti comandi erano stati in grado di immaginare, in fatto di strategia. Quel macello idiota era una tattica. Deliberata, precisa, consapevole. Il dottor A., chirurgo della compagnia, aveva combattuto quella guerra, nella sanità, e da allora aveva cessato di pensare. Ma prima lo aveva fatto molto, quasi in maniera ossessiva, proprio per esorcizzare l'orrore, e gli era piaciuto studiare il fatto militare come un entomologo avrebbe potuto studiare un formicaio. Si deve capire – era quindi in grado di spiegare – che dietro all'aberrante crudeltà degli ordini impartiti non c'era tanto un'inclinazione guerriera alla ferocia, quanto una lentezza tipicamente militare nell'interpretazione del reale. Gli alti comandi deducevano il loro sapere da una tradizione che risaliva alle guerre napoleoniche, e la loro intelligenza misurata non riusciva a capire come l'osservanza diligente di quelle regole collaudate potesse portare, nella realtà bellica di tutti i giorni, a risultati tanto tragici e apparentemente casuali. Come sospettando un inspiegabile inceppamento nel sistema di cause ed effetti, continuarono per i primi tre anni di guerra a replicare le stesse mosse, nella fiducia che prima o poi il reale sarebbe tornato a funzionare correttamente. Era al di fuori della loro portata l'immaginare che il reale, semplicemente, fosse cambiato.

In particolare – ho imparato dal dottor A., chirurgo della compagnia – sopravviveva in loro l'idea che l'attacco fosse l'essenza ultima del combattimento, e, in definitiva, l'unico abito mentale capace di coagulare l'entusiasmo e la vigoria delle truppe: reputando il difendersi un gesto minore, cui nessun esercito era per natura incline. Continuarono a pensarlo anche quando la tecnica di difesa si affinò, sul campo, ad artigianato di classe, dimostrandosi capace di reinventare, d'istinto, forme nuove di combattimento. Mentre le tecniche d'attacco replicavano cocciutamente schemi vecchi di un secolo, l'istinto alla difesa trovò dei movimenti di risposta che non erano solo efficaci contromosse, ma l'effettiva modificazione delle regole del gioco, e perfino del suo terreno. In breve gli eserciti attaccanti si trovarono a replicare fanaticamente mosse giuste di un gioco che, però, non esisteva più. Se vuole individuare il cuore della faccenda – mi disse il dottor A., chirurgo della compagnia – pensi a ciò che la memoria collettiva ha poi conservato, con geniale gesto sintetico, come icona sacra di quella guerra: la trincea. Quella fu l'idea che ridisegnò il tutto. Un'idea – ci teneva a sottolineare – elementare e istintiva. Iniziarono i fanti tedeschi a nascondersi nelle voragini aperte dagli obici francesi, trovando lì una variante salvifica all'inesorabilità del campo aperto. Quando provarono a collegare due voragini vicine, scavando dei camminamenti nella terra, dovettero intuire la nascita di un sistema: nell'arguzia di una mossa improvvisata qualcuno riconobbe il germe di una logica compiuta. Così gli uomini scesero sotto terra, come insetti dalle tane chilometriche e raffinatissime. In pochi mesi – faceva osservare acutamente il dottor A., chirurgo della compagnia – i due capisaldi della geografia guerriera, la fortezza e il campo aperto, furono spazzati via da quella terza inedita opzione, che in certo modo li riassumeva entrambi, senza essere nessuno dei due. Una rete sterminata di ferite intagliò la superficie terrestre, allestendo una trappola che le truppe d'assalto non sapevano decifrare. Era come un sistema sanguigno – io iniziai a capire – che portava il veleno della guerra nella carne del mondo, scorrendo invisibile, per migliaia di chilometri, sotto la pelle della terra. Sopra, contro la linea dell'orizzonte, non v'era più nulla che alto si ergesse, di pietra, verso il cielo, né eserciti schierati a ricevere l'attacco, nell'ordine geometrico che ricordava i campi maturi per la falce. In un paesaggio svuotato, correvano i fanti all'assalto, con il nulla negli occhi, derubati di un nemico che era sparito nelle putride ulcere del terreno. Ricevevano morte che non aveva provenienza, e sembrava qualcosa che si erano portati addosso, e che tutt'a un tratto, e a caso, decideva di esplodergli dentro, portandoseli via. La chiarezza dello scontro era andata perduta, e con essa il chiarore che per millenni aveva inquadrato l'eroismo e il sacrificio. La presunta nobiltà del gesto guerriero era quotidianamente confutata nel sordido strisciare di uomini tornati ad abitare le viscere della terra.

Fu in quelle viscere che maturò un nuovo, inaspettato, tipo di guerra – guerra di posizione, la chiamarono – ma soprattutto fu lì che, come oggi mi è ormai chiaro, si consumò una disfatta collettiva non immediatamente percepibile, eppure profonda e devastante, qualcosa che aveva a che fare con la definizione degli spazi, e forse addirittura di un orizzonte morale. Giacché lo sprofondare della guerra nel sottoterra delle trincee significava l'ammissione di un verdetto che riportava l'umano alla preistoria: significava concedere che l'aperto era tornato ad essere il luogo della morte. Perfino il timido affacciarsi di una testa dal profilo delle tane trovava il filante proiettile di invisibili cecchini a decretare che definitivamente non era rimasta possibilità di vita nemmeno negli orli dell'aria. La regressione animale che aveva spinto gli umani sottoterra aveva generato una contrazione smisurata dello spazio vivibile: una sorta di azzeramento del mondo. Le foto aeree del fronte di Verdun raccontano un tale deserto di morte che gli unici residui di vita, le trincee, sembrano le suture di un corpo reduce da un'autopsia.

Nel terreno tra le prime linee, questo paradossale effetto di distruzione raggiungeva un'intensità quasi mistica. Lo chiamavano la terra di nessuno, ed è dubbio che il creato abbia mai trovato altrove uno stato di più vertiginosa indigenza. Corpi e oggetti – la natura stessa – vi giacevano in un'immobilità sterminata, fuori dal tempo e dallo spazio, dove sembrava essersi concentrata tutta la morte a disposizione. C'è da domandarsi come fosse possibile anche solo *posare lo sguardo* su quel tratto di apocalisse, eppure bisogna immaginare che in quel paesaggio milioni di uomini si risvegliarono, per giorni e per mesi, e per anni, cosa che ci dovrebbe portare a intuire l'orrore inenarrabile che dovette attanagliarli, in ogni singolo istante del loro combattere, oltre ogni limite tollerabile, fino a indurli, forse, a registrare come allora la morte individuale, la spicciola morte di un uomo, la *loro* morte, fosse alla fine un incidente accessorio, quasi una conseguenza naturale, visto che loro erano *nella* morte già da tempo, la respiravano da un'eternità, e in definitiva ne erano contagiati prima ancora di esserne colpiti, come arrivò a pensare Ultimo, al fronte, scoprendo che altrove la morte era un accadimento, ma lì era invece una malattia, da cui era inimmaginabile guarire. Usciremo da qui, vivi, ma resteremo morti per sempre, diceva. E Cabiria gli faceva volare via il cappello con una gran sventola dicendo ma va là, scemo, che tu pensi sempre troppo, ma in realtà sapeva cosa voleva dire Ultimo, e sapeva che era vero, e l'aveva saputo definitivamente dal giorno in cui era schiattato il piccolo, e questo non perché il piccolo era schiattato, ma per come lo aveva fatto, cioè per quello che era seguito. L'aveva preso una scheggia di granata mentre ritornavano di corsa alla trincea, dopo l'ultimo attacco fallito. C'erano quasi arrivati, al terrapieno, ma poi c'era stata quell'esplosione, vicinissima, e quando il polverone se n'era andato il piccolo era là, per terra, con la testa rigirata in un modo strano, e urlava. Allora Cabiria si era fermato ed era tornato indietro, anche se tutt'intorno c'era l'inferno, perché non se ne parlava nemmeno di lasciare il piccolo là, vivo o morto che fosse. Così andò a prenderselo, e anche se quello urlava, lui lo prese per le gambe e iniziò a trascinarlo verso la trincea, senza nemmeno chiedersi dove la granata se lo fosse sconciato. C'erano solo una ventina di metri ancora da fare. Forse un po' di più. Si mise a trascinarlo. Poi qualcosa esplose lì vicino, di nuovo, qualcosa che sollevò Cabiria da terra e lo sbatté via, come uno straccio. Si prese una gran paura, e quando capì che era ancora tutto intero allora dimenticò tutto il resto e pensò solo a venire via da lì, a raggiungere il terrapieno, a saltare, e a mettersi in salvo. Solamente dopo, arrivato al riparo, tornò a pensare al piccolo, e anche se non era una buona idea si sporse dal terrapieno per vedere dov'era finito, e quasi subito lo trovò, si era appoggiato a un reticolato, ma sempre con la testa rigirata all'indietro, e ancora urlava, che lo si sentiva bene, in mezzo a tutto il casino e agli altri lamenti – Cabiria pensò che si sentiva solo lui. Era una cosa da spezzare il cuore. Pensò che sarebbero andati a prenderlo quelli della sanità, ma quel che successe è che gli austriaci non la smettevano di battere il terreno con l'artiglieria e con le mitragliatrici, perché s'erano incattiviti, e la sanità nemmeno uscì, quella volta, dissero che se andava così era proprio inutile uscire, e che gli austriaci erano dei bastardi. Quando Cabiria mi raccontò questa storia, chiuso nella cella in cui dopo quattro anni di ricerca ero riuscito a trovarlo, si fermò a questo punto e poi disse che non gli andava di raccontare il resto. Con pazienza, allora, io tornai, ogni giorno, per cinquantadue giorni, e solo il cinquantatreesimo giorno Cabiria si convinse ad andare avanti e mi spiegò che allora si era messo a cercare Ultimo, per vedere se ce l'aveva fatta, e per non restare solo con quella sventura del piccolo. C'era una gran confusione. Lo trovò solo dopo un bel po', che già iniziava ad imbrunire. Ultimo, mi spiegò Cabiria, non parlava mai, quando tornava da un'azione, se ne stava tranquillo in un angolo e non parlava per ore, né ascoltava, evidentemente era perduto da qualche parte che sapeva lui. Così era già buio fatto quando lui riuscì a dirgli del piccolo, e tutto. Andarono a sentire, e il piccolo era ancora là che si lamentava, con meno convinzione, ma lo faceva, a intervalli regolari, come se facesse un compito. Andò avanti tutta la notte. Neanche era l'alba, e gli austriaci ripresero a martellare con l'artiglieria, forse avevano in mente di uscire loro, quel giorno, e dai comandi venne l'ordine di stare pronti. Falla finita, col tuo amico, disse uno dei vecchi a Cabiria. Voleva dire che bisognava spargli, che almeno la smetteva di soffrire e di far venire la tristezza a tutti. Cabiria guardò Ultimo e Ultimo disse Io non lo faccio. Lo disse tranquillo. Cabiria allora prese il fucile e si piazzò meglio che poteva, senza troppo stare allo scoperto. Prese la mira e sparò. Una volta, e poi altre due. Poi abbassò il fucile. Non ce la faccio, disse. E si mise a piangere. Allora chiamarono uno dei cecchini, un abruzzese che spegneva le sigarette agli austriaci, quando era in buona. Succedeva che gli chiedessero cose del genere, e lui non diceva niente e le faceva. La tariffa era due scatole di tabacco e il buono per il bordello. Sparò un solo colpo, e il piccolo smise di lamentarsi. Proprio smise. Una cosa bella che aveva il piccolo era che sapeva suonare la fisarmonica, e soprattutto era bella la faccia che faceva quando la suonava. Non ne sapevano niente, di quella faccenda, fino a quando non finirono ad attraversare un paese, dalle parti di Cividale, e da una finestra si sentì uno che suonava la fisarmonica. Il piccolo si era sfilato via, allora, ed era entrato nella casa. Dopo un po' c'era lui, alla finestra, a gridare che tutti si fermassero. Cosa diavolo c'è, piccolo? Senza rispondere, lui si era messo a suonare. Bisognava vedere cosa riusciva a fare, con quelle sue dita enormi. Ma non era solo quello, la cosa fantastica era la faccia che aveva, mentre suonava. Dove guardava. Nessuno gli aveva mai visto quello sguardo lì, di solito anzi lui c'aveva gli occhi un po' ottusi, come di uno a cui in continuazione facessero una domanda. Si vede che la fisarmonica era la risposta. Gli si aprivano gli occhi, e finivano lontani. Comunque adesso gli occhi li aveva chiusi, lì appoggiato al reticolato, con il colpo dell'abruzzese che gli aveva passato la testa, da una parte all'altra, chirurgico. Cabiria pensò a tutte le fisarmoniche che non avrebbero suonato più, tra le sue mani, e pensò che era davvero un peccato. E poi tutte le persone che non avrebbero danzato, e le lacrime che non sarebbero cadute, e i piedi che non avrebbero battuto il tempo per terra. Non si ha idea di quante cose muoiano, quando muore una creatura. Anche solo un cane. Ma certo soprattutto un uomo. Ultimo invece prese la sua scheggia di specchio, che teneva avvolta in uno straccio, la pizzicò come sapeva fare sulla punta del moschetto, e poi la sollevò sopra il profilo del terrapieno, per vederci dentro la terra di nessuno senza rischiare la testa, e nella terra di nessuno il corpo del piccolo, e nel corpo del piccolo la faccia. Non avrebbe dovuto farlo, avrebbe dovuto solo dimenticare, ma il fatto era che il corpo stava proprio lì, a un niente da loro, come facevi a dimenticartelo? Ciao piccolo, mi spiace. Ciao piccolo, forse è meglio così, dai. Vide che la pelle aveva cambiato modo di stare sulle ossa, e l'espressione era proprio una cosa che non si era mai vista, sulla faccia del piccolo. Non era come quando dormiva, era un'altra cosa: sembrava avesse delle tracce di vecchiaia sul volto, dei rimasugli di vecchiaia, quasi fosse morto giovane dopo esser stato a lungo vecchio, in una strana vita alla rovescia. Ma poi chissà. Gli austriaci li tennero inchiodati lì per dodici giorni e dodici notti, sotto il tiro che quando smetteva lo faceva per due ore, e poi ricominciava. C'era sempre nell'aria quella possibilità di un attacco, così non si dormiva, ed erano giornate da spaccare i nervi, sotto tiro tutto il tempo. Forse fu anche per quello, ma la storia del piccolo divenne un'agonia da non dire. Non si poteva uscire a portarlo via da lì, e lui moriva la morte lunga della carne. Prima gonfiò tutto poi si iniziarono a vedere le labbra venir via dai denti, i suoi denti piccoli, bianchi, e le guance sparire. Il settimo giorno un colpo di granata gli esplose vicino e il corpo si divise in due. La testa, attaccata alle spalle e a un pezzo di viscere, rimbalzò verso la trincea e alla fine si rigirò in un modo che sembrava fatto apposta, gli occhi puntati proprio verso i suoi, quelli che erano stati i suoi, i compagni. Sotto il sole la carne se ne andava un tanto al giorno. Veniva fuori l'osso della mascella, e gli occhi si ritiravano dentro il cranio, nel nulla, portandosi dietro la pelle a fili. Era la faccia del piccolo, ma adesso sembrava dove un animale aveva mangiato, ma senza ripulire bene, magari interrotto da qualcosa. Era un supplizio. Così un giorno Cabiria si era messo a gridare, un unico urlo come una lama, poi era salito sul terrapieno, fottendosene degli austriaci, e da lì aveva tirato una granata dritto sul piccolo, senza sbagliare, proprio dritta su di lui. La colonna di terra esplose verticale nell'aria, spargendo intorno i brandelli di quel che era rimasto del piccolo, e facendoli volare lontano. Alcuni finirono in trincea, e dovettero prenderli in mano – in mano – e ributtarli nella terra di nessuno, da dove erano venuti. Per questo Cabiria sapeva cosa voleva dire Ultimo quando diceva quella cosa della morte, e che loro erano morti, e che lo sarebbero stati per sempre. Magari non credeva che sarebbe stato proprio così, ma poteva capire cosa Ultimo aveva in mente. Era una cosa da cui erano passati, e niente l'avrebbe più cancellata. Se la sarebbero portata nel doppio fondo dell'anima, come contrabbandieri dell'orrore. Sorella morte.

Andò avanti così – mi spiegò il dottor A., chirurgo della compagnia – fino a quando negli alti comandi qualcosa cambiò e si affacciò, tardiva, l'intuizione che lo sfondamento tanto agognato andasse immaginato con mente ingenua oltre ogni misura, e trovato nel rovescio di ciò che fino a quel giorno era apparso logico. Furono i tedeschi i primi a rendersi capaci di una simile acrobazia concettuale, mi spiegò. La sperimentarono prima sul fronte orientale e poi sull'Isonzo, proprio dove si fronteggiavano i due eserciti che più sembravano arroccati alla retriva protervia delle vecchie regole: austriaci e italiani. Anche lì a dettare legge era la guerra di trincea, resa ancor più assurda dalla durissima conformazione del terreno. Quello che sul fronte francese era una ragnatela calata sul profilo mite della campagna, diventava, in montagna, un atroce lavoro di ricamo che andava a scavare le linee di difesa su pareti proibitive e ad altezze dove i ghiacci si sostituivano alla terra. La fatica e la sofferenza umane ne erano moltiplicate, ma i risultati non erano diversi che altrove. Le undici battaglie dell'Isonzo, con cui gli italiani cercarono di sfondare il fronte austriaco, produssero numeri illeggibili: per spostare il confine di una quindicina di chilometri, scomparvero dal terreno più di un milione di soldati, tra morti e feriti. A pensarci, una follia – mi disse il dottor A., chirurgo della compagnia. È probabile – aggiunse – che, nonostante il manifesto orrore, gli italiani, da una parte, e gli austriaci, dall'altra, avrebbero continuato così fino a qualche imprevedibile apocalisse finale. Fu l'intervento dei tedeschi ad azzerare quella loro guerra tribale, smantellandola con il bisturi di una logica dove arguzia e ingenuità formavano una miscela micidiale. Con un lavoro di pazienza e di furbizia, ammassarono a ridosso della prima linea enormi quantità di uomini e mezzi, senza che gli italiani percepissero qualcosa di più che un vivace quanto insignificante assestamento delle truppe. Assunsero il comando delle operazioni, relegando gli austriaci al ruolo di apprendisti chiamati a morire e ad imparare. E nelle prime ore del 24 ottobre 1917, a Caporetto, nell'alta valle dell'Isonzo, sferrarono l'attacco più assurdo, e devastante, che mai si fosse visto da quelle parti. Non deve pensare a un attacco a sorpresa, perché non lo fu – mi mise in guardia il dottor A., chirurgo della compagnia. Gli italiani sapevano, da mille segnali, che un'offensiva austriaca era imminente. Se l'aspettavano, ed erano convinti, non a torto, di essere sufficientemente ben schierati da poterla fermare. Ventiquattr'ore prima, lo stesso re d'Italia, comandante di tutte le forze di terra e di mare, era venuto a controllare di persona l'efficacia del dispositivo di difesa. Se n'era andato visibilmente soddisfatto. Ma ciò che stava loro venendo addosso era qualcosa che non conoscevano, e che l'ottusa logica militare non aveva l'agilità sufficiente per capire, e tanto meno per prevedere. Perfino dopo, a cose fatte, avrebbero continuato per anni a cercare di comprendere, invano.

Va detto che il dottor A., chirurgo della compagnia, enunciava questi fatti con una sorta di compiacimento che mai mi è garbato, qualcosa di simile alla fredda ammirazione dello scienziato per il suo oggetto di studio. Mi era difficile sopportare l'idea che qualcuno riconoscesse una forma di intelligenza alla brutale dinamica della morte, e perfino una sorta di eleganza formale al gesto di chi uccideva: ma quando espressi questo mio disagio, il dottor A. fu impietosamente duro, con me, e a più riprese mi assalì in tono sgarbato, chiedendomi se davvero volevo sapere come erano andate le cose, e perfino mettendo in dubbio che fosse nelle mie capacità assolvere il compito che mi ero assegnato, ovvero rendere giustizia a mio figlio, condannato a morte, per diserzione, e fucilato la sera del 1° novembre 1917, otto giorni dopo Caporetto.

Allora io dissi che era questo che volevo, e questo avrei fatto.

E dissi che la memoria di mio figlio era tutto ciò che mi era rimasto.

Così lui assunse un tono più mite – ancora lo ricordo – enunciandomi le due leggi che ogni manovra d'attacco doveva rispettare, secondo i manuali di guerra. La prima era vecchia come l'arte del combattere e decretava che per vincere bisognava conquistare le vette, i punti da cui si poteva dominare il terreno. Più che un principio strategico era una categoria mentale, mille volte riaffermata dalle roccaforti che in ogni parte del mondo sancivano l'ubicazione del potere collocandolo in alto, dove qualsiasi movimento umano risultava sotto controllo. La seconda regola, innegabilmente logica, indicava la necessità di avanzare con uno schieramento compatto, conservando una linea di fronte più ampia possibile, così da non rischiare di perdere in avanti singole porzioni di truppa, destinate a scollarsi dal grosso dell'esercito e a trovarsi prima isolate dai rifornimenti e poi, inesorabilmente, accerchiate. Da un punto di vista geometrico, un ragionamento ineccepibile. Si trattava di regole che i tedeschi conoscevano benissimo. Si può dire che avessero contribuito attivamente a fondarle. Attaccarono, il 24 ottobre 1917, affidandosi a una strategia che potrebbe essere così riassunta: date le regole, fare il contrario. Incuranti delle vette, avanzarono nel fondovalle, dove le difese erano più morbide e disattente. E lo fecero con piccoli reparti d'assalto, a cui era stato dato l'ordine, impensabile, di affondare nelle linee nemiche e di non fermarsi mai, perdendo qualsiasi contatto col grosso dell'esercito e decidendo autonomamente i propri spostamenti e le proprie azioni. L'idea era quella di penetrare nelle linee nemiche come termiti che, scelta la via d'accesso dove il legno era più morbido, avrebbero poi scavato nelle interiora dello schieramento nemico fino a che le vette, neppure conquistate, sarebbero crollate da sole. Fu esattamente quello che successe.

Ma è nella singolare geometria delle anime e delle menti, che bisognerebbe cercare – avrebbe obbiettato il capitano con i suoi trent'anni da salvare – perché il nudo fatto militare, per quanto virtuosistico e affascinante, non può spiegare quello che abbiamo vissuto, e per cui adesso mi trovo qui, a fissare un plotone d'esecuzione. Le nuvole basse coprivano il fondovalle – avrebbe raccontato – e le termiti non potevamo vederle, mentre strisciavano alle nostre spalle, seguendo la via facile del fiume. Noi, sulle pendici alte del monte, si stava isolati, con le comunicazioni improvvisamente mute, e solo voci a riportare spifferi di maldicenze, che puzzavano di disfattismo. E bagliori di incendi, d'accordo, dal fondovalle, a colorare le nubi, ma un incendio può voler dire tante cose, nella grammatica della guerra. L'unica cosa certa erano quelle due ore di martellamento con cui l'artiglieria austriaca aveva devastato la notte, e poi il silenzio subito dopo, un silenzio che non avrei più dimenticato se solo non fossi finito qui davanti a questi fucili puntati, e che adesso invece dimenticherò, insieme a tutto il resto. Perché ci si aspettava di sentirne venir fuori l'urlo del nemico all'assalto, ma non venne niente, solo il prolungamento inverosimile di quel silenzio, oltre ogni attesa sopportabile, fino a dilagare in un tempo vuoto che non significava nulla, se non l'improvvisa sospensione della logica che conoscevamo, e l'imminenza di qualche prova non riconducibile alla nostra esperienza. Era tale il silenzio e l'isolamento, che si arrivò a supporre qualcosa di sovrannaturale, come un'improvvisa diserzione delle montagne, e il nostro conseguente galleggiare nel nulla di una guerra sparita. Potete immaginare – avrebbe chiesto il capitano – a che punto la fatica e la solitudine e la pena potevano smarrire le menti?, perché se non lo potete immaginare questo plotone d'esecuzione è inevitabile e perfino giusto, e nessuno può capire cosa successe quando quell'ufficiale tedesco, con una rivoltella in mano, sbucò dalle nubi, *alle nostre spalle*, salito dal fondovalle con quattro o cinque uomini armati, e iniziò ad urlare in italiano di arrenderci, senza la minima esitazione, perfino con calma, come annotando il risultato ovvio di una operazione banale. Vedete come da un punto di vista squisitamente militare – avrebbe concesso il capitano con i suoi trent'anni da salvare – la situazione fosse molto chiara, essendo noi 278 e loro quattro o cinque, ma è la geometria delle menti e delle anime che va qui compresa – avrebbe obbiettato il capitano, cogliendo in effetti nel segno e forse sfiorando il mistero di quello che successe a Caporetto. Perché erano animali addestrati a un tipo di guerra molto particolare, in cui l'avere il nemico *di fronte* era l'unica geometria conosciuta: l'aver speso tanto tempo e indicibili sofferenze in quell'unica figura aveva ottenuto di elevarla a forma dell'essere, e schema immutabile della percezione. Ciò che accadeva lo faceva nelle forme a priori di quella geometria, e quando ricevevano la morte essa arrivava dalla trincea di fronte, e quando portavano la morte, la portavano dritti davanti a sé, alla trincea che li aspettava. All'interno di quello schema ferreo avevano maturato un sapere raffinatissimo e un'indicibile disponibilità al sacrificio: ma quanto più in loro si coagulava l'intimità con quell'unico movimento preciso, tanto più sfumava la memoria delle infinite possibilità dello spazio e svaniva la capacità, anche morale, a sostenere l'anomalia di un movimento che non fosse quello frontale. Per questo l'ipotesi di trovarsi attaccati *alle spalle* aveva cessato di figurare nel loro indice dell'immaginabile, e quando effettivamente divenne realtà, nell'irreale cornice di un isolamento totale, dovette parere loro non tanto come una situazione di combattimento da interpretare, quanto piuttosto come una magica sospensione del combattimento stesso, un decadere improvviso del tutto, che li sollevava dal compito di reagire. Non fu una semplice questione di viltà, e io lo percepii chiaramente, da subito – avrebbe testimoniato il capitano – guardando negli occhi i miei soldati, in quell'istante che imponeva la fretta di una decisione, e vedendo con che semplicità uscivano dalla trincea, a osservare, trascinando il moschetto per terra. Non erano i gesti della paura, era piuttosto la lenta sorpresa dell'animale che esce dalla tana allo spegnersi del temporale. Nei primi che alzarono le braccia, sorridendo, non c'era ombra di sconfitta ma piuttosto il sospetto che tutto fosse finito. Né l'incubo della prigionia sembrò sfiorare la mente di qualcuno, inspiegabilmente sostituito dall'immotivato presentimento che si stava, tutti quanti, per tornare a casa. Io stringevo in mano la rivoltella – avrebbe sottolineato il capitano – e la tenevo alta, puntata al cielo, e gridai di stare fermi, e di tornare al riparo, Vi ordino di tornare al coperto!, ma è indubbio che non osai sparare – avrebbe ammesso il capitano – per quanto assurdo possa sembrare non osai sparare, e agli occhi dei soldati che cercavano nei miei una qualche certezza, io non seppi restituire che l'assurda dilatazione di quell'istante, cioè la mia ridicola speranza che si potesse fermare tutto per il tempo necessario a capire, mentre quell'ufficiale tedesco, invece, continuava a tessere il tempo reale dell'azione, camminando verso di noi, sempre molto calmo, gridando di arrenderci, fino a quando i primi soldati lasciarono cadere i moschetti a terra, ed alcuni si misero a sorridere staccando qualche parola in tedesco, muovendosi con una lentezza che per me è rimasta il sigillo di ciò che ho vissuto in quell'istante, istante che ricordo infatti lento fino all'inverosimile, con quel movimento di soldati che uscivano inarrestabili dalla trincea come olio dall'orlo di un bicchiere, spinti dal traboccare di una pazienza ormai colma, scivolando lenti verso i tedeschi, e colando morbidi sul manto inclinato della neve. Se poi mi chiedete cosa fu di me – avrebbe concluso il capitano – quello che ricordo è la traccia scura di un movimento rapido, nella coda dell'occhio, l'unico movimento rapido che sembrava sfuggito a quell'incantesimo di lentezza, così nitido che d'istinto mi ci aggrappai, intuendovi il solo spiraglio di quella situazione senza uscita. Mi girai – avrebbe raccontato il capitano con i suoi trent'anni da salvare – e vidi due soldati che saltavano di nuovo dentro la trincea e chini cominciavano a correre, verso sinistra, dove i camminamenti si allungavano ancora per centinaia di metri, scendendo il crinale del monte. C'era quell'olio tutt'intorno a me, ormai inarrestabile, e io mi lasciai inghiottire, muto, rinunciando alle mie prerogative di ufficiale, me ne rendo conto, ma ormai convinto che quei due soldati fossero l'unica scheggia di reale rimasta lì intorno, come la persistenza residua di un mondo che aveva cessato di esistere e cui, pur tuttavia, io ancora appartenevo. Così lasciai che l'onda d'olio mi avvolgesse fino a nascondermi, e quando mi sentii invisibile allora mi misi a camminare all'indietro, lentamente.

Scivolai di nuovo nella trincea e mi misi a correre, senza più indugi, là dove avevo visto correre i due soldati. Feci giusto in tempo a sentire, dietro di me, la voce dei miei uomini prima accennare e poi ripetere ossessivamente un'unica piccola frase, che adesso non riesco a pronunciare senza profonda commozione, quasi fosse il nome di un bambino perduto.

La guerra è finita.

– Non dire bestialità e corri.

– Ultimo!

– Corri, ti ho detto.

– Ma la guerra è finita!

– E piantala, Cabiria.

– Ci andiamo a ficcare dritti dritti in mezzo agli austriaci.

– C'eravamo già, in bocca agli austriaci.

– Torniamo indietro, dài, torniamo là e ce ne stiamo nascosti a vedere cosa succede.

– Io non ci torno indietro.

– Tu sei pazzo.

– Torna tu, se hai voglia.

– Ma cristo!

– Corri.

– Dove diavolo vai?

– Il bosco, dobbiamo scendere giù dal bosco.

– È una follia, da lì si arriva al paese, sarà già pieno di austriaci, il paese.

– Non lo sappiamo.

– Sì che lo sappiamo, ci hanno girato intorno, non l'hai capito?

– Erano tedeschi, ed erano cinque, Cabiria.

– Cosa vuol dire, ci saranno tutti gli altri, al paese.

– Non lo sappiamo.

– Certo che lo sappiamo.

– No, non lo sappiamo.

– Guarda!, il capitano... abbiamo il capitano dietro.

– Lo vedi, il capitano non è fesso.

– Capitano!

– E non urlare, Cabiria.

– Capitano, siamo qui!

– Zitto!

– Ultimo!

– A terra, maledizione!

C'erano dei tedeschi che salivano per il bosco, senza parlare, in fila indiana, ordinati. Si guardavano attorno. Avevano l'aria di sapere cosa stavano facendo. Non videro i tre italiani sdraiati tra le foglie secche, gli passarono a una cinquantina di metri, e non li videro. Immobile, la testa cacciata nel freddo della terra, Ultimo pensò che la mappa della guerra si era definitivamente fottuta. Cos'erano quei nemici che risalivano su, dall'Italia, attaccando in direzione della loro patria? E cos'erano loro tre, schiacciati per terra con l'unico obbiettivo di far passare i nemici, senza farsi scoprire, dopo aver rischiato la vita per due anni con l'unico obbiettivo di non farli passare, mai? Si chiese se c'erano nomi per quello che stava accadendo. E in quel preciso momento percepì nitidamente la sospensione di qualsiasi geometria leggibile – così mi disse, anni dopo – e l'avvento di un caos che ancora non sapeva se sentire tragico o elettrizzante. Usò proprio quelle parole, "la sospensione di una qualsiasi geometria leggibile", e questo era piuttosto inaspettato, perché all'apparenza era un giovane semplice, e certo non di raffinata cultura. Ma, come scoprii passando con lui intere giornate, possedeva un'innata sensibilità per la percezione delle forme, e un imprecisabile istinto a decifrare la realtà secondo la sua disposizione nello spazio mentale. Di fronte alle sequenze dell'accadere non mostrava alcun interesse a leggervi una distinzione tra bene e male, o tra giusto e ingiusto, poiché l'unica sua cura sembrava essere il decifrarvi l'eterna oscillazione tra ordine e caos, così come era inscritta nell'inesausto formarsi e disgregarsi di figure geometriche. Era qualcosa di straordinario, che di rado mi era accaduto di incontrare perfino nel mondo di scienziati che ho dovuto frequentare, così a lungo, per la mia professione. Tanto che non mi stupì sapere, quando Ultimo mi ritenne degno della più intima delle confessioni, che proprio da questa sua singolare disposizione mentale aveva dedotto la missione della sua vita, con la messa a punto di un progetto che non ho mai smesso di considerare tanto inutile quanto geniale. Non mi è dato di sapere se mai, poi, lo abbia davvero realizzato, ma ora, da lontano, mi sorprendo a sperare che nulla sia riuscito a fermarlo. Mi ricordo che mi chiese se mi sembrava infantile l'idea di dedicare una vita intera a un unico compito: io gli risposi che stavo consumando l'intera mia vecchiaia nel solo impegno di stilare un memoriale.

– Per restituire l'onore perduto al capitano?

– Sì –, dissi.

Quando seppe del mio mestiere di matematico (assolto, devo qui annotare, per quarantadue anni, senza vistosi successi, nella prassi della ricerca e dell'insegnamento) dovette intuire il perché dell'attenzione ipnotica con cui lo stavo ad ascoltare. Forse comprese che, grazie a quel suo strano modo di vedere il mondo come un complesso di forme in movimento, riusciva a raccontarmi, tradotta in una lingua che conoscevo, una realtà che altrimenti sarebbe stata inattingibile dalla mia inutile erudizione. Non mi spiego altrimenti la minuzia con cui era solito ritornare su scene apparentemente insignificanti, e in particolare la cura con cui mi volle raccontare ripetutamente di quella volta, in quel bosco autunnale, dove schiacciato a terra, accanto a mio figlio e Cabiria, ebbe la prima istintiva rivelazione del caos a cui erano approdati. Questo dovrebbe aiutarla, nel suo memoriale, diceva. E tornava a spiegarmi, con insolita accuratezza. Così io adesso so che, mentre masticava la terra cercando di rendersi invisibile al nemico, gli tornò da lontano il ricordo del cammino circolare che una notte, tanto tempo prima, aveva scavato nella nebbia di Torino, girando intorno a un isolato, al fianco di suo padre, e nell'ascolto delle sue parole. E ne ebbe incurabile nostalgia, perché era l'ultima memoria che aveva di una figura geometrica in cui pareva conservata, senza imperfezioni, la forma della vita. Dopo di allora solo il lungo rettilineo che da casa l'aveva portato a un ospedale, in un giorno di dolore, gli era ancora sembrato una particella di ordine che avesse considerazione per lui e per la sua esistenza, tutto il resto essendosi rivelato poi un'informe sovrapposizione di disegni incompiuti dove sembrava inscritta l'insensatezza del tutto e l'irrimediabile decadenza di ogni spartiacque tra destino e caso – forse tra bene e male. A tal punto vi si era smarrita la sua passeggera giovinezza da arrivare a provare una forma di gratitudine, una volta in guerra, per l'elementare contrapposizione delle trincee, che, nella sua semplicità di schema formale primitivo, sembrava almeno offrire un tratto di permanenza capace addirittura di respingere qualsiasi aggressione dell'umano. Di fronte all'irragionevole inutilità degli attacchi frontali, più volte gli era accaduto anzi di pensare che proprio quel tratto, oggettivo, di stabilità era ciò che nessun ardimento guerriero aveva potuto scalzare, quasi che *la forma*, e non gli uomini, fosse ciò contro cui loro si scagliavano: nell'invincibilità dei difensori era dimostrata l'obbiettiva resistenza delle cose a rimanere aggrappate all'ultimo residuo di ordine che l'eclisse della ragione, consumatasi nella guerra, aveva concesso. Ma adesso sapeva che era bastata l'anomalia formale di un ufficiale tedesco proveniente da una direzione inaspettata, per far collassare tutto il sistema, sfarinando nel tempo di pochi sguardi indecisi ciò che fino al giorno prima era ancora granitico fondamento, e ora giusto un ricordo alle spalle, mentre il reale invitava a un caos privo di destinazione. Ora posso dire che fu ascoltando queste sue parole che io iniziai, realmente, a capire: e per la prima volta *ebbi l'intima certezza che l'onore di mio figlio non era perduto*. Ultimo mi insegnò che quel giorno, abbracciato alla terra nell'intento infantile di diventare invisibile, mio figlio già era innocente, perché era ovunque e da nessuna parte, perduto in uno scenario senza coordinate dove viltà e coraggio, dovere e diritto, erano categorie polverizzate. Adesso è facile vedere nella sua fuga l'inequivocabile profilo di una figura che abitualmente chiamiamo *diserzione*: ma credetemi, a disertare, prima, era stato il mondo: non disegnava nulla, mio figlio, non poteva farlo, correva, semplicemente, non erano disegni, erano tratteggi sperduti, era un ragazzo e non c'era più figura, intorno a lui, nulla di compiuto, solo frammenti, correva posando i piedi sui frammenti che trovava, non è fuggire questo, è stare a galla sul nulla, questo è sopravvivere, non è disertare. Lo voglio dire con parole che gli alti comandi militari e le autorità competenti possano capire: abbiate, vi supplico, la nobiltà di convenire che in quelle ore le termiti tedesche avevano sospeso l'idea stessa di fronte, e perfino di confine, geografico e morale, calando l'intera regione tra l'Isonzo e il Tagliamento in una geografia caotica, come figlia di un qualche gesto artistico, e avanguardista. Scendendo nel fondo delle valli e poi risalendo i crinali dei monti in ogni direzione, avevano di fatto sospeso le nozioni di avanzata e ripiegamento, disarticolando la guerra in una struttura a pelle di leopardo in cui ogni scontro era una storia a sé, indipendente da tutte le altre. Poiché *loro* l'avevano voluta, e stabilita a tavolino, *loro* sapevano combattere quella guerra, ma non gli italiani, che inevitabilmente ancora cercavano in ogni accadimento l'articolazione di un movimento collettivo e globale, pensandosi ancora, com'era logico, nei termini di un unico esercito, schierato su uno scacchiere ancora intatto, e compiuto. Solo se comprenderete questa dissimmetria della percezione potrete spiegarvi quella cifra di cui vi vergognate, che non vi siete mai spiegati e che nessuna statistica militare ammetterebbe mai, cifra ritenuta talmente vergognosa da essere occultata per anni, e che tuttavia nella sua limpidezza racconta esattamente come andarono le cose, annotando che in poche ore, a Caporetto, *trecentomila soldati italiani finirono prigionieri nelle mani del nemico, spesso senza neanche combattere.* Dove è quantificata in modo scandaloso la reiterazione di un unico gesto di resa, sempre uguale, che però ingiustamente voi confinate nei limiti angusti del termine *viltà*, quando invece racconta un grandioso movimento collettivo di autosospensione, di fronte all'indecifrabilità di una geografia letteralmente sparita. Voi sapete meglio di me che nelle prime settantadue ore dopo lo sfondamento austro-tedesco, tutte le truppe italiane sul fronte dell'Isonzo vissero quel che accadde nella totale mancanza di comunicazioni: potete ben immaginare, allora, l'effetto surreale che l'apparire dei nemici poté assumere ai loro occhi. A una generazione di combattenti cui era stata riservata la nitida esperienza dell'inferno, nella prassi disumana della guerra di posizione, ora era offerta, senza preavviso, l'inabitabile esperienza di un caos senza spiegazioni. Io so che quando mio figlio iniziò a correre, già era innocente, perché la guerra era ormai svaporata in singoli accadimenti senza senso, quasi navi disalberate alla deriva: non ci può stupire che, irrazionalmente, e con la semplicità dell'animale sofferente, i più riassunsero quel naufragio in una certezza istintiva, derivata dal desiderio.

La guerra è finita.

Lo credevano un po' tutti, mi spiegò Cabiria, e ancora adesso devo capire come poteva esser passata una follia del genere. Gettavano le armi e andavano incontro al nemico, tutto lì, non c'era niente di complicato, e neanche di triste. Sembrava tutto molto naturale. C'era così tanta gente che si arrendeva che non c'erano abbastanza austriaci per tenerli a bada, e loro rimanevano lì, come animali al pascolo, mansueti. A pensarla diversamente erano in pochi. Il capitano era uno di quelli, e anche Ultimo. Loro dicevano che le armi non bisognava mollarle. Se la guerra è finita, dicevano, perché non le mollano gli austriaci, le armi?

Accadde esattamente – mi spiegò il dottor A., chirurgo della compagnia – quello che i tedeschi avevano previsto: dopo tre giorni di silenzio, i comandi italiani dettero l'ordine di ripiegare: e dalle cime, i soldati, increduli, cominciarono a scendere a valle, abbandonando, senza neanche essere attaccati, posizioni che erano costate migliaia di morti. L'idea era quella di spostare indietro il fronte sul Tagliamento, e di riorganizzarsi lì, allestendo una difesa che fermasse gli austro-tedeschi. Ma ancora una volta la modesta intelligenza dei militari non aveva saputo comprendere la semplice realtà dei fatti. Le termiti avevano continuato ad avanzare, ed era chiaro, ormai, che al Tagliamento sarebbero arrivate prima loro. Così più di un milione di soldati italiani si trovarono a scendere per la pianura, con alle spalle un esercito che li inseguiva e, davanti, le termiti che li aspettavano. In termini tecnici si chiama accerchiamento, ed è l'incubo di qualsiasi combattente. Ma se devo dire la verità – mi raccontò Ultimo – non era tanto la paura, quello che si sentiva, ma un'altra cosa, strana, come un'euforia, come un'ubriacatura. Più tornavamo indietro più c'era gente, ovunque, ma non sembravano i personaggi di una stessa storia, era come se ciascuno avesse una sua vicenda, molto personale, perfino privata, da seguire. Se ne vedevano di tutti i colori. Il capitano ci aveva convinti a non mollare le armi, ma ce n'erano a migliaia che giravano ormai senza moschetto, niente, e altri che invece le collezionavano, le armi, le raccoglievano ovunque e se le mettevano addosso, e ridevano. Mi ricordo che quando arrivammo nella campagna, fuori dal bosco, dopo aver passato la notte a sgusciare via dai tedeschi che erano dappertutto, uscimmo nella campagna, era l'alba, e in mezzo ai pascoli c'era un gruppetto di soldati italiani, e quello che stavano facendo era di sparare alle vacche, con la pistola, o il fucile, sparavano agli animali e li stecchivano, ridendo, e parlando forte. Ci dissero che non bisognava lasciare niente, al nemico, terra bruciata, come i russi con Napoleone, lo dicevano e ridevano, ed è questa la cosa strana che mi ricordo, era come se una specie di ubriacatura si fosse presa il cervello di tutti. Questo non deve dimenticarlo, sa?, se vuole davvero capire suo figlio – mi disse Ultimo –, se lei non capisce quella sottile follia non può capire nulla. Era irreale, era tutto irreale. Mi ricordo che quando arrivammo alle prime case di Udine, senza nemmeno sapere se gli austriaci erano già lì o cosa, camminavamo tenendoci al riparo, e con le armi cariche, mi ricordo che eravamo alle prime case quando da un angolo di un muro sbucarono tre puttane, tre ragazze del bordello: correvano, seminude, a piedi scalzi, me le ricordo coi loro veli all'aria, sembravano un sogno, e correvano, sa dio dove, a piedi nudi, senza parlare o urlare, niente, correvano e basta, silenziose se ne sparirono in un vicoletto, che sembrava che ce le eravamo sognate, giuro. Era come se qualcuno ce le avesse messe lì apposta per avvertirci in che follia eravamo cascati. E anche dopo, non facevamo che scoprire assurdità. Arrivammo in una piccola piazza e lì era pieno di soldati italiani, ma tutti seduti, e nessuno che avesse un'arma, niente, avresti detto che erano in licenza, o non so cosa. E il bello è che non c'erano austriaci, intorno, neanche l'ombra, avevano fatto come quando si va a legna, avevano fatto le fascine e poi le avevano lasciate lì, per poi tornarci, quando avevano tempo. Il capitano chiese se la città era in mano al nemico e allora un ufficiale gli urlò che era tutto in mano ai nemici, e lo disse alzando un fiasco di vino, tenuto per il collo, come a brindare, mentre gli altri ci gridavano che la guerra era finita, e che era meglio se lasciavamo le armi, che se gli austriaci ci beccavano con le armi ci avrebbero fatti fuori. Dobbiamo ripiegare al Tagliamento, gli urlò allora il capitano.

Ma nessuno rispose, o fece niente, non era una cosa che li riguardava più. Avremmo dovuto lasciare la città subito – mi disse Ultimo – e le cose non sarebbero andate come sono andate, ma c'era qualcosa, in quella città, di irresistibile, che non avevamo mai visto, come un senso di morte e di festa contemporaneamente, e tutto a galla in una specie di magia, il silenzio e gli spari, le persiane che sbattevano, il sole sui muri, le case vuote, un sacco di cose lasciate lì, i cani che non sapevano, le porte aperte, la roba stesa ai davanzali, e ogni tanto sentivi cantare in tedesco, su dai lucernari delle cantine: Cabiria si fermò anche a guardare, puntando il moschetto, e disse che era tutto allagato di vino, e c'erano austriaci e italiani che ballavano, disse proprio che ballavano, sguazzando nel vino, disse così. Non se ne capiva più niente. Davanti a una chiesa trovammo due siciliani, anche loro senza armi, grandi e grossi, erano uno spettacolo strano perché tutt'intorno c'avevano pile di roba, ma roba incredibile, c'era anche una macchina da cucire, e poi vestiti, giacche, cose così, ben piegate, e dei conigli in una gabbia. C'era perfino uno specchio, con la cornice d'oro. E uno dei due siciliani piangeva. L'altro no, fumava tranquillo. Disse che gli austriaci usavano quel sistema: prendevano quel che gli pareva, dalle case, poi sceglievano un italiano grande e grosso, tra i prigionieri, e gli dicevano di caricarsi tutto sulle spalle e di seguirli. Dove sono, adesso?, gli chiese il capitano. Il siciliano fece un gesto verso la casa di fronte. Era una bella casa, da ricchi. Ma di austriaci non se ne vedevano. Venite via, disse il capitano. Ma quello che piangeva continuò a piangere e l'altro scosse la testa, senza dire niente.

Adesso lei vuole sapere se *tecnicamente* quel che stava facendo suo figlio fosse *fuggire* – mi disse il dottor A., chirurgo della compagnia, quando gli chiesi se gli pareva, quell'andare smarrito, una cosa per cui si potesse essere fucilati. Onestamente, non so risponderle, disse. Quel che successe in quei giorni, tra le montagne e il Tagliamento, non è definibile in termini militari per la semplice ragione che venne a mancare, ironicamente, il presupposto di qualsiasi logica bellica: il campo di battaglia. Il confine era polverizzato e la singolare strategia tedesca aveva contribuito non poco a confondere le acque. Si registrarono situazioni che non esito a definire grottesche, se mi passa il termine. A un certo punto i comandi italiani spinsero le truppe di retrovia in avanti, verso il fronte, per rallentare lo sfondamento nemico. Poteva succedere, e successe, che avanzando non riuscissero ad individuare le termiti e quindi le superassero, senza neanche averle viste, e se le lasciassero alle spalle, continuando ad avanzare con l'unico risultato di incrociare intere colonne di soldati italiani senza armi che con una certa allegria ripiegavano verso il Tagliamento, con un conseguente scambio di battute che può ben immaginare. Senza contare i civili, che a decine di migliaia, iniziavano a sfollare, portandosi dietro quello che potevano, e intasando le poche strade disponibili. In un caos del genere, lei mi chiede se suo figlio, in termini strettamente tecnici, stava fuggendo, o se invece stava semplicemente ubbidendo agli ordini che gli imponevano di ripiegare. Onestamente, non so risponderle. Forse dipende anche da come stava ripiegando. Voglio dire, da come raggiunse il Tagliamento.

In automobile, dissi io – perché era quello che Cabiria mi aveva raccontato quando gli avevo chiesto come erano riusciti a venir via da Udine. In automobile, disse. Disse che a un tratto avevano voltato in una grande strada, un viale alberato, e questa volta di austriaci ne avevano trovati a mucchi, tutti schierati da combattimento, con gli ufficiali che passavano in rassegna la truppa, e pezzi d'artiglieria, dappertutto, che ti chiedevi come avessero fatto a essere già lì. C'era addirittura una banda che suonava. Era buffo, mi disse Cabiria, perché in due anni di guerra io, così tanti austriaci, tutti insieme, non li avevo mai visti. Se era per me, avrei mollato le armi lì e fine della storia.

Ma Ultimo si mise a correre, e il capitano gli andò dietro, così che potevo fare?, mi misi a correre anch'io, per togliermi da lì. Il fatto è che ci avevano visti e adesso ci venivano dietro, gridando in tedesco, roba incomprensibile. Quando partirono le prime raffiche, il capitano si buttò dentro a un vicoletto, e noi due dietro, sperando che non ci fosse un muro, o chissà che, a fregarci. Ci facemmo mezza città, così, e si sentivano i passi e le grida di quelli là, che non mollavano. Correvamo a caso, ma ci andava bene, e a un certo punto ricascammo in quella piazza dove c'erano i soldati italiani, quelli che sembravano in licenza. La attraversammo di corsa senza dire una parola, e poi forse loro fecero qualcosa, magari si misero solo un po' in mezzo, sta di fatto che i passi e le grida li sentimmo più lontani. Allora il capitano senza dire niente si infilò in un portone, e poi da lì attraversammo un cortile, e dove c'era una scalinata, una scalinata elegante, ci mettemmo a salire. Mi accorsi che Ultimo a un certo punto si era fermato ed era tornato indietro, ma io arrivai col capitano fino al primo piano, dove c'era un ingresso, una specie di ingresso, un corridoio che portava in una casa. Lo facemmo, con il fucile pronto, perché mica potevamo sapere cosa avremmo trovato, e alla fine arrivammo là. Dio, se ci penso, ancora adesso è una cosa che mi lascia di stucco. C'era una grande sala, ma veramente grande, piena di roba ricca, tappeti, specchi, quadri, e in mezzo, proprio in mezzo c'era una tavola preparata, e intorno, una famiglia che stava mangiando. Ma c'erano i cristalli, le dico, i piatti grandi, di roba fina, e quei cinque, elegantissimi, che stavano mangiando, in silenzio. Il padre a un capo della tavola, la madre dall'altro, e tre figlie, una piccolina, ai lati. Avevano i capelli pettinati, con dei nastri, tutti dello stesso colore. Non dissero nulla. Noi ci fermammo, sulla porta, con i nostri fucili in mano, e loro non dissero nulla. Neanche si voltarono a guardarci. Continuavano a mangiare. Carne, era carne, e delle patate nel piatto così gialle, mi sembrarono così gialle. Si sentiva il rumore delle posate sulla porcellana dei piatti. Noi facemmo qualche passo avanti, il capitano e io, e allora una delle ragazzine alzò lo sguardo. Era rimasta con la forchetta a metà strada, tra il piatto e la bocca. Si udì la voce del padre che diceva: Adele mangia. E lei abbassò lo sguardo. E la forchetta si rimise in movimento. C'era pane bianco, in un piattino, davanti a ognuno di loro. E due caraffe d'acqua, pulite. Io mi avvicinai alla tavola, senza pensare a niente, solo facendo quello che mi veniva. Presi il bicchiere del padre, che era pieno di vino, e mi misi a bere. Lui non fece nulla. Allora gli presi dal piatto un pezzo di carne, così, con le mani, e iniziai a mangiare. Della carne calda io non la mangiavo da mesi. Vidi che il capitano, dall'altra parte, si era avvicinato alla tavola anche lui, e stava facendo come me. Mangiava nel piatto di una delle bambine. Il padre allora disse che non avevamo il diritto. Disse che bastava chiedere civilmente e in cucina ci avrebbero di sicuro preparato qualcosa. Lo disse senza guardarmi. Fu questo che mi fece imbestialire. Anche quello che aveva detto, ma soprattutto che non mi aveva guardato. Questo è lungo da spiegare, professore – mi disse Cabiria – dovrei raccontarle tante cose. Fallo, gli dissi. Della licenza a casa, disse. Raccontami, dissi. Quando andammo in licenza a casa, io e Ultimo, a casa mia, disse. Ultimo a casa sua non era voluto andare perché aveva dei problemi. Suo padre si era rovinato in non so che incidente, era rimasto invalido, e lui non aveva voglia di tornare. Per quella storia e per altre, che c'entravano con un suo fratello, non so. Insomma, da qualche parte doveva pur andare, e allora venne con me. Non voglio fargliela lunga, ma fu tutto un pasticcio. Ci mettemmo giorni ad arrivare, e per strada la gente ti guardava in un modo, si vedeva che avrebbe preferito che te ne stavi al fronte. E anche al paese non andò meglio. Una sera lo portai in una locanda sulla statale, perché lì c'era la figlia del padrone che era uno splendore, e quando ti serviva a tavola si chinava per farti vedere, faceva parte del servizio, capisce. Volevamo divertirci un po', e dimenticare tutta quella merda. E insomma andammo in quella locanda, che ci eravamo anche lavati per bene, profumati e tutto, ma con la nostra divisa, perché ne andavamo fieri. Ci sedemmo a un tavolo e il padrone era tutto grandi sorrisi ma ci disse se potevamo spostarci là in fondo che quel tavolo era per un altro, che stava arrivando. Così andammo a sederci in fondo, dove voleva lui. E poi arrivò a servirci un ragazzo, che non avevo mai visto. L'altra, la figlia che era uno splendore, c'era, ma da noi non veniva. Ci lanciava delle occhiate, da lontano, ma poi il padrone la mandava agli altri tavoli. E noi con quel ragazzetto, tutto pustole. Allora a un certo punto io mi alzai, andai dritto dal padrone e gli dissi a muso duro che noi i soldi per pagare li avevamo ma che lui non doveva fare lo stronzo e ci doveva mandare la figlia. Lui disse che la cena era gratis, in omaggio alla patria, ma se ci azzardavamo a dare fastidio agli altri clienti lui ci rimandava a calci in culo da dove venivamo. E lo disse senza guardarmi. Perché gli faceva schifo guardarmi. Nessuno voleva guardare, capisce?, volevano vincere la guerra ma non volevano guardarla in faccia. Non avevano mai guardato in faccia niente, leggevano i giornali e facevano soldi, e non volevano sapere la verità, ne avevano una paura fottuta, *si vergognavano* della verità. C'era da rimpiangere la trincea, guardi, glielo dico sinceramente, ti veniva da contare i giorni e sperare che passasse in fretta e ti risbattessero lassù nella merda, che almeno era vera, dio sa com'era vera. E insomma, fu per tutte queste storie che quel riccone mi fece imbestialire, quello che mangiava la carne e nemmeno ci guardava. Forse era tutta quella tavola che mi sembrava un'offesa, ma se lui mi avesse guardato non me ne sarei nemmeno accorto, era tutto una follia ma chissenefrega. Ma lui disse che dovevamo andare in cucina, e che se lo chiedevamo civilmente ci avrebbero dato da mangiare. E senza guardarmi. Lo colpii con il calcio del fucile, dritto in faccia. Se ne cascò per terra con la sedia e tutto. Mi ricordo il tovagliolo bianco, che volava via. Alzai lo sguardo. Il capitano continuava a mangiare. Le tre ragazzine e la madre invece erano immobili, composte, fissavano il piatto, con la forchetta in mano. Erano così belle. Non ci sono in guerra angeli come quelli, era tutto una follia. Così mi avvicinai alla più grande, e le toccai i capelli. Una delle sorelle iniziò a piagnucolare, ma in silenzio. Io tirai uno dei nastri, e i capelli scesero giù, con una leggerezza che avevo dimenticato. Poi tutti alzammo lo sguardo verso la porta, il capitano, io, e anche loro, gli angeli, tutti alzammo gli occhi verso la porta, e sulla soglia c'era Ultimo. Quella era una cosa particolare che aveva lui: era uno che te ne accorgevi quando c'era. È una cosa che alcuni hanno addosso, una specie di dono. Dalle mie parti si dice che hanno l'ombra d'oro, ma non so perché. Lui l'aveva. Così tutti alzammo gli occhi e lui era là, e disse piano:

– C'è un'automobile, là sotto.

Poi magari voleva anche dire altro, ma fu come abbagliato da quella tavola, vidi che gli sparirono le parole di bocca, e che si divorava con gli occhi quella tavola. Si avvicinò piano, e lo faceva in un modo che neanche ci venne da dirgli niente, al capitano e a me, si vedeva che bisognava lasciarlo fare, lui era fatto così. Arrivò alla tavola e iniziò a sfiorare con un dito il bordo della tovaglia. Continuava ad andare avanti e indietro con gli occhi da un lato all'altro della tavola, come se dovesse misurarla, o guardarla tutta in un solo sguardo. C'era uno strano sorriso, sulla sua faccia, come se fosse lì a ritrovare qualcosa che aveva perso. Con le mani toccava tutto, la pancia delle caraffe, l'orlo dei piatti, il profilo dei bicchieri, ci passava le dita sopra, con grazia, un po' come se li avesse fatti lui, come fanno gli artigiani quando hanno finito e danno l'ultima controllata, o fanno ancora una correzione. Delle persone non se n'era nemmeno accorto, erano *gli oggetti* che lo colpivano, per dire, neanche l'aveva

111

guardato il padre steso per terra, svenuto, col sangue sulla faccia, e invece stava ad accarezzare l'anello d'argento dei tovaglioli, a farlo rotolare sulla tovaglia. A un certo punto si avvicinò alla più piccola delle tre sorelle, una bambolina, davvero, stava lì immobile con lo sguardo fisso sul piatto, senza piangere, niente, lui si avvicinò e con dolcezza le sfilò dalle dita la forchetta, una forchetta d'argento, tutta lavorata. Si mise a fissarla e con gli occhi andava dalla punta al manico e poi di nuovo fino alla punta, ne era come ipnotizzato. A quel punto al capitano sembrò un po' troppo e allora chiese forte cos'era quella storia dell'automobile. Ultimo sembrò tornare in sé, come se venisse da un sogno. Disse che c'era un'automobile, nel garage, al piano di sotto.

– Che ce ne facciamo di un'automobile? –, chiese il capitano.

– Ci andiamo fino al Tagliamento, ecco cosa ci facciamo.

– Tu sei matto, bisogna saperla condurre, l'automobile.

Ultimo sorrise. Poi si chinò sulla bambina, e le disse

– *Merci.*

E si mise la forchetta in tasca. E se ne andò. Uscì proprio dalla porta, senza guardare più niente. Il capitano e io ci guardammo, e poi lui seguì Ultimo. E anch'io lo seguii. Ma non ero ancora uscito quando mi venne un'idea e tornai indietro e andai dalla madre, e le dissi

– *Merci.*

E poi le strappai la collana dal collo, una collana sottile, un filo d'oro. Lei non si mosse, così, già che c'ero, presi un paio di quegli anelli d'argento, per i tovaglioli. Loro lasciavano fare. Era tutto così facile che mi venne da portare via tutto quello che potevo, e alla fine mi venne l'idea di fare le cose seriamente, e tornai dalla madre e le chiesi dov'era tutto il resto. Lei continuava a non guardarmi, a fissare il piatto, ma si sfilò dalle dita tre anelli, dicendo piano Non ci faccia del male. Presi gli anelli e ripetei la domanda: Dove avete nascosto tutto il resto. Mi era

112

venuta l'intuizione che nascondessero chissà che tesoro, pazzi com'erano, in quella casa. Lei rimase immobile, senza dire niente. Allora io le infilai una mano nella scollatura, dicendo una cosa come Devo andare a cercarmelo io?, una sbruffonata. C'aveva i seni molli, tra i pizzi. La prego, lei disse, e si alzò. Mi portò verso la libreria, e lì, da qualche posto nascosto tirò fuori tutti i gioielli, una fortuna. Io non avevo mai fatto roba del genere, glielo giuro, ma lì era tutto strano, eravamo tutti strani, il mondo era strano, in quei giorni. E da qualche parte nella testa dovevo averci l'idea che mi stavo solo riprendendo quello che mi avevano portato via. Quella donna continuava a non guardarmi e io pensai che allora non mi sarei fermato fino a quando non mi guardava. Iniziai a sfasciare tutto, col fucile, e poi con la baionetta a squarciare le poltrone, i cuscini e tutto quello che mi capitava. Stavo facendo un gran casino. Le tre sorelle e la madre stavano in silenzio, sempre così immobili da ammazzarle. Per me voleva dire che qualcosa di nascosto ce l'avevano davvero. Alla fine lo trovai dietro a un pannello di legno, quelli che nelle case eleganti stanno contro il muro, perché il muro già gli sembra un po' povero, come muro e basta. Dietro al pannello c'era un buco, scavato nei mattoni. Dentro c'erano come delle piccole mattonelle, come dei piccoli libretti, non so, delle piastrelline: ed erano d'oro. Deficienti. Con tutto quell'oro se ne stavano lì a farsi prendere dalla guerra, invece che andarsene da qualche parte a goderselo. Pensai che erano dei deficienti. Svuotai il mio zaino per terra, e ci misi dentro l'oro e tutto il resto, i gioielli, gli anelli dei tovaglioli, tutto. Mi tremavano le mani, dall'emozione. Ce n'era da camparci una vita, io, Ultimo, e magari anche il capitano, e con tutti i lussi, non da poveretti. Da sotto sentivo un rumore di motore acceso. Sembrava tutto così perfetto, come se ce la fossimo studiata a tavolino. Prima di uscire mi avvicinai alla madre, e con la mano le sollevai il mento, perché fosse costretta a guardarmi. Aveva grandi occhi grigi, come certi animali. Mi guardò. Il padre era ancora là per terra, ma che ne sapevo io che era morto, gli avevo solo dato una gran botta in faccia, lo seppi solo dopo, che era morto, ma neanche è sicuro che me la contano giusta, magari è morto di crepacuore, mica per la mia botta, o la botta glie-l'hanno data le sue figlie, in cambio di tutta quella sua severità da deficiente, che ne so io. Con quella scusa mi hanno messo qui dentro e non mi ci tirano più fuori, mi disse Cabiria.

Io sapevo che era in cella da tredici anni perché l'uomo che aveva ammazzato era un pezzo grosso, ma anche perché l'oro non era mai venuto fuori, e lui si ostinava a non dire dove l'a-veva nascosto. Gli dissi che l'avrebbero lasciato marcire in gale-ra per tutta la vita, e quindi il suo oro non se lo sarebbe mai potuto godere. Lui si mise a ridere. Questo lo dice lei, mi disse. Questo lo dice lei.

Posso testimoniare che, contro ogni logica, mio figlio, con Cabiria, partì da Udine su una Fiat 4, guidata dal soldato di nome Ultimo, lasciandosi alle spalle la città e puntando al Tagliamento per vie secondarie, e talvolta attraverso i campi. Quando chiesi al dottor A., chirurgo della compagnia, come ciò fosse stato possibile, lui rise forte e mi disse che se era accaduto allora voleva dire che era possibile, aggiungendo che in verità tutto quel che era successo in quei giorni, in quel pezzo di cam-pagna, fu qualcosa di irragionevole. Non era più guerra, quella, mi disse. Vede, tra le manovre previste dai manuali di strategia militare, ce n'è una che supera tutte le altre per difficoltà, al punto da essere ritenuta, da molti, sostanzialmente irrealizzabi-le: la ritirata. Il punto è che i manuali si ostinano a immaginar-la come un movimento a cui si possa dare un certo ordine, una qualche forma di razionalità. Mentre la verità dei fatti è che un esercito che si ritira è, di fatto, un esercito che non esiste più. Una delle frasi più stupide che lei può aver sentito a proposito di Caporetto è che "la ritirata si trasformò in rotta". Vede i sofismi del linguaggio militare. Si ostinano a considerare una manovra di guerra ciò che invece scatta proprio quando il guscio della guerra si incrina e incredibili quantità di energia fisica e morale evadono dal profilo della logica bellica e si riversano, semplicemente, all'indietro, trascinandosi dietro lacerti di paesaggio, umanità, e morte. Non c'è un modo ordinato di fare una cosa del genere. La guerra, lei sì, è ordinata, ma ogni ritirata è un'intermittenza della guerra, un passaggio a vuoto nella catena degli eventi, un'incontrollabile latenza di ogni regola, e quindi una rotta. Quella di Caporetto fu di dimensioni bibliche e, mi lasci dire, di accecante caos formale. In pochi giorni, più di tre milioni di persone si riversarono in una piccola porzione di terra facendovi convergere ogni tipo di illusione e di ragionamento. Più di un milione di soldati italiani vi arrivarono dalle montagne: fino a qualche giorno prima erano a mollo nell'inferno della prima linea e adesso rivedevano l'aperto della campagna e i volti della gente, voci di donna, case aperte, cantine da saccheggiare, e luoghi ovunque senza più padrone. Alcuni di loro ancora marciavano nell'intima convinzione di obbedire a un ordine, quello di ritirarsi, ma i più, innegabilmente, seguivano l'inerzia delle strade sentendosi semplicemente *liberi*, alleggeriti dal peso della guerra, e di colpo scivolati in un mondo sospeso in cui non c'era più Storia che li avrebbe giudicati. Li incalzava, alle spalle, l'esercito austro-tedesco, cioè un milione di soldati esausti, risucchiati da un'avanzata che nessuno aveva immaginato così profonda: i piani logistici erano tutti saltati così la loro unica possibilità di rifornirsi era il saccheggio, e in certo modo l'unico modo di sopravvivere era avanzare ancora. Ci aggiunga i civili, quasi trecentomila persone venute via dalle loro case per sfuggire all'invasione: immagini i loro carretti, i vecchi e i bambini, i malati sui letti caricati alla bell'e meglio, le bestie che erano tutta la loro ricchezza. Immagini le strade trasformate dalle piogge autunnali in fiumi di fango. E adesso pensi alle variabili impazzite: le termiti tedesche, ancora in giro nel sistema sanguigno di quella ritirata, spesso davanti agli italiani, ad accendere scontri al contrario, in cui i nostri si dovevano battere per poter tornare indietro, per liberare le strade. E i punti cruciali dello scacchiere strategico, stazioni ferroviarie, ponti, nodi stradali dove la guerra si riaccendeva, d'improvviso, per il possesso di piccole posizioni che potevano significare la vita o la morte. E i primi civili arrivati ai fiumi e da lì respinti, costretti a tornare indietro, verso le loro case abbandonate. E le retrovie italiane spinte in avanti, in controsenso rispetto alla ritirata, per andare a rallentare la marcia del nemico. E i prigionieri, che avevano disceso le montagne, e adesso le risalivano, persa la libertà, per raggiungere i campi di prigionia in suolo austriaco. Riesce ad immaginare una simile, vertiginosa, esplosione? Se vuole sapere che ne penso veramente, allora le dico che qualsiasi cosa sia successa in quei giorni, sulle strade per il Tagliamento, non la si può capire collocandola nella logica della guerra ma piuttosto, mi creda, paragonandola a tutt'altro tipo di esperienza: l'esperienza della festa. Lei usi la grammatica del Carnevale e riuscirà a decifrare la ritirata di Caporetto. Lei deve immaginare – mi disse il dottor A., chirurgo della compagnia – quel fiume di umanità, sotto un cielo d'ottobre, nella cornice spettacolare di migliaia e migliaia di pezzi d'artiglieria abbandonati, fatti a pezzi, rivoltati, deve immaginare tre milioni di persone che non hanno più nulla da perdere e si mescolano in un unico lentissimo cammino, deve immaginare la stanchezza e la pena, ma anche il sollievo e l'allegria, e la sospensione dei pensieri e la babele di lingue e parole. Allora forse può intuirla, la festa, sotto la pelle di ciò che fu raccontato poi come una catastrofe, senza aver paura di riconoscere il brivido carnevalesco, il monumentale sberleffo, perfino *la danza*, se riesce a vederla, la danza che fu quel cammino nel fango, sulla terra, leggera. Le dico che questo paese non aveva mai vissuto un giorno di festa come quello. Di rivoluzione, vorrei dire. Pensi come si cagarono addosso, i borghesi, nelle loro case scaldate, al sicuro, quando si risvegliarono un mattino e si accorsero che gli stava colando addosso l'onda incontrollabile di un corteo dei folli, gonfio di rancore e liberato da qualsiasi disciplina. Dov'era lei, professore?, in qualche salotto in penombra?, al sicuro nella sua università?, non mi dica che non l'ha sentito il brivido, alle prime notizie, ai primi titoli dei giornali, erano esattamente i giorni dell'incubo bolscevico, questo non se lo può dimenticare, i giorni della rivoluzione russa, e proprio in quei giorni il corteo dei folli scende dalle montagne, i folli tenuti al guinzaglio per tre anni, chissà con che ferocia stanno scendendo verso la pianura, e saranno tutti armati, questo vi terrorizzava, tutta quella disperazione armata, non mi dica che per un attimo non avete pensato che era la fine, non della guerra, non semplicemente della guerra, ma di tutto, della vostra truffa, del vostro trucco, se lo sarebbero spazzato via gli straccioni armati che avevate addestrato alle sofferenze più atroci, se ne stavano scendendo verso di voi e nessuno li avrebbe fermati perché non avevano più paura di nulla, sarebbero arrivati e vi avrebbero restituito ogni ferocia e ogni sopruso.

E invece.

Marciavano mansueti.

Questo lo dicono tutti i testimoni. Fermi, decisi, ma mansueti. Al fianco degli ufficiali, facendo strada alle automobili dei generali che erano rimasti indietro, svitando diligentemente gli otturatori dai pezzi d'artiglieria che abbandonavano, disarmandosi da sé, e gridando la guerra è finita. Erano nella pace, capisce? Niente rivoluzione. Una festa, mi creda. Non è facile capire il perché ma ciò che poteva ardere con la violenza di una rivoluzione passò come una giornata festiva nel calendario delle atrocità imposte dal Tempo. Non si faccia sviare dalle violenze, dai saccheggi, dalle crocerossine stuprate e dalle chiese trasformate in ricovero per gozzoviglie. Il normale contorno di un giorno di festa. La verità è che vi risparmiarono, senza ragione e senza saperlo, con la stessa incomprensibile mitezza con cui avevano accettato le trincee. Potevano spazzarvi via e invece vi risparmiarono, in cambio di un unico grande giorno di festa e d'anarchia. Non ne è convinto, professore?

Gli dissi che da tempo non provavo più interesse per quel genere di riflessioni. Aggiunsi che solo mi importava dell'onore di mio figlio e che quindi mi era oltremodo importante capire il lato militare delle cose, che in sé mi ripugnava, ma che comprendevo necessario per il raggiungimento del mio scopo. Gli concessi che la sua teoria sulla festa di Caporetto aveva qualche tratto affascinante, ma mi dispiacqui sinceramente di non avere tempo per approfondirla ed eventualmente giudicarla. Scusandomi, mi trovai costretto a pregarlo di tornare alla dinamica dei fatti militari, perché in essi potessi trovare lo scenario in cui collocare ciò che sapevo dei movimenti di mio figlio.

Le ho detto che la ritirata è una sospensione della guerra, mi disse.

Non è possibile, gli dissi. C'era l'esercito austriaco che li inseguiva alle spalle, e le termiti che vagavano tagliando la strada ai fuggitivi, e le retrovie italiane che ancora combattevano.

Quella fu tutta una follia, mi disse.

Me ne parli, gli dissi.

Solo una follia, disse.

Sembrava stanco. Mi chinai, allora, e dalla borsa tirai fuori un'altra bottiglia di cognac, e la posai sul tavolo, com'era nelle regole di quel nostro strano colloquio. Lui fece un cenno con la testa, ma restò in silenzio. A me venne in mente di chiedergli dov'era, in quei giorni, durante Caporetto. Non era nei patti che gli chiedessi qualcosa di personale, ma la bottiglia era piena, lucida, e sembrava meritare un prezzo speciale. Lui restò in silenzio, e solo quando gli chiesi nuovamente se voleva dirmi dove si trovava, lui, nei giorni di Caporetto, allora disse:

– Lei mi ha rotto i coglioni, professore. Con le sue domande.

– Lo faccio per mio figlio –, dissi.

– E basta con 'sto figlio, ma chissenefrega di suo figlio, ma non si rende conto?, suo figlio è una goccia in un oceano, lei è anni che cerca una goccia nell'oceano, cosa vuole che conti se era innocente o no?, in un mare di tre milioni di persone allo sbando, ma cosa conta?, che importa più?

Io feci per riprendere la bottiglia di cognac, e lui ebbe come un lampo d'angoscia negli occhi. Di cattiveria e di angoscia. Mi fermò la mano, e si prese la bottiglia. La aprì, strappando con i denti il tappo di sughero. Non bevve. Guardava la bottiglia. Poi la posò sul tavolo, ma tenendola ancora stretta, in mano, e si sporse un po' verso di me e mi fissò negli occhi. Parlò senza interrompersi, senza neanche bere un sorso di cognac, e sempre con una voce monocorde, e cattiva.

Io ero ai ponti della Delizia. Sul Tagliamento. C'era un ospedale di retroguardia, sulla riva occidentale, e io prestavo servizio lì. L'ondata dei profughi e dei soldati in ripiegamento arrivò improvvisa, massiccia, incontrollabile. Le acque del fiume erano in piena, i ponti erano l'unica via per passare. C'era un caos inimmaginabile, e dalla grande pancia della campagna si ammassavano in centinaia di migliaia, per imbottigliarsi in quella strettoia sadica dei ponti. Pioveva e la notte faceva un freddo cane. I tedeschi arrivarono di mattino, scivolando giù da nord, lungo la riva opposta del fiume. Piombarono su quella folla sterminata come dei lupi su un gregge. Si sentì l'urlo di agonia che il grande ventre della folla sputò fuori, tutto d'un colpo, e poi vedemmo la gente sbandare, fuggire, buttarsi in acqua, schiacciare tutto, davanti a sé. I tedeschi volevano i ponti, e con una rapidità incredibile ci arrivarono, disperdendo la folla. Noi aprimmo il fuoco. Non era facile per loro, noi eravamo piazzati, loro allo scoperto. Cercarono di passare ma alla fine dovettero tornare indietro. Ci misero poco a organizzare un altro tentativo. Si ripresentarono all'imboccatura dei ponti facendosi scudo con i prigionieri italiani. Li spingevano avanti, e si nascondevano dietro di loro. Questo sì è un bel dilemma, professore. Lei che avrebbe fatto? Non mi chiede se, *tecnicamente*, sparare contro quegli ostaggi fosse una forma di obbedienza agli ordini o un'esibizione meschina di paura? I prigionieri italiani camminavano con le mani alzate e gridavano di non sparare. Aprimmo il fuoco, con le mitragliatrici, e gli austriaci capirono, e se ne tornarono indietro. Molti prigionieri rimasero a metà del ponte, a morire. Piangevano, e ci supplicavano, ma anche questa volta pretendevano da noi cose che non potevamo fare. Poi i tedeschi attaccarono per la terza volta. Capimmo che non avrebbero mai ceduto, che ci avrebbero riprovato per tutto il giorno. Allora il generale ordinò di far saltare il ponte. Era una faccenda delicata, quella. A farlo saltare tagliavi fuori centinaia di migliaia di persone, condannandole alla prigionia. Ma d'altra parte se avessimo fatto passare i tedeschi sarebbe stata la fine. C'era da capire, un istante prima della sconfitta, che si era sconfitti, e far saltare tutto, per tenere i tedeschi dall'altra parte. Un lavoro delicato. Il generale che doveva farlo io lo conoscevo, era delle mie parti. Alle volte la guerra la si capisce osservando i particolari. Il generale era uno che viveva con la madre vedova, ed era noto perché una volta alla settimana riceveva in casa una puttana, sempre diversa, e a sceglierla erano le sue sorelle, per lui, e a pagarla era la madre. Era uno così. E adesso la vita di milioni di persone era nelle sue mani. Fece saltare il ponte, e fu come tagliare gli ormeggi di una nave, quell'altra parte di Italia sembrò scivolare via, alla deriva. In aria saltarono anche un bel po' di tedeschi, e tutti i cadaveri che stavano in mezzo, e animali, e cose. Nel paese, a tre chilometri di distanza, tutti i vetri andarono in pezzi. Fu una signora esplosione. Passato il pericolo, noi da questa parte del fiume iniziammo a riorganizzarci. Si raccoglievano i soldati sbandati, e li si spediva in retrovia, per inquadrarli di nuovo, e riarmarli. Quando però c'era un ufficiale, tra gli sbandati, allora la polizia militare gli chiedeva come mai non era con la sua truppa. Non stavano quasi a sentire la risposta. Li portavano sul greto del fiume e li fucilavano. Diserzione. Magari suo figlio era uno di quelli. Forse lui era quello che gridava, e che si pisciò addosso, davanti al plotone. Era il più giovane.

Si fermò. Forse aveva finito. Continuava a stringere il collo della bottiglia di cognac, ma senza bere.

Non avevo intenzione di farmi distrarre dalla sua cattiveria, e così mantenni la calma, e riuscii a dominare lo sgomento. Mi limitai a commentare, con un'inutile punta polemica, che facevo fatica a individuare un tratto festivo, in tutto quello.

Lui fece un cenno come per dire che l'obiezione era sensata. Ma subito dopo si mise a ridere in un modo acido, come per spaventarmi.

– Lei non può capire un bel niente –, disse tra una risata e l'altra.

Si vedeva che aveva finito per odiarmi.

Tornò serio a fissarmi negli occhi, come prima, e con la stessa voce, monotona e feroce, mi disse ancora una cosa, prima di cacciarmi da lì.

Le regalo l'ultima immagine che ho di Caporetto, disse, ne faccia quello che vuole. Una giornata piovosa, fredda come d'inverno. Si rotolava, tutti quanti, verso il Piave, con gli austriaci alle calcagna. Si rotolava a caso, mi creda, non c'era più ordine né onore. Io ero andato a prendermi una pausa dalla gran fatica. Stavo sotto la tettoia di un pollaio, a guardare la pioggia che batteva, desolante. Era una cosa che ti uccideva. Allora diedi una voce, e arrivò un bocia che avrà avuto vent'anni. Sapeva benissimo cosa volevo da lui. Si inginocchiò davanti

a me, io mi aprii i pantaloni e tirai fuori l'uccello. Mentre andava su e giù con la testa mi misi ad accarezzargli i capelli, taglia-
ti cortissimi. Avevo quella sensazione nel palmo della mano
quando alzai lo sguardo verso la strada, e li vidi, a un centinaio
di metri da noi. Un battaglione di austriaci, tutti ordinati, in
marcia, in silenzio. Saranno stati duecento, qualcosa di più, e il
fatto strano era che ognuno di loro teneva in mano un ombrello aperto, per ripararsi dalla pioggia. Tenevano il fucile, in una
mano, e nell'altra l'ombrello. Davvero. Centinaia di ombrelli,
tutti schierati perfetti, contro il grigio della campagna, leggermente basculanti, ma all'unisono, come boe nere, cullate dal-
l'onda del mare.

Ogni tanto ci ripenso, mi disse, e ogni volta ho come la sensazione di avere visto in sogno il mio funerale. Ma non è un
sogno, è una fotografia. La tenga. È sua. A me non serve più.

Due anni dopo, come venni a sapere da un conoscente
comune, il dottor A., chirurgo della compagnia, si tolse la vita
con un colpo di fucile, una domenica mattina che pioveva.
Nonostante lo sgradevole ricordo che quelle conversazioni mi
avevano lasciato, provai pietà per lui, e non potei fare a meno di
pensare a tutti coloro che la guerra aveva continuato a uccidere
dopo che le armi avevano cessato di sparare. Era come un animale che si era portato le proprie vittime nell'oscuro della tana,
e adesso le divorava con calma, tenendole vive più a lungo possibile, per conservare il tepore della carne viva. In un certo senso
potrei annoverarmi tra le fila di queste sfortunate prede, visto
come la guerra si è poi rosicchiata i miei anni ultimi, sottraen-
doli alle giuste occupazioni del tempo di pace. Ma non intendo
attribuirmi crediti con la sorte che non posso vantare: è per mia
volontà che ho disertato la vita, condannandomi per anni a
morire la morte di mio figlio, nell'intento di capirla, o forse di
tenerla accanto a me, semplicemente. Non c'è eroismo nelle
pene che ci si infligge da soli, né sono pene, in verità, ma imper-

122

scrutabili piaceri. In un qualche modo che non so scorgere, mi era indispensabile mantenere in vita mio figlio, e correre la sua fuga con lui è stato un modo di farlo, non più raffinato, mi rendo conto, di altri. So che nei suoi passi è inscritta la sua innocenza e voglio credere che questo mio memoriale potrà indurre la legge militare a decifrarvi le prove di un incauto verdetto. Ma se così non fosse, arrivo a dire che il mio lavoro non sarebbe stato vano, comunque, perché mi ha condotto sulla soglia della fine in compagnia di mio figlio, che tanto ho amato, senza neppure sapere perché. È stato mio supremo piacere disperdere i miei giorni in cambio della sua compagnia. Ed è mio diletto così grato, in queste ore che sono le mie ultime, poter richiamare alla mente, ogni volta che voglio, e mille volte al giorno, l'immagine finale che ho estorto di lui all'oblio degli eventi. Posso vederlo, nel cuore di un caos spettacolare, con la sua divisa addosso, spiare le acque del fiume in piena, marroni e torbide, sotto la placca d'argento di un cielo gelido. Centinaia di migliaia di uomini spinti al termine di lunghe sofferenze verso la miseria di un ponte, alle Delizie, che li deglutiva con una lentezza colpevole. Non si poteva più andare né avanti né indietro, e una sorta di immobilità febbrile era l'esercizio che ognuno declinava, con la forza che gli restava. Cabiria aveva insistito che buttassero via le divise e che si mettessero abiti civili, ma mio figlio non aveva voluto, e nemmeno Ultimo. Così Cabiria era l'unico che adesso se ne girava in un completo troppo stretto, scuro, assurdamente elegante. Stringeva ancora lo zaino militare, quello dove aveva infilato il suo tesoro. Era divenuto tutto, per lui, e adesso passare quel fiume era diventata una faccenda maledettamente importante. Che te ne fai quando sei dall'altra parte?, gli aveva chiesto Ultimo. Te lo porteranno via. Ma lui aveva riso. Prima dovranno trovarlo, aveva detto. E poi: ce ne andiamo tutti a casa, aveva detto. E con un'energia che gli altri due avevano ormai smarrito, li spingeva, in mezzo a quel fracasso, per uscire allo scoperto e portarli dove sapeva lui, in un approdo più a monte, dove aveva comprato con il suo oro un passaggio, da un barcaiolo. Non passano, le barche, aveva detto mio figlio, finché dura la piena non passano, ma Cabiria sapeva invece che le barche andavano eccome, bastava pagare. Così li spingeva per uscire da lì, anche se sembrava un compito impossibile, perché la gran massa dei fuggitivi si apriva e si richiudeva intorno a loro come una nebbia, come una tempesta di sabbia. Paiono pesci nella rete, disse Cabiria. Parlava degli altri come se loro tre fossero qualcosa di diverso, tre viaggiatori finiti accidentalmente lì in mezzo, per uno spiritoso scherzo della vita. C'era una confusione pazzesca, e serpeggiava la voce che i tedeschi stavano arrivando, alle spalle, e addirittura che gli italiani non volevano far passare nessuno per rendere la vita difficile all'avanzata nemica, e guadagnare qualche giorno, qualche ora. In cima a un carro, seduta su una sedia, c'era una vecchia che non la smetteva di gridare Vigliacchi, vigliacchi, vigliacchi, come un uccello notturno appollaiato su un ramo, gracchiava solo quella parola, ma senza stancarsi mai, vigliacchi. Stattene zitta, vecchia, le urlavano i soldati, ma lei non gli badava e ripeteva all'infinito la stessa parola, facendola galleggiare sul tumulto generale, come una maledizione, o una preghiera. Vigliacchi. Mentre da lontano si sentivano esplosioni, e da vicino il tonfo dei passi nel fango, e ogni tanto il canto di un soldato, o il suono di uno strumento, e vetri rotti, insieme ai pianti, o un motore impazzito, un clacson, un lamento, mille lamenti. Finché Ultimo scorse una donna, in mezzo al gran concerto di solitudini, macchiata da un volto divorato dall'angoscia, vagava come ubriaca, mormorando qualcosa. Le finì vicino, tenendo dietro a Cabiria che continuava a farsi largo tra la gente. Così udì quello che mormorava, e quello che mormorava era: mio figlio. Dov'è tuo figlio?, le chiese. Mio figlio, lei disse. Dov'è? Mi senti?, dov'è tuo figlio? Allora lei parve accorgersi di lui. E disse: ho smarrito mio figlio. Ultimo fece un cenno con la testa, per dire che aveva capito. Adesso lo troviamo, disse. Dove l'hai perso? Lei disse che era un bambino. Ha quattro anni, disse. Vieni via da lì, urlò Cabiria nel suo vestito elegante, vieni via da lì che quelli non ci aspettano. Aspetta, disse Ultimo. Poi si voltò verso il capitano per vedere cosa ne pensava lui. Il capitano si avvicinò alla donna e le chiese dove aveva visto suo figlio per l'ultima volta. Voi siete scemi, urlò Cabiria. Non lo so, disse la donna, eravamo dietro un camion di soldati, poi il camion si è fermato, io sono andata avanti, e poi non l'ho più visto. Ha quattro anni. Un maglione verde. Si guardarono tutti attorno, a cercare il bambino e il maglione. Ma era come cercare nella notte. Il capitano indicò un camion dell'esercito, una cinquantina di metri più indietro, e chiese alla donna se il camion era quello. Ho perso mio figlio, lei ripeté. Non può che essere quello, disse allora il capitano. Proviamo a tornare là. Ma vi siete bevuti il cervello?, si mise a gridare Cabiria. C'è un esercito intero che va in malora e voi volete cercarci dentro un bambino?, ma che vi prende, noi ce ne dobbiamo andare, da qui, noi non c'entriamo niente con quel bambino, la volete salvare la pelle, o no? Ma mentre lui urlava, a Ultimo si affacciò lo strano pensiero che, invece, quel bambino riguardasse tutti, e anzi, fosse, in qualche modo, l'inizio di tutto. D'un tratto gli venne da pensare che se solo si fosse riusciti a riunire quella madre e quel figlio, poi tutto si sarebbe rimesso a posto, come quando si trova il capo di un filo, e da lì si può iniziare a districare il nodo in cui si era rimasti ingarbugliati. Pensò che il loro errore era stato quel dibattersi nevrotico nella rete, quando invece quello che dovevano fare era semplicemente rimettere a posto il mondo, incominciando dal punto preciso in cui si era ingarbugliato. Si immaginò l'istante esatto in cui dalla mano della madre erano scivolate via le dita del bambino, e non ebbe dubbi che tutto era iniziato lì, e che quella era la ferita anteriore a qualsiasi altra ferita, il battito d'ali che aveva suscitato il tornado, e lo scricchiolio che aveva squartato quella terra. Noi andiamo a cercarlo, disse a Cabiria. Tu sei pazzo, ci vai tu a cercarlo, io me ne vado alla barca, disse Cabiria, fuori di sé. Tu non te ne vai, ci aspetti qui, disse Ultimo. Per favore. E lo guardò negli occhi, per capire cosa avrebbe fatto. Cabiria scosse la testa, non sapeva dove guardare. Ultimo continuava a fissarlo, per capire. Allora il capitano estrasse la sua pistola da ufficiale, e la puntò su Cabiria. Lascia lo zaino, disse. Cabiria non capiva. Dammi il tuo zaino. Così siamo sicuri che non te ne vai. Cabiria non voleva credere a quello che stava succedendo. Ma il capitano l'aveva presa sul serio. Lo zaino, disse. Cabiria se lo sfilò dalle spalle e lo lasciò cadere a terra. Il capitano lo prese. Aspettaci qui, disse. Cabiria guardò Ultimo. Sembrava che non trovasse più parole. Ultimo gli sorrise. Andrà tutto bene, non mollarmi qua, Cabiria, disse. Cabiria non disse niente. Li vide che si allontanavano, con la donna, facendosi largo tra la gente. Prima che scomparissero in mezzo al caos, Ultimo si voltò ancora una volta, e Cabiria lo vide bene, perché anche se erano migliaia, lì intorno, Ultimo aveva l'ombra d'oro, e perderlo era impossibile. Lo vide che si voltava e gli dava ancora un'occhiata, come il nuotatore che va verso il largo e getta uno sguardo alla riva, per cautela. Cabiria gli fece un gesto con la testa. Da lontano, si guardarono negli occhi. Fu l'ultima volta che si videro.

Al camion dei soldati trovarono il bambino, e la madre lo prese per mano, e il mondo ora non aveva più ragione di confondersi. Il capitano disse che potevano portarli con loro, alla barca, e Ultimo pensò che a quel punto non importava più, che probabilmente non ci sarebbe più stato bisogno di barche, di fiumi, di niente, il mondo sarebbe tornato in ordine, e basta: ma disse che era una buona idea, e che certamente avrebbero trovato un posto sulla barca anche per loro. Ricominciarono a fendere la calca per tornare da Cabiria. Ma arrivati dove l'avevano lasciato non lo trovarono. Ultimo disse che non poteva essere lontano. Si misero a cercarlo. Forse si è avviato verso il fiume, disse. Era un pontile più a monte, dietro a quelle tre case, disse. Uscirono dalla calca e dopo un po' camminavano tra i campi, chiamando a voce alta Cabiria, e stando attenti a non allontanarsi troppo dal fiume. Ultimo, il capitano, la donna e il bambino. Per un po' andarono avanti, poi si fermarono perché nulla di quello che cercavano si decideva a saltar fuori. Allora il capitano, senza dire nulla, poggiò a terra lo zaino di Cabiria, e lo aprì. Dentro c'erano scatolette di carne, vestiti, un paio di scarpe. Bastardo, disse il capitano. Ultimo si avvicinò, e rovesciò lo zaino. Cabiria, disse piano. Dietro di loro il grande animalone della gente in fuga continuava ad ammassarsi contro il ponte. Il fiume scorreva al loro fianco, grasso di acqua e fango. Il bambino si sedette su un sasso. La madre continuava a tenerlo per mano. Nessuno disse più nulla. Poi, dal profilo della collina che avevano davanti, spuntarono le ombre scure di soldati armati, in un silenzio irreale rotto solo da una voce che impartiva ordini in una lingua straniera. Il bambino si alzò. Ultimo non si mosse. Il colmo della collina vomitava soldati come insetti. Scendevano senza fretta ma con un passo che sembrava inevitabile e definitivo. No, prigioniero no, disse il capitano. E poi disse: Io voglio tornare a combattere, Ultimo. Ultimo si voltò e gli sorrise. Buona fortuna, disse. Lei è stato un buon capitano, disse. Ci vediamo a casa, disse. Il capitano sorrise – mio figlio. E scappò, ancora una volta, gentili signori degli Alti Comandi, scappò come faceva da giorni, non per paura ma per coraggio, non per salvarsi ma per dannarsi, incontro al piombo che si immaginava nemico, e che fu invece il vostro, egregi giustizieri di merda.

Ultimo pensò che avrebbe aspettato i tedeschi immobile con le braccia alzate, perfino curioso di provare un gesto così vile, e pur elegante. Ma prima che gli riuscisse di farlo, sentì la mano della donna che cercava la sua, e gliela stringeva, tiepida e tranquilla. C'era il riflesso della mano del bambino, in quella stretta, e la forza con cui le cose tramandano se stesse. Così si arrese senza braccia alzate, ma tenendo fermo il cuore del mondo.

Qui termina il mio memoriale, redatto in undici giorni e undici notti con l'intento di restituire l'onore a mio figlio, ingiustamente condannato a morte per diserzione il 1° novembre 1917. Avrei preferito scriverlo con la cura che una serena vecchiaia mi avrebbe concesso, ma, come ho detto, le circostanze hanno deciso diversamente. Da un momento all'altro verranno a prendermi, e io saluterò questa stanza dove sono nato e vissuto, per non vederla mai più. Non so di preciso qual è la mia colpa, ma mi hanno fatto capire che la mia pena sarà di pagare con la vita. Ho assunto delle responsabilità nel partito, in tutti questi anni, e certo ho permesso che venissero perpetrati crimini che non mi son dato la pena di valutare: l'ho fatto per non essere disturbato, e perché non era mia intenzione agire altrimenti da come si rendeva necessario per salvaguardare la mia indifferenza a ciò che stava accadendo. Gli uomini che mi hanno giudicato coltivano grandi speranze, e la loro fiducia nel domani ha bisogno di nutrirsi alla fonte di una qualche giustizia. Se hanno bisogno del sacrificio di un vecchio fascista, io sono quello che cercano. Non ho cercato di difendermi, e mi è indifferente il mio destino. Forse dovrebbe farmi riflettere il fatto che a trent'anni di distanza un figlio e un padre abbiano finito per trovare, per vie diverse, un identico, vergognoso, approdo: ma non potrei dedurne altra morale che quella, inutile, della nostra colpevole mansuetudine. Nel cuore di ogni grande rivolgimento, vivono legioni di uomini miti, e per essi è imperscrutabile la via della salvezza.

Non ho cercato di sapere qualcosa di più sulla morte di mio figlio, perché erano i suoi ultimi giorni di vita a interessarmi, e nient'altro. Non so chi abbia comandato il plotone di esecuzione, né chi abbia firmato la sua condanna a morte. Non voglio far ricadere su di loro alcuna colpa: è possibile che abbiano fatto, semplicemente, quello che dovevano fare. Ignoro in quale punto nascosto della burocrazia il nome di mio figlio dimori a tutt'oggi accompagnato dal titolo di disertore. Ma voglio credere che, se il mio racconto ha contribuito a gettare luce sui giorni di Caporetto, la diligenza di un qualche procedimento legale saprà raggiungere quel luogo disperso nelle memorie militari, e riportarvi la testimonianza di un giudizio sereno e giusto.

Non mi resta che ringraziare i tanti che mi hanno permesso, con i loro ricordi, di ricostruire una guerra che non ho fatto. Alcuni figurano nel mio memoriale con i loro nomi, ma a tutti gli altri non devo minore riconoscenza. So che ognuno di loro è stato prezioso, e in qualche modo indimenticabile. Non posso nascondere, tuttavia, che in questi giorni bui è della voce di Ultimo che ho provato, più acuto, il rimpianto. Per giungere ad ascoltarla dovetti fare molta strada, io che nei viaggi non ho mai creduto. E per lui non dovette essere piacevole, quando mi vide arrivare, pensare che tutti quei chilometri non l'avevano messo al riparo dal passato. Ma nondimeno riuscimmo a riconoscerci, e a trovare diletto insieme nel rito del ricordo e nella fatica del comprendere. Non l'ho più visto, da allora, e, come devo avere già detto, mi rimane la curiosità di sapere cosa è stato della sua vita e del suo sogno. Vorrei davvero che non ne fosse rimasto deluso. Il giorno prima che io partissi da là, mi disse che gli sarebbe piaciuto raccontarmi una cosa, perché aveva il sospetto che io, più di tanti altri, l'avrei potuta capire. Una cosa che gli era successa non a Caporetto, mi disse, ma dopo, nei giorni di prigionia. Io risposi che sarebbe stato un privilegio per me, ascoltarlo. Mi guardò con cautela, per capire se lo stavo dicendo solo per cortesia. Poi iniziò a raccontare. Mi chiese se sapevo qualcosa dei campi di prigionia dove erano finiti gli italiani che si erano arresi a Caporetto. Niente cibo e molto lavoro, mi disse. Un gran freddo. Lui stava a Spitzenburg, nella campagna austriaca. Li portavano a lavorare ogni giorno alla manutenzione delle strutture militari di retrovia. Otto, dieci ore. Si era come schiavi, mi disse, e quell'umiliazione ti uccideva un po' ogni giorno. Finivi per convincerti che non esistevi più per nessuno, nemmeno per te. Ma un giorno, mi disse, ci portarono con un camion fino a un'enorme spianata, in mezzo al nulla. Non c'eravamo mai stati, ed era difficile capire cosa mai ci fosse da fare, in un posto del genere. C'erano un paio di baracche e basta. Ci fecero scendere e camminare in mezzo all'erba. E dopo un po' capimmo: c'era una lunga pista d'atterraggio, in mezzo ai prati: un nastro di terra battuta che correva rettilineo, perfetto, per un centinaio di metri, forse qualcosa di più. L'avevano strappata alle erbacce e al grano, e poi l'avevano lasciata lì, chissà per quanto tempo. Era così inutile e così dimenticata: io pensai che era la prima cosa bella che vedevo, da un sacco di tempo. Forse adesso avevano deciso che gli serviva, e così ci avevano portato laggiù per rimetterla a posto. Riempire le buche, ricostruire le baracche, quelle cose lì. C'era un gran silenzio, attorno, e solo il vento che correva, libero, in tutto quello spazio. Io guardavo quel nastro di terra, e a poco a poco mi salì su la strana sensazione che ero tornato, finalmente, a casa. Non tornato dalla guerra, e nemmeno tornato al mio paese: era diverso: ero tornato da me, se può capire cosa voglio dire. *Da me.*

Mi disse allora che li misero al lavoro, e che lui si trovò a camminare su quella pista, con una pala in mano, spostando la terra da un punto all'altro. Mi disse che gli piaceva doversi prendere cura di quella striscia di terra, e tuttavia lo faceva come in trance, perché la sua mente continuava a cercare di scoprire cosa aveva di sacro quel posto. Disse proprio così: sacro. Era una parola sorprendente, nella sua bocca. Come una parola straniera. Continuavo a lavorare, mi disse, ma sempre spiando quella pista e cercando di capire. E alla fine capii. D'improvviso riuscii a vedere *la strada.* Era il pensiero degli aerei che mi aveva fregato, ma poi ci arrivai, riuscii a vedere la strada sotto la maschera di quella pista. *Una strada.* Oh, lei non può capire cosa significasse per me, io ci sono cresciuto con le strade in testa, io non ho visto altro per anni, tutto quello che vedevo era per me una strada, una strada e un motore, è quello che mi ha regalato mio padre, ed era solo nella nostra testa, in tutto quel mondo che ci stava attorno solo noi sentivamo il rumore dei pistoni e pensavamo in termini di strade, sempre, che fosse il profilo di una collina o il fianco di una donna, noi vedevamo la strada, e ci guidavamo sopra, se mi crede, io non ho smesso di guidare per un attimo per tutti gli anni della mia giovinezza, mi son preso il mondo, in quel modo, ed è esattamente quello che mi ha promesso la mia giovinezza: ci sarebbero state strade e noi saremmo stati capaci di percorrerle sulla furia dei nostri motori, della nostra fantasia e del nostro coraggio. Mi capisce, professore?

Forse, gli dissi.

Per me le strade sono state quello che per lei son stati i numeri, mi disse.

Allora capii. La promessa di un ordine alla portata del nostro genio.

Le strade, disse, mi si sono spente, tutte, il giorno in cui una di loro ha spezzato mio padre. Da quel momento io non sono stato più capace di vedere nulla. Erano solo figure confuse. La vita stessa sembrava essersi ingarbugliata in un modo da non poterci fare nulla. Sono andato in guerra, per ritrovare qualcosa che non fosse solo nebbia illeggibile. Ci ho trovato dentro Caporetto, un lungo passaggio a vuoto di ogni certezza, l'eclisse totale di qualsiasi strada. Chi non c'è stato non può capire. Ma io in quella disfatta ho toccato il fondo di qualsiasi smarrimento. Non ero più niente, quando finii in prigionia, e da prigioniero me ne stavo per sparire, per sempre. Poi, sotto la maschera di una pista d'atterraggio, vidi quella strada. Aveva qualcosa di strano, gliel'ho detto, di sacro. È che non c'era nulla

131

intorno, la gente, gli alberi, le case, le voci, la vita, nulla, era qualcosa di più di una strada, era *l'idea* di una strada, lo scheletro di qualsiasi cosa io avessi mai sognato, la perfezione di ogni mio pensiero, scolpita nel vuoto della campagna. Era il tesoro che avevo perduto. Mi fermai. Sentii una calma, dentro, che avevo dimenticato. E feci una cosa che da tanto tempo non mi era più riuscita. Misi il culo su un'automobile e accesi il motore. C'erano quei cento metri di striscia diritta, nel nulla. Ed erano lì per me. Ingranai la marcia, e li feci scivolare sotto le ruote, prima lentamente, poi sempre più veloce. Arrivato al fondo ricominciai da capo, una volta e poi un'altra, sempre più veloce, fino alla fine del rettilineo e poi di nuovo da capo. Le guardie mi gridarono qualcosa. Non gli andava che si battesse la fiacca. Non potevano capire. Io sentivo le buche e il vento, le vibrazioni del volante nel palmo delle mani e le esitazioni del motore sotto il culo. Sentivo, da lontano, tornare una forza che avevo smarrito, e vedevo ricomporsi in quel mozzicone di strada brandelli di mondo che avevo subìto per anni, senza riuscire a tenerli insieme. Le guardie mi si avvicinarono. Gridavano furenti delle frasi smozzicate che sembravano mordere. Io ero a seimila giri, proprio al fondo della pista. Capii che questa volta gli aguzzini erano troppo vicini per tornare indietro, e seppi che non avrei frenato. Non c'era più strada, ma non mi sarei fermato. Forse per un attimo pensai di diventare aereo e uccello, ma sapevo benissimo che la futile ebbrezza del volo non era una soluzione, e non lo sarebbe stata mai. Vengo da gente contadina, io, siamo gente della terra, e non voliamo. È su questa terra che ci salveremo. Su queste strade di terra. Mi si piazzò davanti un soldato, e a un palmo dalla faccia mi gridò qualcosa, paonazzo. Ma io non lo vedevo. C'erano una ventina di metri di strada, ancora, davanti a me, e il tempo di un battito d'ali per trovare una curva da cui scappare. Non ebbi tempo di aver paura. Rividi, con occhi che non avevo più da anni, la prima lettera del mio nome, come mia madre l'aveva scritta, in rosso, tanto tempo prima, sulla scatola di cartone dei miei segreti. Rividi il gesto nitido che la tracciava, pulita, senza staccare mai. E mi accorsi che lo possedevo, quel gesto, dentro di me. E che ne sarei stato capace. Nella morbida culla di quella lettera avrei scatenato i miei cavalli, e mi sarei salvato. Strinsi le mani sul volante e gettai tutto il mio peso sulla sinistra. Sentii il gemito delle gomme, che mordevano la terra, e la fatica dell'automobile che nuotava come un pesce controcorrente. E la strada divenne curva, per me, maestosa curva, solo per me. A mala pena sentii i primi colpi che mi piovevano sulle costole. Forse il calcio del fucile. Non so. Caddi in ginocchio. Ne erano arrivati altri, e tutti gridavano. Ma era impossibile fermarmi, ormai. Piegai a destra con dolcezza seguendo l'orlo di una gonna accecante che mai avevo dimenticato e ridiedi gas sul dorso arcuato dei pesci che ogni tanto portavano sulla tavola di casa nostra la promessa del mare. Quando un calcio mi fece stramazzare giù, con la faccia nella terra, stavo risalendo ad alta velocità la cunetta di Piassebene, e saltai nel vuoto urlando il mio nome mentre i colpi scendevano su di me, accompagnati da quelle urla insopportabili. Chiusi gli occhi, e mi fu facile scendere dal collo della più bella donna che io abbia mai visto, e ridare gas con prudenza prima di staccare in vista della sua spalla. Stavo tornando in possesso di tutta una vita. Mi presi la testa tra le mani, per proteggermi dai colpi, perché non volevo perdere conoscenza. Non sentivo più niente. Solo il pericolo che la morte mi portasse via prima che avessi finito. Sapevo dove volevo andare a finire. Era un'idea inaudita, e qualcosa che mai avevo concepito così lucidamente. Ma era da sempre che io avevo in me quella perfezione. Con gli ultimi spiccioli di forza, arrotondai una curva a gomito che avevo imparato dai tornanti di Colle Tarso, e mettendo a tavoletta chiamai l'ansa del grande fiume, dove per noi erano le spiagge d'estate, e lasciai a lei il compito di portarmi solennemente dove volevo arrivare. Sentivo le grida sempre più lontane, e il respiro gorgogliare nel sangue. Da qualche parte, batteva ancora il mio cuore, aggrappato al volante. Non mi tradì l'antica saggezza del fiume, e a 140 chilometri orari mi trovai a imboccare il rettilineo dove la banalità della guerra immaginava di far decollare futili aerei e dove io ritrovai la strada da cui ero partito. Avevo imparato anni prima, in una notte di nebbia, al fianco di mio padre, che quello è l'unico cammino vero, che porta al cuore delle cose, e al respiro del tempo. Ora sapevo che esisteva anche dentro di me, e che solo occorreva disseppellirlo, ogni giorno, dalle macerie della vita.

Ultimo si fermò, e finalmente alzò lo sguardo su di me. Stette a lungo a fissarmi. Si vedeva che aveva ancora qualcosa da parte, come un ultimo segreto. Io aspettai. Ma lui taceva, così gli chiesi: Com'è andata da allora? Lui sorrise. Inclinò un po' la testa. Si fa fatica, disse. Non è come uno se l'aspetta. Io però, aggiunse, ho un piano. Che piano?, gli chiesi, sorridendo. È un buon piano, mi disse. Spinse un po' la sua sedia verso di me. Gli si erano illuminati gli occhi. Io costruirò una strada, disse. Da qualche parte, non so, ma la costruirò. Una strada come mai nessuno l'ha immaginata. Una strada che finisce dove inizia. La costruirò in mezzo al niente, neanche una baracca, o uno steccato, niente. Non sarà una strada fatta per la gente, sarà una *pista*, fatta per correre. Non porterà da nessuna parte, perché porterà a se stessa, e sarà fuori dal mondo, e lontano da qualsiasi imperfezione. Sarà tutte le strade della terra strette in una, e sarà dove sognava di arrivare chiunque sia mai partito. La disegnerò io e, sa una cosa?, la farò lunga abbastanza da mettere in fila tutta la mia vita, curva dopo curva, tutto ciò che i miei occhi hanno visto e non hanno dimenticato. Nulla andrà perduto, né la curva di un tramonto, né la piega di un sorriso. Ogni cosa non l'avrò vissuta invano, perché diventerà terra speciale, e disegno per sempre, e pista perfetta. Voglio dirle questo: quando avrò finito di costruirla, salirò su un'automobile, metterò in moto, e da solo inizierò a girare, sempre più veloce. Continuerò senza fermarmi fino a quando non sentirò più le braccia ed avrò la certezza di percorrere un anello perfetto. Allora mi fermerò nel punto esatto da cui ero partito. Scenderò dall'automobile e, senza voltarmi, me ne andrò.

Sorrideva. Orgoglioso.

Dici sul serio?, chiesi.

Sì.

Davvero?

È la cosa per cui vivo.

Scossi la testa, ridendo.

Ti ci vorranno un bel po' di soldi.

Li troverò.

Lo disse con l'aria di uno che li avrebbe trovati. Me lo immaginai, al volante, fermo sul rettilineo della sua pista, un attimo prima di accendere il motore e riprendersi la sua vita.

Mi spiacerà non esser lì, quel giorno, dissi.

Lui si sporse verso di me, e con la punta di un dito sfiorò la curva della mia fronte, come per impararla.

Ci sarà, disse.

ELIZAVETA

2 aprile 1923

Inizio a scrivere questo diario il 2 aprile 1923.

Niente di poetico. Ho solo bisogno di registrare la mia impresa.

Come un indice. Per non dimenticare. Un indice.

Chi sono. 21 anni. Nome: Elizaveta. Russa. Di San Pietro-
burgo.

Sono nata in un palazzo che aveva cinquantadue stanze. Adesso
non esiste più, dicono, e al suo posto hanno costruito un depo-
sito di legname. È solo una delle trasformazioni che negli ultimi sei anni

Questa mia decisione di non ricordare nulla della mia vita pre-
cedente, e in particolare nulla della mia terra, che non mi appar-
tiene più, e che voglio azzerare. Non per odio ma per indifferenza. Mi è indifferente. La Russia mi è indifferente.

La mia nuova terra: Stati Uniti, per adesso.

Non credo *crescerò* negli Stati Uniti.

Cosa voglio:

I miei genitori sono morti durante la Rivoluzione del 1917. Si
sono uccisi, con una dose di veleno, nella loro proprietà di
Basterkiewitz. Indifferenza.

Io salvata dall'ambasciatore americano. Il treno che nella notte
mi portava via aveva sedici vagoni. Noi nel primo. Mia sorella

Alma, l'ambasciatore americano, io, altri undici profughi eccellenti.

È di mia sorella Alma che è caduto innamorato l'ambasciatore americano. Ma non verrò mai via senza mia sorella Elizaveta, disse.

Eccomi qui, allora.

Cos'altro dire.

Senza denaro. Povertà vera. Vivo perché so suonare. La musica l'avevamo imparata come corredo necessario al nostro status di femmine da sposare. Anche l'italiano, il francese, la pittura, la poesia, la danza e il giardinaggio. Ma è rimasta la musica.

Basta, per adesso.

Vado a letto alle ore 9 e 20 p.m.

Il mio corpo

Mia sorella era la sorella bella. Io: lineamenti tristi. Bocca grande. Occhi qualunque. Capelli troppo fini. Color nero. Un bel nero. Gli uomini però sono attratti dal mio corpo. Sono magra. Il seno. Le gambe. La pelle perla. Le caviglie. Décolleté. Gli uomini sono attratti dal mio corpo. Poiché sono brutta in viso, per loro è più facile tradire direttamente l'appetito sessuale, senza passare da preliminari poetici o amorosi. Io ci gioco. Mi piace mostrare il mio corpo. Chinarmi e lasciare il seno scoperto. Girare a piedi scalzi. Far scivolare le gonne fino alla coscia. Appoggiarmi con il seno agli uomini mentre gli parlo. Tenere la mano premuta tra le cosce mentre guardo intorno a me silenziosa. E altre cose.

Gli uomini sono tutti bambini.

Farli impazzire.

Sono andata a letto con undici uomini. Sono tuttora vergine. Non mi è dispiaciuto farmi prendere dietro da due di loro. Si direbbe che non abbiano gradito, dato che non si sono più fatti rivedere. Credo di averli mortificati. Questo mi piace. Il sesso è una vendetta. Per adesso è così. Non sarà sempre così. Ma adesso lo è.

Di cosa mi devo vendicare.

Di cosa mi devo vendicare.

3 aprile 1923

Chiedimi cosa vuoi sapere, io te lo dirò.

Allora lui dice Non so, non so nulla di te.

Chiedimi.

Dov'è la tua famiglia.

Non ce l'ho.

Non è possibile.

Fai un'altra domanda.

Sei una ragazza difficile.

Mio padre sempre mi diceva che ero una ragazza difficile, e ora io so che con queste parole mi voleva dire – e si voleva dire – che non ci sarebbe stato modo di avvicinarci, noi due, e lui avrebbe finito per attenersi a un sentimento di lontano affetto, rimpiangendo ogni istante della sua vita di non potere   nessuno, in realtà, è *difficile*, ma semplicemente

Insegno ai bambini a suonare il pianoforte. Talvolta anche agli adulti. Mi stipendia la Steinway & Sons, ditta costruttrice di pianoforti. Ecco la storia. All'inizio del secolo.

Che idiozia, scrivere un diario.

All'inizio del secolo,

4 aprile 1923

Che nome: Ultimo. In italiano vuol dire *the last one*. Lo danno le famiglie che non vogliono più avere figli. Così anche chiamano Primo il primogenito.

Nomi italiani:

Primo

Secondo

Quarto

Quinto

Sesto

Settimio.

Terzo?

Ho chiesto a Ultimo se effettivamente nella sua famiglia non avevano più avuto figli. Più o meno, mi ha detto. Suo padre e sua madre hanno avuto solo lui. Poi sua madre si è innamorata di un conte italiano, era un loro amico, un amico di suo padre. È morto durante una gara automobilistica. Sei mesi dopo la madre ha avuto un bambino, maschio. Era del conte. Il padre l'ha riconosciuto, ma tutti sanno che è del conte.

Mio padre invece aveva avuto sei figli da quattro serve della casa. Quando gli passava vicino, in campagna, li accarezzava con il palmo della mano sulla testa. Ma senza guardarli.

Questo vizio di ricordare il passato.

È il *presente* che io devo registrare. A questo serve il diario.

Oggi lezione dagli Stevenson. Poi tredici miglia in furgone, e altra lezione dai White. Due gemelline. Mozart. Nel senso che cerco di far loro suonare Mozart. Non nel senso che suonano come Mozart. Ma hanno la stessa età di Mozart. Cinque anni.

La paga di Steinway & Sons è un mezzo dollaro ogni ora di lezione. Quando riusciamo a vendere un pianoforte, la percentuale che ci spetta è del 4,5%. La divido con Ultimo, 50 e 50. Voglio ricordare questa miseria. Quando sarò nuovamente ricca, mi sarà *fondamentale* ricordare questa miseria.

È sicuro che io sarò nuovamente ricca. Sono disposta a tutto perché questo avvenga, ed avverrà. Voglio risentire la carezza di lenzuola candide, profumate, e provare ancora la naturalezza dello spreco. Desidero buttare via cose che appena ho usato, e rimandare in cucina piatti di cui non vedo il fondo. Riconoscere la devozione negli occhi degli altri, la servitù nelle loro mani, la paura nelle loro parole.

Ricordo tutto di quando eravamo ricchi. Non ho disimparato niente. In qualsiasi momento posso ricominciare.

Inizio qui a contare i giorni in cui vado a dormire affamata. Uno, questa sera. Due, domani, già lo so. Quanti giorni come questi servono a una principessa per imparare quel che c'è da imparare e poter tornare a mangiare? 500 giorni. Non uno di più. È una promessa.

499 giorni, ancora.

Non sono cattiva come sembro.

Non sono brutta come sembro.

Non sono

Vado a dormire alle 10 e 14 p.m.

Una preghiera.

5 aprile 1923

La prima pianola meccanica io l'ho vista in campagna, dal signor Brandisz. Era qualcosa di sorprendente, devo ammetterlo. Quando la faceva funzionare, il signor Brandisz si metteva in piedi accanto al mobile, e sorrideva. A volte si commuoveva e piccole lacrime gli scendevano sul viso da vedovo. Altre volte la faceva funzionare di nascosto, senza avvertire nessuno e facendo finta di niente. Poteva succedere che tutti fossimo in giardino, e dalle stanze della casa, tutt'a un tratto, arrivassero le note di un brano di Chopin. Se un giovane, allora, si fosse spinto in casa, a conoscere la ragazza che suonava con tale luminosa tranquillità, ci avrebbe trovato la solitudine funebre di un salotto dove tasti bianchi e neri salivano e scendevano da sé, in assenza, discutibile, di anima. Ne sarebbe rimasto turbato.

È qualcosa del genere che io provo, puntualmente, davanti ai corpi maschili che fanno l'amore con me.

Quando si perfezionò la tecnica delle pianole, ottenendo risultati sorprendenti, e in sostanza magici, i costruttori di pianoforti dedussero che la loro epoca era finita. Era chiaro che se la gente poteva riprodurre perfettamente Chopin senza doverlo suonare, piegarsi a lunghi studi per assicurare alla casa il distintivo privilegio della musica sarebbe divenuto, in breve, un inutile lusso. Così i più iniziarono a prendere in esame la possibilità di costruire pianole meccaniche. Parve però a tutti ovvio, quasi immediatamente, che si trattava di un lavoro deprimente. Era molto più facile che costruire un pianoforte, ed era generale il presentimento che, nel cambio, andasse perso il cuore della musica, qualsiasi cosa volesse dire "il cuore della musica". Così rimase loro una sorta di turbamento senza soluzioni.

Steinway & Sons, uno dei maggiori e più prestigiosi costruttori di pianoforti del mondo, decise allora di approfondire il problema. Studiarono a lungo. Pensarono a lungo. Alla fine addivennero alla convinzione che si sarebbe dovuto vendere un pianoforte con, inserita dentro, la capacità di suonarlo. Si tenga conto che era una fase di studio, in cui l'intuizione era ancora solo abbozzata. Il passo successivo fu pensare che l'ideale sarebbe stato vendere un pianoforte insieme a un pianista che lo suonasse quando la gente lo richiedeva. In questo modo si sarebbe uguagliata la comodità della pianola meccanica, salvando però il cuore della musica, e l'insostituibile apporto del tocco umano, a cui faceva capo, verosimilmente, l'anima. Studiarono davvero la realizzabilità di un'ipotesi del genere. Quando conclusero che da un punto di vista economico la cosa non stava in piedi, ripiegarono sulla soluzione a cui io devo, attualmente, la mia sopravvivenza. Nel 1920 la Steinway & Sons ha varato una singolare iniziativa commerciale, che prevede lezioni di pianoforte gratuite per tutti coloro che intendono avvicinarsi alla sublime arte del suonare. Centinaia di maestri di pianoforte sono stati selezionati nel mondo e spediti in giro per le città e le campagne a portare il verbo della tecnica pianistica. Giriamo con un furgone della ditta, un camioncino, e accompagnati da un tecnico-autista. Il tratto geniale è che, alle famiglie che lo richiedono, noi portiamo, gratis, il pianoforte, glielo montiamo dove preferiscono, e poi, per tre mesi, ci presentiamo a fare lezione, ogni giorno, gratuitamente, perché loro possano superare il primo, comprensibile, momento di difficoltà. A chi, dopo la prova, decide di procedere all'acquisto, la Steinway & Sons regala altri tre mesi di lezioni al prezzo simbolico di dieci cents all'ora. Bisogna ammettere che l'hanno studiata bene.

Alle volte possiamo prendere, in permuta, vecchie pianole meccaniche.

Le rivendono, poi, ai caffè.

Mi piace scrivere in questo modo, come se scrivessi un libro. È una cosa simile a ballare. Un ordine. Lo sforzo dell'eleganza. Arrotondare il movimento. Aprire e chiudere. Fare cose che finisci. Frasi.

Dopo una pagina, già sono sfinita, peraltro.

Chissà se gli scrittori fanno la stessa fatica. Non credo. Non mi affatica suonare per ore, potrei andare avanti all'infinito. Il proprio mestiere è quello che si fa senza fatica.

Solo qualche anno fa, la semplice ipotesi di associare al mio destino l'espressione "avere un mestiere" mi sarebbe sembrata ridicola e volgare.

Vado a dormire alle 9 e 33 p.m.

Che solitudine, però.

6 aprile 1923
In media, ho calcolato, resto in una famiglia 112 giorni. Alcuni

si arrendono dopo le prime lezioni: allora gli portiamo via il pianoforte e cancelliamo il nome dalla lista. Molti fanno passare i primi tre mesi poi comprano il pianoforte, ma rinunciano alle lezioni: si sono affezionati al mobile. Pensano che sia distintivo il fatto solo di averlo, anche muto, non importa. Solo pochi approfittano dei tre mesi suppletivi di lezioni. Sono quelli che poi, alla fine, vorrebbero che io restassi, magari come governante dei figli. Ma non ho mai voluto farlo. Così continuo a girare per la campagna del New England, con un furgone che porta me, Ultimo e, a seconda dei momenti, due, tre, o quattro pianoforti smontati.

Niente di più deprimente della campagna del New England.

Così ho partorito il mio piano. È per avere uno scopo. La sequenza di giorni tutti uguali, a mollo nella campagna, mi avrebbe uccisa.

Mi sono prefissata l'obbiettivo di *corrompere* ogni singola famiglia in cui lavoro. In media ho 112 giorni di tempo. Possono, talvolta, essere molti di meno. Ma non importa, io devo farcela.

Questo diario è l'indice di questa impresa.

Non è difficile *corrompere* una famiglia. Le famiglie sono tutte corrotte.

Vado a dormire.

Ricevuto una lettera da mia sorella. Vive al Cairo. Conduce un'esistenza da fiore di serra. Tutto la può uccidere, perché i nervi le hanno ceduto al suo arrivo in Egitto. Lei lo sa, lucidamente, e non se ne dispiace. Coltiva la propria bellezza, e questo è tutto. Mi dà notizie. Non le ho mai risposto.

Una cosa curiosa è che anche Ultimo riceve ogni settimana una lettera. Non solo lui non risponde, ma nemmeno le apre.

Ultimo di solito dorme nel furgone. Risparmia i soldi degli alberghi e li mette da parte. Anche lui ha un piano.

Un pianoforte.

Ah, ah.

Vado a dormire alle 10 e 11 p.m. Affamata. Come previsto, giorno n. 2.

498 alla fine, a dio piacendo.

A dio piacendo era una frase tipica di mio padre.

Con tutto il rispetto.

Fatte le debite proporzioni.

Parlare ad alta voce invece che *pensare ad alta voce*.

Volendosi attenere ai fatti.

E così via.

I morti muoiono ma continuano a parlare nella nostra voce.

Mah.

8 aprile 1923

Quando si hanno pochi giorni bisogna agire in fretta. Mi bastano quattro, cinque lezioni per capire qual è il punto in cui devo attaccare. Le famiglie sono come fortezze: hanno sempre un punto debole. Ai Patterson, dopo una settimana, ho avvelenato il cane. Ho agito in fretta perché Mary, la figlia, durante le lezioni sbadigliava. Non gliene fregava proprio niente. Non sarebbe durata a lungo. Non avevano neanche l'aria di potersi permettere un pianoforte. Così ho ammazzato il cane. Il signor Patterson lo odiava, la signora Patterson lo adorava. Il veterinario ha detto che qualcuno lo aveva avvelenato. Due più due, quattro. La signora Patterson non ha avuto dubbi, e adesso ammazzerà il marito per tutti gli anni a venire, ogni giorno. In genere nessuno, mai, sospetta della maestra di pianoforte, giovane principessa russa colpita dall'ingiuria del destino. Anzi, in genere, io compaio come un angelo mandato dal cielo per rianimare la loro agonia. Addirittura sembrano avere *bisogno* di me. Si aspettano che io li salvi. Questo facilita molto il mio compito.

Patterson: 17 giorni. Niente pianoforte.

Una sera, io e la signora Patterson, sulla veranda, per due ore. Lavoro di cesello. Solidarietà femminile. La disgustosa cronaca della vita sessuale con il marito. Non l'aveva raccontata mai a nessuno. L'episodio della pistola. C'è gente che punta una pistola sulla moglie per farsi fare un pompino. Quante cose da imparare.

Rimasta sola con Mary, la figlia, le ho detto: il cane l'ho avvelenato io. Poteva essere un errore. Bambina stupida: ha riso.

Mai strafare.

Smontando il pianoforte Ultimo ha rigato la parete con la tappezzeria. Abbiamo dovuto lasciare dei soldi.

Stando sul furgone i pianoforti si dissestano, ma Ultimo sa rimetterli a posto. Ha lavorato a lungo con i motori, e dice che, per un meccanico, mettere le mani nella pancia di un pianoforte è come

Un chirurgo che opera un bambino.

Quel che non cambia, dice, è che entrambi sono vivi. Il pianoforte e l'automobile.

Vivi in che senso?

Hanno un'anima che può spegnersi.

L'altro giorno Ultimo ha preso una stradina secondaria, poi ha fermato il furgone in mezzo alla campagna. L'ho aiutato a scaricare un pianoforte. L'ha montato. Poi mi ha detto: suona qualcosa.

Stupido.

Ma ho suonato a lungo.

Ho suonato bene come non mi succedeva da tempo. Potevo *vedermi* suonare, come da lontano.

Ultimo non sa niente del mio piano. Non gli ho mai detto niente. Quando faccio lezione lui rimane sul furgone, o se ne va in giro. Non gli piace entrare nelle case o conoscere la gente. Ha il *terrore* che gli offrano una tazza di tè. Sta sul furgone e spesso disegna.

Quella sensazione mentre suonavo in mezzo alla campagna.
Non dimenticarla.
Stare attenta a non vivere completamente priva di qualsiasi *dolcezza*. Avere la presunzione di nutrirsi solo
Clemente. Ripetermi mille volte la parola *clemente*. Clemenza.
Invoco la clemenza di
Un temporale clemente.
Una risposta clemente.
Sarò clemente.
Portami a mangiare, stasera, Ultimo. Siamo andati alla locanda e abbiamo mangiato in silenzio. Io pensavo al mio piano.
Devo smettere.
11 e 07 p.m.

20 aprile 1923
Sono il requiem che suona alle vostre porte di campagna sono nella vostra mente il morbo che viene da lontano sono la polvere negli occhi e il nero sotto le unghie – sono il requiem labbra belle da baciare – sono principessa e principe, drago e spada – sono una notte di incendi da domare.
Sono un requiem principessa.
Amen.
Ho detto ai Giggs che il loro figlio è un genio. Contadini. Miserabili. Non avevano il denaro ma hanno accettato il pianoforte per paura, non conoscevano le parole giuste per rifiutarsi. Contadini. Povera gente. Gli ho detto che il loro figlio è un genio. Incredibile capacità d'apprendimento. Talento innegabile.
Un testone, in realtà, appena mediocre.
Vostro figlio è un genio.
Sono cambiati. Hanno iniziato a vendere cose per comprare il pianoforte. Hanno accettato il secondo trimestre di lezioni. Per la fierezza, per l'emozione, hanno perfino cambiato il modo di

camminare. Si sono resi odiosi con il vicinato, piccolo paese. Con una modica spesa suppletiva sarei lieta di raddoppiare le ore di lezione. Hanno accettato. Lei è sicura che il ragazzo...?

Se solo avesse un pianoforte migliore allora potrebbe davvero sviluppare tutte le sue capacità. Il tocco è importante. Hanno continuato a vendere cose e hanno ordinato in città uno Steinway mezza coda d'occasione. La sera invitano i vicini a sentire il figlio suonare. Nessuno arriva. Cresce il rancore.

Quelle serate con le torte sul tavolo e il ragazzo che suona, nella stanza vuota. Io sono il requiem che suona nelle

Me ne sono andata dai Giggs dopo i sei mesi previsti dal regolamento Steinway & Sons. Non prima, però, di aver detto solennemente che il ragazzo aveva bisogno, anzi diritto, di andare a studiare in città. Non può andarci da solo, dice il signor Giggs. No, convengo io. Io non posso andare in città, io qui ho la terra da lavorare, dice il signor Giggs. Capisco, dico io. La terra è tutto quello che mi è rimasto, dice il signor Giggs. Tutto quel che le è rimasto è suo figlio, dico io.

Quando li saluto, il signor Giggs piange.

Non so come sia andata a finire. Non mi importa. Ormai erano in trappola. Potevano giusto scegliere tra agonizzare per anni nel rimorso, o andare a morire di miseria in città.

Giggs. Sei mesi, due pianoforti.

Newman. Procede.

Cole.

Farrell.

Martin. La bambina.

Helmond. Come con i McGrath.

Cambiare la diteggiatura al Boccherini.

Scrivere un manuale semplice per la tecnica del pedale?

Tre copie dell'Hanon.

A Ultimo: non va il ritorno dell'ottava bassa dai Newman.

Accordatura.

Lungo discorso di Ultimo. Non parla mai così tanto. Adora questo lavoro. Segna sulla mappa tutti i nostri spostamenti con una penna nera. Ogni dieci giorni sovrappone alla mappa un foglio leggero di carta bianca e ricalca a matita la linea nera. Poi raccoglie i fogli in una cartellina. Sono come disegni, senza senso. La sera li studia, a lungo. Cosa sono? Una strada, dice.
Sono scarabocchi.
No, dice.
Cosa ci vedi?
Tentativi, dice.
Tentativi di cosa?
Di riassumere lo spazio, dice.
Cosa vuol dire riassumere lo spazio?
Vuol dire possederlo, dice.
E cosa te ne fai, dello spazio, quando lo possiedi?
Lo metti in ordine, dice.
Lo spazio è disordinato?
Sì, dice.
Lo spazio è disordinato.
So dove nasconde quelle lettere che non apre mai. Le conserva. Un giorno le leggerò.
Ma Ultimo non desidero corromperlo. Lui è un cristallo da salvare.
Domani, dai Farrell. Poi Sloman e Jenks.
Non rovinare tutto, piccola.
9 e 46 p.m.
Fammi dormire senza sognare.

21 aprile 1923
Famiglia Martin.

Fin dalla prima lezione ho notato lo sguardo febbrile con cui il signor Martin guardava la sua bambina. È stato un lavoro molto delicato, e sono fiera di me. Il signor Martin assisteva alle lezioni seduto in una poltrona, in un angolo della stanza. Non diceva mai nulla. Solo alla fine si alzava e mi stringeva la mano, ringraziandomi. Alla figlia diceva: Brava Rachel.

Era letteralmente terrorizzato dal proprio amore per lei.

La ragazzina suonava abbastanza bene.

14 anni. Molto bellina, devo ammetterlo.

Un giorno, quando ha finito il pezzo, mi sono chinata su di lei e le ho posato un bacio sulle labbra. Lei non ha reagito. Ne abbiamo fatto un'abitudine. Ogni volta che suonava bene mi chinavo su di lei e le posavo un bacio sulle labbra. Era come un premio. Il padre guardava, senza dire nulla.

Un bacio più lungo, una volta. Rimasta lì, sulle sue labbra. Con gli occhi chiusi.

Abbiamo preparato per benino *La cloche de loin*. A quattro mani. Provato tante volte.

Si venga a sedere qui vicino a noi, dico al padre. Suoniamo *La cloche de loin* proprio per lei. Venga a sedersi qui vicino.

Lui spinge la poltrona accanto al pianoforte.

Poi suonato tutto dall'inizio alla fine. Lei proprio bravina. Sono contenta, alla fine. Mi chino su di lei e le poso un bacio sulle labbra. Poi sorrido e guardo il padre.

Lui non sa bene cosa fare.

Ha suonato bene, no?, dico io.

La ragazzina sorride.

Il padre si sporge un po', dalla poltrona. Si baciano. Appena appena.

La ragazzina ride, nervosa. Io faccio un applauso, ma in modo scherzoso. Finisce lì.

Forse ho dimenticato di dire che lui è vedovo.

Lui è vedovo.

Sposta sempre la poltrona accanto al pianoforte, adesso. Finiti i tre mesi compra il pianoforte. Altri tre mesi di lezione.

Poso un bacio sulle labbra di Rachel, chiudo gli occhi e faccio scivolare la lingua. Lei si stacca. Mi guarda. Io sorrido e mi avvicino di nuovo. Apro le sue labbra con la lingua. Sento la sua lingua che risponde. Mi stacco da lei e sorrido. Sei stata proprio brava, dico. Lei si gira verso il padre. Lui trema. Si baciano. Vedo le loro labbra aprirsi. Poi ridono.

Me ne sono andata allo scadere dei sei mesi. Padre e figlia me li ricordo in piedi, davanti alla porta, che mi salutano tenendosi per mano. Il signor Martin sembra malato, dice Ultimo, ha gli occhi di uno malato.

Lo è, dico io.

Vado a dormire affamata. Non ne posso più. Odio la miseria. Devo iniziare a costruirmi un futuro. Non posso più aspettare. Devo andare via da qui.

Possibilità:

raggiungere mia sorella

trovare un marito

spararmi un colpo

raggiungere mia sorella, trovare un marito e sparargli un colpo. Voilà.

Non voglio dormire da sola. Esco e vado a dormire con Ultimo, nel furgone. Ogni tanto lo faccio. Lui mi lascia i sedili, davanti, e si sistema dietro. Mi piace accarezzarmi mentre lui dorme. Penso sempre che non sta dormendo. Questo mi eccita. Quando vengo non bado a non far rumore. Voglio che mi senta.

Mi piacerebbe che lo facesse anche lui. Adesso vado a dormire da lui e gli chiedo di farlo. Aspetta che io mi addormenti e masturbati. Lo vuoi fare per me?

No, non oserò dirglielo.

Naturalmente non oserò.
Ma mi piacerebbe.
9 e 40 p.m.

22 aprile 1923
Gliel'ho chiesto. Devo essere pazza.
Quando mi sono svegliata gli ho chiesto se l'aveva fatto.
Sì.
Ti è piaciuto?
Non ha risposto.
Che strana cosa. Non ci devo pensare.
Ma c'era un gran sole e abbiamo viaggiato con i finestrini abbassati.
Avevo voglia di suonare. Alla lezione dai Cole ho suonato per tutto il tempo io. Scarlatti, Schubert. La signora Cole era contenta. È a lei che insegno. Ha 34 anni. Un po' tardi, per cominciare. Ma ha tanta voglia. Era il suo sogno. Le sono affezionata. Mi spiace dover corrompere anche lei. Non se lo merita. Ma neanch'io mi merito questa vita qui. Colpa dei bolscevichi, e della rivoluzione, dice la signora Cole. Ma non è vero.
Io mi rifiuto di credere alla Storia. La Storia è un'illusione ottica. Sono solo faccende di pochi, vendute come se fossero la vita di tutti. Ma non è vero. È roba loro.
Ciò che dovremmo fare, di fronte alla Storia, è *non partecipare*. È un'idea loro quella che noi dovremmo partecipare. Hanno bisogno che noi recitiamo sul palcoscenico della loro follia.
I collaborazionisti della Storia: quelli per cui è doveroso partecipare alla
Non sto da nessuna parte, e mi è indifferente chi vince. Se chi vince mi prende tutto, io non sarò comunque un suo nemico. Potevo perdere tutto al tavolo da gioco, o per un terremoto. Una causa vale l'altra. Resto al di fuori della loro lotta. Cosa c'entro

io? Dovrete fare a meno di me.

C'è gente che è andata a *combattere* per gli interessi di quelli là: solo perché non aveva la forza di sottrarsi al ricatto. C'è gente che *è morta* per quella ragione.

Una follia.

La signora Cole ha quattro bambini e un marito. Bella famigliola. Uno dei bambini è strano. È piccolissimo, non parla mai. La pelle bianchissima. Ha uno sguardo così penetrante che gli adulti lo sfuggono. Ogni tanto, dicono, fa cose inspiegabili. Fa cose magiche, dice il padre, ridendoci su. Ma si vede che, sotto sotto, ha un velo di paura. Tutti, in quella casa, hanno un velo di paura.

Ho iniziato a dire, en passant, che in quella casa c'è un'aria strana. Affascinante, ho detto. Non hanno capito bene se era un complimento o cosa.

È incredibile ma ogni giorno bisogna riaccordare il pianoforte, ho osservato un giorno. E prima delle lezioni, sempre, apro il pianoforte e lo accordo. A bassa voce borbotto cose come Incredibile, o Davvero incredibile.

Mi diverto molto. Ma un po' mi spiace per la signora Cole.

Hanno comprato il pianoforte. Ultimo dice che con le nostre percentuali sulle vendite abbiamo guadagnato già 19 dollari e 60 a testa. Io mando sempre tutto a mia sorella, che ci pensi lei a

Ultimo nasconde i soldi in un doppio fondo del furgone. È lo stesso posto in cui tiene quelle lettere. Un giorno ne ho presa una, l'ho aperta e l'ho letta. Non ci ho capito un granché, devo leggere tutte le altre. Quella lì era scritta da un prete italiano. Veniva da una città che si chiama Udine. O Adine, non mi ricordo.

Devo leggere tutte le altre.

Ultimo invece neanche le apre. Però le tiene. Chissà cosa vuol dire. Molte cose che lui fa non hanno molto senso.

Per arrivare a Sheftbury, dai Martin, c'era una cunetta, sulla strada. Ogni volta lui doveva rallentare, perché il furgone era pieno di pianoforti. E ogni volta diceva: peccato. Una volta è tornato indietro e mi ha detto: Aiutami. Abbiamo svuotato il furgone, appoggiando i pianoforti, smontati, sul prato accanto alla strada. Sono pianoforti con l'anima di legno: non è faticosissimo spostarli. Ci hanno dato quelli apposta. Poi Ultimo è risalito al volante. Mi ha detto di salire con lui. Non devi avere paura, è una cosa bella, mi ha detto. Ha preso la rincorsa e poi si è buttato sulla cunetta a massima velocità. Io ho iniziato a urlare quando ancora eravamo sulla salita. Ma non urlavo niente di particolare. Lui invece se n'è stato in silenzio, tranquillo, fino a quando siamo stati sul colmo della cunetta, e quando il furgone si è staccato da terra, allora lui ha urlato forte forte il suo nome.
Ultimo Parri.
Poi il furgone si è un po' scassato. Quando siamo tornati indietro, pian pianino, dal colmo della cunetta si vedevano là sotto i pianoforti, smontati, nell'erba, pezzi di pianoforte, messi disordinatamente in mezzo al prato. Sembravano un gregge di qualcosa che pascolava, mite. Era bello. Ultimo ha fermato il furgone. Siamo stati lì a guardare.
Perché sei sempre triste?, gli ho chiesto.
Non sono triste.
Sì che lo sei.
Non è quello, mi ha detto. Mi ha detto che secondo lui la gente vive per anni e anni, ma in realtà è solo in una piccola parte di quegli anni che vive davvero, e cioè negli anni in cui riesce a fare ciò per cui è nata. Allora, lì, è felice. Il resto del tempo è tempo che passa ad aspettare o a ricordare. Quando aspetti o ricordi, mi ha detto, non sei né triste né felice. *Sembri* triste, ma è solo che stai aspettando, o ricordando. Non è triste la gente che aspetta, e nemmeno quella che ricorda. Semplicemente è lontana.

Io sto aspettando, mi ha detto.

Cosa?

Sto aspettando di fare ciò per cui sono nato.

La sua idea è che lui è nato *per costruire una pista*. Dimmi te. Vuole costruire una pista per automobili da corsa. Proprio nel senso di una strada che la fanno soltanto le automobili da corsa. Che non porta da nessuna parte, anzi è chiusa, e tu continui a girare e non finisci da nessuna parte. È un'invenzione sua, che non esiste.

Non è vero che non finisci da nessuna parte, dice lui.

Mi ha raccontato tutta una storia di lui e suo padre che girano nella nebbia in una città con tutte le strade ortogonali.

Ce l'ha sempre con 'sto padre.

Ma forse è vero quello che dice lui, e ogni cammino è circolare, e non porta da nessuna parte, ma dentro a se stesso, perché troppo fitta è la nebbia della nostra paura e illusorie le strade che sembrano portare altrove.

Io, allora, per far cosa sarei nata? Quando sarò viva davvero? O quando lo sono stata?

Ultimo sarebbe anche simpatico. Ma hai sempre l'impressione, stando con lui, che stai disturbando una cosa seria. È impegnativo. È come *lavorare*, stare con lui.

Comunque, dio sa dove li troverà mai i soldi per fare la sua pista. Non credo che sia una cosa che te la cavi con 389 dollari.

È un bambino.

Io non sono una bambina.

Io sono una donna.

Una donna

Una donna

Una donna

Una donna

Fame. Porco mondo.

10 e 06 p.m.

Ricordare: un altro vestito.

23 aprile 1923
Cose che so fare:
1 suonare (Schubert, Skrjabin, no Bach, no Mozart)
2 parlare con la gente senza che la gente capisca dove voglio arrivare
3
4 sapere cosa sta succedendo
5 sesso
7 non arrendermi
8 stare con la gente ricca ed educata
8 viaggiare senza problemi
9 stare sola

Cose che non so fare
1
2
3

Sono andata dal pastore Winkelman e gli ho detto che dai Cole succedono cose inquietanti. Quel bambino, è inquietante.
La prego però, La scongiuro, di non dire a nessuno che sono venuta a parlarLe, io perderei il mio lavoro, e senza il mio lavoro sono finita, non ho una famiglia e neppure dei beni, mi prometta che non lo dirà a nessuno.
No, La prego davvero di non dire a nessuno che sono venuta a parlarLe, perché se si venisse a sapere che io sono venuta a parlarLe io perderei il mio lavoro, e senza il mio lavoro
D'altra parte io Le dico questo per il bene di quella famiglia, e di tutta la comunità del paese, mi creda che l'unica mia intenzione è quella di

Gli ho detto che il bambino un giorno si è seduto al pianoforte e ha suonato, giuro, una musica piuttosto complicata, che io non conosco, ma era una musica, per così dire, *diabolica*.

No, nessun altro l'ha sentito suonare, sono andata immediatamente a chiamare la madre ma quando la madre è arrivata lui stava giocando in un angolo, e sembrava un angelo.

Avrà certamente notato che gli altri bambini hanno soggezione di lui, e gli adulti ne sono, per così dire, turbati.

Per non parlare di quelle cose strane che può fare. Io non ci credevo, ma adesso...

No, assolutamente no, il bambino non sa suonare, nessuno gli ha mai dato nessuna lezione, io insegno solo alla signora Cole.

È vero che gli animali, quando passano davanti alla casa dei Cole, lanciano strani gemiti?

No, è che mi era arrivata una voce.

Mi prometta che non mi tradirà. Lo faccio solo per il loro bene.

Voglio bene alla signora Cole. È una signora buona.

Adesso si trattava solo di aspettare qualche giorno.

Continuo ad accordare il pianoforte, ogni volta che facciamo lezione. Ultimo mi ha chiesto perché lo faccio. È sempre scordato, gli ho detto. Forse devo cambiare le chiavi. No, non devi fare niente.

È un anno che faccio questa vita. Me l'ha ricordato Ultimo. È il nostro anniversario, per così dire. Gli ho chiesto cosa voleva in regalo. Scherzavo. Ma lui mi ha detto: fammi dormire con te.

In che senso?

Dormire con te, nel tuo letto.

Mi son messa a ridere. Sei matto?

Mi hai chiesto che regalo volevo.

Sì, ma scherzavo. E poi non pensavo a una cosa del genere.

È solo un regalo, mi ha detto.

Lo so, ma...

Per l'anniversario.

Uff, cosa ti frega di dormire con me?

Tu non preoccuparti.

E io, io cosa ho di regalo, io?

Chiedimi quello che vuoi, mi ha detto.

Ci ho pensato un po'.

Fammi leggere le tue lettere.

Quali lettere?

Le lettere che non apri mai. Tanto so dove le nascondi.

Che ti importa delle mie lettere?

Tu non preoccuparti. Fammele leggere.

Ci ha pensato un po'.

Poi però le richiudi e non ne parli mai più.

Va bene.

Va bene.

Aspetta che io mi sia cambiata, e poi vieni a dormire.

Va bene.

Dammi le lettere.

Adesso?

Sì.

È andato a prenderle.

È una storia assurda. Le lettere gliele scrive sempre un prete, un prete italiano, dall'Italia. Dice di chiamarsi don Saverio. Prima voleva sapere se era proprio lui, Ultimo Parri, e voleva proprio esserne sicuro. Così gli faceva delle domande, tutte sulla guerra, su cose successe in guerra, e se Ultimo gli avesse risposto bene allora sarebbe stato sicuro che era davvero Ultimo Parri. Ma naturalmente Ultimo non ha mai risposto niente. Allora il prete diceva che se era per lui avrebbe smesso di scrivergli, perché non si fidava, ma Cabiria insisteva perché continuasse a scrivere. Proprio perché non rispondeva, diceva questo Cabiria, voleva dire che era proprio lui. Cabiria deve essere uno con cui Ultimo ha fatto la guerra. Dovevano essere grandi amici. Adesso è in galera, e ci rimarrà per un sacco di tempo. Per questo non può scrivere lui, ma fa scrivere il prete. Gli controllano la posta, pare. E tutta la loro storia è un segreto che lui non vuole fare sapere alla polizia. Il prete ha tutta l'aria di non essere affatto contento che

È Ultimo che bussa alla porta.
Gli apro non gli apro.

24 aprile 1923
La soluzione più banale volevo evitarla, ma con i Farrell non avevo voglia di inventarmi nient'altro, erano una famiglia noiosa, volevo solo andarmene presto via da lì. Il signor Farrell continuava a guardarmi. Era il tipo da credere che prima o poi tanto sarebbe successo. Gliel'ho fatto credere. Per un paio di settimane l'ho tenuto sulla corda. Poi ho aspettato di essere sola con lui. Mi son strappata la camicia, sul davanti, e gli ho detto che o mi dava venti dollari o mi mettevo a gridare. D'improvviso non era più tanto sicuro di sé. Mi ha dato i venti dollari. Allora io gli ho detto che già che pagava poteva toccare. Mi ha messo le mani sul seno. Mi ha baciato i capezzoli. Adesso basta, gli ho detto. E mi sono chiusa la giacca, sul davanti. Abbiamo fatto in modo di restare da soli, altre volte, quella settimana. Ogni volta lui pagava. Mi son fatta toccare anche tra le gambe. L'ultima volta lui ha tirato fuori i venti dollari e io gli ho detto che non volevo soldi. Apriti i pantaloni, gli ho detto. Lui tremava dall'emozione. Poi mi sono strappata la camicia, sul petto. E mi son messa a gridare. È arrivata la moglie, con il bambino piccolo che le corricchiava dietro. Il signor Farrell stava cercando di tirarsi su i pantaloni. Io piangevo. Non riuscivo a parlare. Facevo finta di chiudermi, sul davanti, ma non lo facevo veramente. Volevo che lei vedesse com'era bello il mio seno.

Mi hanno dato dei soldi per farmi promettere che non avrei detto niente a nessuno. Hanno comprato anche il pianoforte. Nessuno lo suonerà mai. Ma resterà lì a ricordargli ogni giorno quello schifo.

Però il signor Farrell deve aver detto qualcosa a qualcuno perché nelle case hanno iniziato a riceverci di mala voglia. Ho capito che buttava male e ho scritto alla Steinway & Sons per chiedere di cambiarci di zona. È così che siamo finiti in Kansas.

Ma era una delle prime volte, non ero ancora abbastanza abile. Oggi non rifarei nulla del genere. Troppo pericoloso. Adesso non sbaglio più. Adesso faccio opere d'arte. Come dai Cole, quelli del bambino strano. Mentre suonavo con la signora Cole d'improvviso mi sono interrotta e sono scoppiata a piangere. Una piccola vera scena isterica. La signora Cole non capiva. Mi spiace, mi spiace ma non ce la faccio più, ho detto tra i singhiozzi, questa casa ha qualcosa, io ho paura, mi spiace, mi spiace davvero, io ho paura, Di cosa hai paura?, ho paura, e continuavo a singhiozzare, Cos'è che ti fa paura?, ha iniziato a piangere anche lei, lo sapeva benissimo cosa mi faceva paura, voleva sentirselo dire di cosa avevo paura, perché temeva che le dicessi di suo figlio, e io non gliel'ho detto, ma lei lo sapeva benissimo che era per quel bambino, ed era di lui che avevo paura, perché c'era qualcosa di strano in lui, anche se nessuno voleva dirlo ad alta voce, e nemmeno io riuscivo a dirlo, ma davvero non potevo restare lì un'ora di più, in quella casa dove c'era un bambino che era

IL DEMONIO

ma io non l'ho detto, ho solo preso la mia roba e sono corsa via, piangendo, e salutando la signora Cole, stringendola davvero con un affetto di figlia, mentre Ultimo smontava il pianoforte e io gridavo che non lo volevo quel pianoforte sul nostro furgone, è un pianoforte stregato, e i vicini uscivano dalle case a vedere cosa stava accadendo, senza però osare avvicinarsi, perché quello che vedevano era la maestra di pianoforte che singhiozzava e stringeva la signora Cole, mentre Ultimo portava uno ad uno i pezzi del pianoforte sul furgone, e da questo si vede che mi ero affezionata veramente alla signora Cole, perché mi sarebbe bastato un niente a farle comprare quel pianoforte che io guardavo uscire dalla sua casa con occhi divorati dal terrore, ma alla fine le impedii di farlo, anche se lei ormai sarebbe stata pronta a farlo, ma io corsi via prima che lei se lo comprasse per liberare me da quel terrore, e da questo si capisce come davvero le fossi affezionata, io che ho preso come regola di non lasciare che nulla scalfisca il mio piano di corrompere ogni famiglia che il caso mi

Cos'ha questo pianoforte che non va?, mi ha chiesto Ultimo.
Niente.

27 aprile 1923
A Butford, sabato, c'era una gara di automobili. Per la fiera della città. Ma Ultimo non voleva venirci. Tu sei matto, ce l'hai con le automobili da corsa, con la pista e tutto, è il *tuo sogno* fare una pista, e poi c'è una gara e non la vai a vedere.
Quello è un circo, ha detto lui.
Mi ha spiegato che sono tutti d'accordo, fanno delle finte gare, anche divertenti, ma poi sanno già loro chi vince. Serve per le scommesse, e perché le automobili piacciono alla gente.
Ci sono andata da sola.
Ultimo, ho visto la pista come dici tu, proprio quella cosa lì. Era un ovale di terra, tutt'intorno al parco, e le macchine giravano in continuazione, proprio come
Cenere. Non è terra, mi dice lui. Usano la cenere e poi la innaffiano di acqua, o olio. Sapeva tutto. Gli ho chiesto che senso aveva portarsi dietro un sogno che hanno già realizzato in un

posto di merda come Butford. Si è molto innervosito.

Primo: quella è una pista per cavalli. La usano per le auto ma è lì per i cavalli.

Secondo: è un ovale. Che pista è una pista in cui giri sempre da una parte? Va bene per un cavallo, ma l'automobile è un'altra cosa.

Mi pareva di aver capito che anche tu volevi farla così, rotonda, perfetta, come l'isolato di tuo padre, non mi avevi detto che era come l'isolato di tuo padre?, e arrivavi dove partivi, ma questo era comunque un finire *da un'altra parte*? Non ci capivo più niente.

Senti, Elizaveta. Vuoi provare a capirmi?

Sì.

Allora sta' ad ascoltarmi.

Sì.

Negli ovali corrono i cavalli. Le automobili vanno sulle strade e le strade vanno in mezzo al mondo. E infinite sono le curve che possono fare. Ce l'hai nella testa questa meraviglia?

Sì.

Adesso toglila via dal mondo. Dagli alberi contro cui si va a sbattere, dalla gente che attraversa la strada, dagli incroci che nessuno può stare a controllare, dai carretti che vanno e vengono, dalla polvere e dal casino. Prendi solo la meraviglia, il gesto pulito che fende lo spazio e il tempo, la mano dell'uomo che sul volante ridisegna la traccia della strada, e la *assolve*. E mettila in mezzo al nulla. Ce l'hai?

Sì.

Molte curve, Elizaveta, tutte quelle che ho visto nella mia vita. Il profilo del mondo. In mezzo al nulla.

Sì.

Accendi il motore e parti. E gira. Gira fino a quando ogni curva scompare in un unico gesto che inizia e finisce nello stesso punto, e scompare dentro a se stesso. Allora ti sembrerà un cerchio perfetto, chiuso e perfetto. Tutta la tua vita in quel cerchio. Ma è nella tua testa, il cerchio, non nella realtà. C'è solo dentro di te.

Non so.

È una sensazione.

Sì, forse.

È quella cosa lì.

Sì.

E adesso ripensa a Butford, Elizaveta.

Butford.

Sì.

Okay, lo sto pensando.

Cosa ti sembra?

Uno schifo.

Ecco.

Ma nessuno c'ha mai pensato a fare una cosa come quella che dici tu? Una pista come quella?

Non so. Io non ne ho mai vista una.

E tu la farai.

Sì.

Sei pazzo.

Ho la febbre, stasera. Mi sento la febbre. Fa freddo, vorrei un'altra stanza, un'altra coperta, un'altra vita. Non ce la faccio più. Non ce la faccio più.

11 e 24 p.m.

Domani non vado a lavorare. Non ci pagano quando non lavoriamo. Siamo schiavi. Deve finire tutto questo.

Tre di notte. Febbre alta. Ho paura. Per favore per favore.

2 maggio 1923
Venuto il medico, mani unte, voce grassa, quando è entrato io
Febbre, medicine, mi sento bruciare dentro.
Non posso lavorare.
Adesso un po' meglio.

3 maggio 1923
Scritto a mia sorella. Non ce la faccio più. Mi umilia ma le ho
chiesto se ha qualche idea per venire fuori da questa
Una lettera *umiliante*.

La vicina è una russa. Storie di Russia. Non me ne frega niente.
Mia madre era *costantemente* umiliata.
Qualcosa dovremmo avere imparato.
Tutte le medicine per terra.
Ultimo mi aiuta.
Pioggia.
Mi stanca scrivere. Mi stanca tutto.

4 maggio 1923
Una bella canzone cantata da qualcuno stamattina per la strada.
A volte basta poco.
Devo riprendere il mio lavoro. Il mio piano.

Ho chiesto a Ultimo perché non si va a prendere quel tesoro. Ti
avevo detto che potevi leggere le lettere ma non dovevi parlarne
mai.
Sono malata, Ultimo, dimmi perché non vai a prendere quel
tesoro.
La storia è che il suo amico Cabiria ha nascosto un tesoro da un
prete, in Italia, un tesoro che avevano rubato mentre si ritirava-

no dal fronte. L'ha lasciato a un prete e poi è finito in galera. Non ci uscirà più, così questo Cabiria vorrebbe che Ultimo andasse a prenderselo e se lo godesse anche per lui.

Ci potresti fare la tua pista, ho detto a Ultimo.

Non voglio quei soldi.

Perché?

Secondo lui Cabiria li aveva traditi, là, in guerra. Li aveva abbandonati sul più bello per scappare. Così lui era finito in prigionia. E un altro era stato fucilato.

E allora?

Cabiria non esiste più, ha detto.

Secondo me è una follia, se uno dovesse stare attento a tutti quelli che lo tradiscono, non è una cosa furba. Ultimo è stupido perché non sa perdonare.

Non è questione di perdonare, io Cabiria l'ho perdonato. Ma non esiste più, per me. La memoria è importante. Non esistono colpevoli, ma esistono persone che cessano di esistere. È il minimo che possiamo fare. È giusto.

Tu sei pazzo, Ultimo. Prendi quei soldi.

Ti ho detto di non parlare più di quelle lettere.

Però tu le tieni, non le butti.

Si è alzato e se n'è andato.

Poi è tornato. Per dirmi che bisogna rimettere in ordine il mondo quando qualcuno lo mette in disordine. È pazzo.

Il mio piano di *corrompere* ogni famiglia in cui lavoro è un modo di mettere in ordine il mondo?

A proposito. Guai con la polizia. Ma non rischio niente. È per quella storia dai Curtis. Non possono dimostrare niente.

Aspetto la risposta di mia sorella.

Domani torno a lavorare. Guinness, poi Lambert e Calkerman. Che palle.

Ci vado *io*, a prendere quel tesoro.

7 maggio 1923
Dai Curtis all'inizio avevo pensato alla moglie. Gente ricca,
annoiata. Già ce l'avevano il pianoforte ma io gli son piaciuta.
La moglie aveva smesso da anni, si è rimessa a suonare. Non
aveva niente da fare. Mi trattava come una figlia. Però la cosa si
può fare solo se comprate un altro pianoforte. L'hanno comprato. Per la noia, quelli fanno di tutto. La signora aveva un giro di
amiche con cui, per la noia, finiva a fare certi giochetti. Immagino che facesse parte della sua idea di *fedeltà*, farsela con le
donne. Ovvio che io abbia pensato a lei. Un giorno mi chiede
se voglio provare dei suoi vestiti. Dico di sì. Mi vesto e mi sve-
sto, davanti a lei. Le piaceva e io facevo finta che mi piacesse.
Siamo state lì lì per finire sul letto. Ma volevo cuocerla a fuoco
lento. Solo un bacio. Poi sarebbe andata come doveva andare,
ma venne il giorno di quella festa.
La signora aveva deciso di fare una festa in cui io avrei suonato.
Naturalmente sarai pagata, per questo, mi dice. La sera mi trovo
seduta sulla veranda con il signor Curtis. Lui beve. Anche per
lui devo essere diventata qualcosa come una figlia. La gente è
così sola che
A un certo punto lui scoppia a piangere. Poi mi dice che non ha
i soldi per pagarmi, non ha i soldi per pagare niente, di quella
festa, non ha più un soldo e ogni mattina fa finta di andare a
lavorare in un ufficio che non esiste più. Sta al caffè e da lì cerca
di rimettere a posto le cose. Sono un uomo rovinato, mi dice.
Prima io penso che si sono corrotti da soli, quelli, poi mi viene
in mente che però posso dargli una spinta. Così, giusto per
tenere fede al mio piano. Dico al signor Curtis che ho un'idea.
Non so come mi vengano in mente certe idee. Ho del talento.
Così a un certo punto della festa tiro fuori certe foto della Sibe-

ria e di quelli che sono stati spediti laggiù dai bolscevichi. È quel genere di roba che mi manda mia sorella. A me non fanno proprio nessun effetto. Non mi importa nulla di quel che succede laggiù, e da troppo tempo ho deciso di   Io non c'entro.

Insomma dico qualcosa su quella povera gente e poi dico che il signor Curtis mi ha incoraggiata a raccogliere dei fondi da mandare laggiù e lui stesso ha aperto le contribuzioni con la sorprendente somma di 300 dollari. Tutti si son messi ad applaudire. In quel genere di mondo la beneficenza è una specie di sport. È importante la classifica. Si son messi tutti a scucire somme da capogiro. Ho incassato tutto facendo finta di commuovermi. Incredula. Poi ho girato tutto, in segreto, al signor Curtis. Restituirò tutto, mi ha detto lui, che probabilmente era anche un brav'uomo. Ne sono sicura, ho detto.

Poi, quando sono scaduti i sei mesi, li ho salutati e me ne sono andata. Prima però ho scritto una lettera anonima a tutti i sottoscrittori per la Siberia, consigliandoli di controllare dove erano finiti i loro soldi. Credo che il signor Curtis si sia sparato, qualche mese dopo. Ma tanto lo avrebbe fatto comunque.

La truffa è sua, non ho niente da temere dalla polizia. È inutile che mi cerchino. Tempo perso.

L'importante è cambiare zona di frequente, questo sì. Ultimo non capisce perché ma io sì.

L'America è grande, non c'è problema.

Quanto rimarrò qui?

Quanto rimarrà qui Ultimo?

Magari un giorno, a furia di cavalcare, i bolscevichi arriveranno fino a queste pianure e noi dovremo un'altra volta togliere il disturbo.

Io vorrei vivere dove la Storia non arriva. C'è un posto che è esente dalla Storia? Allora vorrei vivere lì.

Io sono una clandestina che dorme nascosta sulla grande nave della Storia.

Ultimo è un clandestino.

Sono i vili quelli che si sono imbarcati con il biglietto e tutto. A loro importa dove la nave va. A noi no.

Ma poi non so.

9 e 55 p.m. la clandestina va a dormire.

14 maggio 1923

Risposta di mia sorella. Quella donna è incorreggibile.

C'è questo Vasilij Zarubin, un proprietario terriero che mi ha scelta quando avevo 10 anni. Sarei diventata sua moglie, così aveva deciso mio padre. A me non importava niente. Si era un po' rimandata la cosa, per certe mie malattie, e poi è venuta la Rivoluzione. Beh, questo Vasilij Zarubin è ancora sempre là, vive a Roma ed è ricco il doppio di prima. Era un uomo gentile. La notizia è che lui sarebbe sempre disponibile a sposarmi. Mia sorella non ha dubbi sul fatto che io   Ha una donna, adesso, ma sembra che non ci sarebbe problema se io   Mia sorella dice che io saprei cosa fare. Questo sì. Non ha torto.

Vasilij, amore mio.

Mi piace pensare che potrei tornare a essere ricca in una ventina di giorni. Il tempo di un viaggio fin laggiù. Molto bene. Bene bene bene.

Per la felicità ho detto a Ultimo di venire a dormire con me. Adesso è lì, girato dall'altra parte. Ha una nuca sottile, e grandi orecchie ridicole. Lunghe gambe magre. Dorme.

Ecco cosa farò adesso. Mi metto nuda e poi mi stringo a lui. Gli passo la lingua sulla pelle della nuca, lui si sveglia, io gli sussurro nell'orecchio Non voltarti, resta fermo, sta passando un angelo. Poi prendo il suo sesso in mano e lo accarezzo. A lungo. Mi fermo sempre un attimo prima che venga. Poi ricomincio. Alla fine lo faccio venire, accarezzandolo molto lentamente. Poi mi addormento con la testa fra le sue spalle.

10 e 34 p.m.

Non farò proprio niente del genere.

Voglia di accarezzarmi.

17 maggio 1923

È venuta la polizia. Era proprio per quella storia dei Curtis. Ho detto tutto quello che sapevo. Il signor Curtis si è effettivamente sparato, qualche mese dopo. Bene. Dicono che forse dovrò andare a testimoniare da qualche parte. Quando volete, ho detto. Mi spiace per il signor Curtis, ho detto.

Solo un po' di paura.

Le volte che ho avuto veramente paura:

L'incendio a Balkaev, da bambina.

Sul treno, quel giorno.

E prima, quando i bolscevichi passavano al galoppo per le strade.

Tutte le volte che sono salita su una nave.

Poi tutte le volte che ho paura senza che ci sia niente da aver paura. È come un pianoforte che si mette a suonare da solo, senza che nessuno lo suoni.

Pianole del cuore.

Quando vivrò con il signor Vasilij Zarubin non vorrò pianoforti in casa mia, né pianole, né niente. Siamo spiacenti ma la Signora non sopporta di ascoltare musica, nessun tipo di musica. Fa un'eccezione solo per *Going back*. Sì, è una canzone. La Signora sopporta solo quella.

Canteranno per me *Going back*.

Vasilij, amore mio.

A Ultimo non piace la polizia. Gli fa paura. Un giorno, anni fa, la polizia andò a casa sua, in campagna, e si portò via suo padre.

Stavano indagando su quell'incidente, quello in cui era morto il conte, e non tutto gli tornava. Così presero suo padre e per due giorni lo interrogarono per bene. Si erano convinti che c'entrasse qualcosa con quella strana sbandata. Sembrava che qualche testimone avesse visto cose strane.

Sotto sotto era una questione di soldi, mi ha detto Ultimo.

Ma non mi ha voluto spiegare.

Non gli piaceva quella storia che prendevano suo padre per un assassino. Così la polizia non gli era più andata giù, da quel giorno.

Ma è una storia di cui non vuole parlare.

Una delle tante.

Così per tutto il tempo che c'è stata la polizia lui ha vagolato con il furgone in giro per la campagna.

Qui la campagna è fantastica, dappertutto sembra la terra promessa.

Ogni tanto una casa, ma sempre nel silenzio, come se fosse lì solo per farsi guardare.

Essere qui solo per farsi guardare. È il principio di mia sorella.

Mia sorella è una fattoria nella campagna, in una luce eterna di tramonto, oh yes.

Anche un cane, vorrei. Quando sarò ricca. Un cane. Dovrò fare dei bambini, ma soprattutto vorrò un cane. Fedele.

Un giorno, in un inverno feroce, dalle parti di Valstock, o più in là, dalle parti della casa di Norma, tutt'a un tratto venne fuori dal bosco un

11 e 05 p.m.

19 maggio 1923

Tutt'a un tratto Ultimo è sparito. Il furgone l'hanno trovato al paese. Aperto. Era tutto a posto, ma lui non c'era. Qualcuno l'ha visto che saliva su un camion, sulla strada per Pennington.

Ma non è nemmeno sicuro che fosse lui.

Sono andata a guardare nel doppio fondo, sotto i sedili. I suoi soldi non c'erano. Anche le lettere, non c'erano più. La sua roba, nel furgone, sembrava ancora tutta lì.

Tornerà.

Ne ho approfittato per non andare a lavorare. Tutto il tempo a fantasticare su Vasilij amore mio. Non era né bello né brutto. Forse un po' grosso, per me.

Quando gli uomini facevano la corsa dei cavalli, nel grande prato, e noi tutte restavamo allo steccato, vestite con grande eleganza, osservando la corsa come tante madri che

Mi sono messa davanti allo specchio e mi sono pettinata come mi pettinavo allora.

Qui in America non hanno gusto, e le signore ricche sfoggiano gioielli che mi fanno ridere. Noi avevamo gioielli magnifici. Ogni gioiello aveva una storia, e non c'era praticamente una perla, sulla nostra pelle, per cui un uomo non si fosse, in passato, ucciso: o per amore, o per i debiti. Così portare i gioielli era come portare addosso la nostra atavica vocazione alla tragedia. Sapevamo che per nulla al mondo avremmo dovuto interrompere quella catena di sangue. Essa era la nostra vita.

Dove sono adesso i miei gioielli.

Non ci devo pensare.

Non esistono più. Io, non esisto più.

20 maggio 1923

Mi son fatta portare al lavoro dal sig. Blankct. Non mi piace, perché il signor Blanket guida da cani. Lui è convinto di essere in diretto contatto con Dio. Si parlano. Dio gli dispensa consigli e suggerimenti. È già successo che gli desse utili indicazioni sulla Borsa. Pensa te.

Ho telegrafato alla Steinway & Sons per avvertirli di Ultimo.

Se ne sapevano qualcosa. Aspetto una risposta.

Ultimo è pazzo. Lo licenzieranno.

Non sarà per quella cosa dell'altra notte.

Ottimi risultati dagli Stevenson. Praticamente la figlia non mangia più. Loro si macerano nella preoccupazione e hanno già iniziato a scaricarsi le colpe uno sull'altro. Li ho convinti che lo studio del pianoforte è un'ottima medicina. Altri tre mesi di lezioni.

10 e 51 p.m.

Dormo con la luce accesa.

21 maggio 1923

Temporale. Odio i temporali. I tuoni erano così forti che ho dovuto smettere di fare lezione. Siamo andati alla finestra a veder cadere la grandine. Lì per lì mi sono immaginata di vedere Ultimo, sotto un grande ombrello, che tornava.

Nessuna risposta dalla Steinway.

Devo scrivere a mia sorella per sapere quanti soldi ho messo da parte. Ma non ho voglia di farlo. Non ho voglia di far niente, in questi giorni.

Elizaveta. Mi viene solo da scrivere il mio nome.

Elizaveta.

Elizaveta.

Elizaveeeeeta.

Non voglio temporali, stanotte.

22 maggio 1923

Nessuna notizia.

Ultimo. Che diavolo fai.

Ho pensato che ci sia di mezzo quella dannata storia della pista. Forse ha incontrato qualcuno. Forse si è deciso a recuperare quel tesoro.

Sono tornata nel furgone e ho guardato bene la sua roba. Anche i disegni, quelli se li è portati via.

Poteva dirmi qualcosa, però.

Ho scritto la lettera a mia sorella. Non so se la spedirò.

Ore 11, Stevenson.

Ore 3, Mc Mallow.

Ore 5, Stanford.

Gli Stanford desiderano che i loro due figli non suonino musica composta da ebrei. Scarlatti era ebreo? Che ne so, io. Devo cercare musica di ebrei da fargli suonare di nascosto. Musica kosher, eh, eh.

Sono tutti pazzi.

11 e 17 p.m.

23 maggio 1923

Fonogramma della Steinway & Sons. Ultimo si è licenziato. Mi mandano un altro. Mi chiedono se Ultimo si è portato via dei soldi. O materiale della ditta.

Ultimo, che è successo? Perché nemmeno una riga, per me?

27 maggio 1923

Neanche una riga per me, che te ne ho regalate tante. Ultimo, mi piaceva come mettevi le mani nei pianoforti, che sembrava avessi paura di fargli del male. Ultimo, mi piaceva come raccontavi le storie a metà. Ultimo, mi piaceva il tuo nome, e come dormivi. Ultimo, mi piaceva che parlavi sottovoce. Mi piaceva che ti piacevo.

E mi dispiace per quella notte là.

Ma cosa possiamo mai fare se

Farewell, amico mio.

Oggi, 27 maggio 1923, finisco di scrivere questo diario, perché Ultimo non tornerà più.

Elizaveta Seller, 21 anni.
Fino a quando non tornerai.

ITALIA, Lago di Como, 6 aprile 1939

Sedici anni dopo.

Da non crederci. Cosa si fa da giovani. Ho riletto il diario, dopo tanto tempo. Ero io quella ragazzina? Faccio fatica a riconoscermi. Ma come facevo a inventarmi tutte quelle cose? Non ho più la fantasia di un tempo. Quante virtù si perdono. Forse quelle inutili.

La storia più incredibile è quella delle famiglie. *Corrompere* le famiglie. Ma come mi è venuta in mente. Mai fatto niente del genere. Alcune me le ricordo anche, di quelle famiglie. I Cole, ad esempio. Brava gente. Il figlio era una peste, mi piaceva da pazzi. Capelli rossi, lentiggini. Sembrava uscito da un libro. Altro che demonio! Gli portavo un regalo ogni volta che andavo. Piccole cose, perché ero povera davvero, quello non me l'ero inventato. Accidenti com'ero povera.

Ero solo una ragazzina silenziosa che non aveva nessuno. Vista da qui, da questi quarant'anni, mi vedo lontana e piccola, tutta sbagliata, ma così fiera, nonostante tutto, una bambina che camminava con la schiena dritta, i capelli ben pettinati, senza sapere assolutamente dove andare.

E il signor Farrell, così alto ed elegante?, non gli ho certo fatto fare una bella fine. Con i pantaloni abbassati davanti alla moglie in lacrime. Non se lo meritava. In realtà me lo ricordo come un uomo gentile, e pulito. Aveva classe, per esser un americano. Va da sé che mi ero innamorata di lui. Aveva della malizia quando mi accompagnava a casa? Chi lo sa. Mi ricordo ancora il suo profumo, quella volta che si è sporto verso di me, prima che scendessi dalla macchina, e mi ha baciato sulla guancia. Adesso che ho la sua età, leggo in quel bacio tante cose. Anche della malizia, certo. Adesso che ho conosciuto quella fitta struggente, di quando hai desideri troppo più giovani di te, adesso mi sembra di riconoscerla nel sorriso con cui mi lasciò scendere dalla macchina. Ma allora... Ero rimasta anche un po' delusa. Mi era sembrato un bacio da padre a figlia. Non sapevo nemmeno io cosa aspettarmi. Non sapevo niente. È impressionante come già si viva, e da grandi, quando ancora non hai capito niente della vita vera, della vita adulta.

Scrivevo tutto per Ultimo, questo lo so. Dimenticavo il mio diario dappertutto, ogni giorno, lui leggeva e lo rimetteva allo stesso posto. Non mi ha mai detto niente. Ma io sapevo che leggeva. Avevamo quelle due giovinezze recluse, quella specie di esilio insensato, e l'unica cosa era immaginare tutto quello che non avevamo. Storie. Lui aveva la sua pista, nel nulla, fatta con tutte le curve che aveva rubato al mondo. Io scrivevo per lui. Per me. Chissà.

Eravamo lontani da tutto. Troppo lontani.

Solo adesso so che è una delle cose più belle che ho fatto. Quei mesi con Ultimo. A portare in giro pianoforti. E le sere a scrivere per lui. Ogni tanto riscrivo le storie che mi aveva raccontato lui. Mi piaceva farlo diventare un personaggio da romanzo, un'invenzione. Volevo che sapesse che era una persona speciale, di quelle che si leggono nei libri, di quelle che lui leggeva nei fumetti. Un eroe. Ecco, forse volevo sapesse che lui era un eroe.

Dirglielo, questo mai.

Io non parlavo mai. Anche adesso sono una donna educata, cordiale, ma niente più. Sono ammutolita in qualche istante dimenticato della mia fanciullezza, e poi non c'è stato più niente da fare.

Scrivere, ho scritto tanto. Ma scrivere è una forma sofisticata di silenzio.

Sono partita una settimana fa, ho preso un treno da Roma e sono venuta fin qui. Ci ho messo un po' a trovare il paese giusto, perché Ultimo era sempre un po' vago quando parlava di posti. Ho avuto mille volte la tentazione di tornare indietro ma alla fine sono arrivata davanti alla vecchia cascina, in mezzo alla campagna. C'era ancora, l'ombra sul muro della scritta di un tempo. Garage Libero Parri. Lo so che è assurdo. Ma che bella gente siamo, per essere capaci di fare cose del genere. A mio marito ho detto che dovevo assolutamente vedere un posto, e dovevo vederlo da sola. Ha capito. Forse dovrei dire che ho sposato effettivamente Vasilij Zarubin (Vasilij, amore mio), e ho avuto due figli da lui, e il privilegio di una vita ricca e posata. Abbiamo una bellissima casa, a Roma, dietro Piazza del Gesù, e l'estate andiamo al mare a Minorca, dove arriva ancora il vento dall'Oceano. La nostra casa è piena di quadri. Nessun pianoforte, come promesso. In questo non avevo mentito. Canticchio, ogni tanto, *Going back*. A bassa voce.

Sono una donna felice, come lo dovrebbe essere qualunque donna nel riverbero di questa età luminosa. Ho debolezze eleganti, e cicatrici charmantes. Non ho più illusioni sulla nobiltà delle persone, e per questo so apprezzare la loro inestimabile arte di convivere con le proprie imperfezioni. Sono clemente, alla fine, con me stessa e con gli altri. Così sono pronta a invecchiare, ripromettendomi di farlo negli eccessi e nelle sciocchezze. Se l'età adulta ti ha dato quello che volevi, la vecchiaia dev'esser una sorta di seconda infanzia in cui torni a giocare, e non c'è più nessuno che ti può dire di smettere.

Sono una donna felice, ed è probabilmente per questo che mi son trovata, sola, davanti a quell'ombra di scritta Garage. Giuro che per anni non ci ho proprio pensato più, a Ultimo, ai pianoforti, e alle lezioni da dieci cents. Quel diario l'ho conservato solo perché non butto mai via niente. Ho ancora i biglietti dei luna park della domenica, perché avrei dovuto perdere proprio quel diario? Ma era una storia finita, una delle tante. Poi quello che è successo non lo so di preciso, ma deve avere a che fare con la percezione che si ha, improvvisa, del proprio passato, in un giorno imprecisato del nostro invecchiare. Prima erano figure sullo sfondo, appena illuminate, e d'un tratto ecco ti si avvicinano piene di forma e luce, come uno spettacolo tardivo. Impossibile sottrarsi all'impressione che le devi *ricevere*, come invitati, come visite impreviste, come

Sono stanca.
22 e 45.
Voglio fare proprio come allora.
10 e 45 p.m.
Letto vuoto.
Non vado a dormire affamata. Non sono più andata a dormire affamata.
Elizaveta.
Elizaveta schiena dritta capelli ben pettinati.

Il giorno dopo.

Nella cascina c'era l'ombra della scritta Garage, ma loro non c'erano più. Una signora gentile mi ha detto che i Parri si erano trasferiti in città, ed era stato un sacco di anni fa. Una ventina, ha detto. Mi ha chiesto se sapevo dell'incidente. Qualcosa, ho detto. Si sono trasferiti in città, ha concluso lei. Sono ancora vivi, vero?, ho chiesto. Ha sollevato le spalle.

Il padre di Ultimo era l'unica cosa che potevo ritrovare, dopo tutti questi anni. Ultimo, proprio non so dove sia finito. E poi non so se vorrei incontrarlo, veramente. Avevo solo bisogno di sapere qualcosa di più di lui. Forse per sapere qualcosa di più *di me*. O magari è solo nostalgia. Come un bisogno di respirare il mondo che è stato nei suoi occhi. Toccare degli oggetti che l'avevano conosciuto.

Ho chiesto se era rimasto qualcosa del garage. La signora ha detto di no e poi ha fatto un cenno, verso la strada. C'erano dei vecchi copertoni, vecchi pneumatici stinti e grigi, mezzi sepolti nella terra, uno di fianco all'altro, come un breve steccato. Segnavano la via per qualche metro e poi più niente. Sono andata a toccarli. Ultimo, ho detto piano.

Forse avrei potuto cercare di raggiungere quel prete, a Udine, ma non era facile, e poi mi piaceva l'idea di vedere in faccia questo padre mitico, Libero Parri. Volevo sapere se Ultimo se l'era sognato o era proprio vero. Da ragazzi i genitori sono un sogno, su questo non c'è niente da fare. Sono il più grande dei sogni.

Non è vero che i miei genitori si sono uccisi con una dose di veleno nella loro proprietà di Basterkiewitz. Sono morti in Siberia, come schiavi.

Così sono andata in città. Libero Parri ha un furgoncino con cui fa trasporti. Lo posteggia in un minuscolo garage dove tiene anche un piccolo ufficio. C'è un'insegna che dice: Trasporti. Sulle pareti tante foto di gare d'automobili. E di motori. Sotto le cornici c'è sempre una didascalia, scritta a mano, con calligrafia ordinata che crolla sempre un po' a destra. I tornanti del Colle Tarso, dice una.

Sono rimasta fuori, per ore, ad aspettare che tornasse. E quando l'ho visto non ho osato avvicinarmi. Sono rimasta a guardarlo da lontano. Ha perso una gamba, nell'incidente. E deve avere qualcosa alla mano destra, perché la tiene sempre al riparo, senza usarla, se non per alcuni gesti elementari. Stringere il volante, tirarsi indietro i capelli. Libero Parri. Esisti davvero, allora.

Io ogni tanto nascondo le mani in grembo, sotto uno scialle, o una giacca, e suono Schubert. Mi piace sentire correre le dita. La musica passa nella mia testa, e questo non lo sa nessuno. Ho solo l'aria di essere finita da qualche parte nei miei pensieri. Io sto suonando Schubert, invece.

Il giorno dopo mi son fatta coraggio e ho attraversato la strada. Gli ho detto chi ero. Gli ho detto che avevo vissuto con Ultimo, per qualche mese, anni fa. In America. Vendevamo pianoforti. Mi chiamo Elizaveta.

Ha ripetuto il nome, come a cercare un ricordo. Sì, forse, ha detto. Forse Ultimo mi ha accennato qualcosa.

Era un sacco di tempo che non sentivo quel nome pronunciato da una voce che non fosse la mia. È stupido, ma forse solo in quel momento ho avuto la certezza che Ultimo esisteva veramente, a prescindere da me.

Questa misteriosa circostanza per cui le cose del nostro passato continuano ad esistere anche quando escono dal raggio della nostra vita, e anzi maturano, portando frutti nuovi ad ogni stagione, per un raccolto di cui noi non sappiamo più nulla. La persistenza illogica della vita.

Ci siamo seduti uno di fronte all'altra. Nel piccolo ufficio. È stato facile per tutt'e due parlare, non so perché. Lui aveva l'ansia che doveva tornare a casa, che Florence lo aspettava. Sembrava un po' *spaventato* dalla moglie. Lo sono tutti gli uomini, a una certa età, ma in lui c'era un'inflessione particolare, come la mitezza degli animali domestici. A un certo punto ha deciso che ormai era definitivamente in ritardo e che tanto valeva non pensarci. Ci ha riso su. Mi chiamo mica Libero per niente, ha detto, ridendo. Con l'aria di provare a convincere soprattutto se stesso.

– Non me lo vedo mio figlio che ripara pianoforti –, mi ha detto.

– Ci sapeva fare.

– Tutto il tempo a chiedersi dov'era il radiatore, mi sa.

– No, ci sapeva fare davvero.

– Si guadagnava bene?

– Insomma...

– D'altronde non era quello, il problema, per lui...

– Ah no?

– Beh, lui è ricco sfondato.

– Chi, Ultimo?

– Non gliel'ha detto?

– Eravamo poveri in canna, tutt'e due, per quel che ne so io.

– Sbagliato, cara la mia signora.

– E allora perché campava vendendo pianoforti?

– Diciamo che lui potrebbe essere ricco, se solo lo volesse. Vuole sapere la storia?

– Mi piacerebbe.

– È un po' complicata.

– Non ho fretta.

– Bene, neanch'io. Non più. Ultimo le ha raccontato qualcosa del conte?

– Sì, so chi è. So com'è morto. E so che è il padre di suo fratello.

– Salute!

– Mi spiace di essere stata brusca.

– No, no, mi piace così, mi va bene così.

– Mi scusi.

– Anche Florence è fatta così. Ci sono abituato. Mi è sempre piaciuto, anzi, se devo dirle la verità. Solo le donne sanno farlo.

– Mi scusi.

– Va be', insomma, il fatto è che il conte gli ha lasciato un'eredità niente male. Case, azioni, un sacco di soldi. Un patrimonio.

– Il conte?

– Si era fissato, con Ultimo, diceva che era un ragazzino speciale. E così, senza dire niente a nessuno, aveva fatto un testamento con cui gli lasciava questo e quello. Chi fa le gare d'automobili fa sempre testamento, capisce?

– Sì.

– La cosa è anche un po' comica perché, nel caso, sarebbe stato meglio che avesse lasciato tutto al suo figlio vero, non a Ultimo. Ma non lo sapeva ancora, capisce?, quando ha scritto il testamento non lo sapeva ancora che...

– Già.

– E così ha lasciato tutta quella roba a Ultimo.

– Incredibile.

– La cosa più incredibile è che è ancora tutto in banca. Ultimo non ha voluto mai toccare niente. Non ne vuole sapere, di quella storia. Così i soldi rimangono là dentro e si moltiplicano.

– Non li ha presi?

– Che io sappia, no.

Allora mi è venuto da pensare a quella storia del tesoro, e dell'amico in galera, e del prete di Udine. C'era una montagna di denaro, sulla testa di Ultimo. E lui non ne voleva sapere. Io ne ho conosciuti, di uomini ricchi, ma una ricchezza assurda come quella di Ultimo non l'ho mai incontrata.

– È una cosa da lui –, ho detto.

– In che senso?

– Non so, non è che io l'ho conosciuto così bene, ma mi sembra proprio da lui non toccare quel denaro. Lui era così, se c'era qualcosa che non gli era piaciuto, nella sua vita, allora quella cosa non esisteva più, la cancellava. Quei soldi non esistono più per lui. Non gli piaceva quella storia dell'incidente, del fratello, tutta quella storia.

– Lei non è buona con me.

– Mi scusi.

– Lasci perdere.

– Ma non volevo dire che lui non vi vuole bene, lui vi adora, mi creda, è che è il suo modo di fare i conti col dolore, cancella tutto, non è capace...

– Lasci perdere.

– Mi creda, Ultimo parlava sempre di lei.

– Ah sì?

– Dio mio, mi ha fatto una testa così. Io ho vissuto mesi con le avventure di Libero Parri, lei non può credere...

– Non dica sciocchezze.

– Le giuro. Quella volta a Torino, lei se lo ricorda quando siete andati a Torino, voi due da soli...

– Dal dottor Gardini, eravamo andati dal dottor Gardini. Aveva una segretaria con la gamba di legno. E adesso eccomi qui, anch'io, con la gamba di legno, dovrei tornare laggiù a fargliela vedere...

– Lei si ricorda la sera, che vi siete andati a fare un giro, nella nebbia?

– Non so, siamo andati al ristorante, questo sì, sarà stata la prima volta...

– Se lo ricorda che dopo siete finiti a girare intorno a un isolato, nella nebbia, per ore, e lei parlava e parlava...

– No, non me lo ricordo, avevamo anche un po' bevuto...

– Ultimo non se l'è mai dimenticato, lo sa?

– Intorno all'isolato?

– Camminavate e vi siete persi, girando intorno a un isolato.

– Non so. Mi ricordo che abbiamo dormito in un albergo che si chiamava Deseo. Lì per lì avevo creduto che ci fosse un bordello e ci avevo fatto anche un pensierino.

– Ultimo ci è cresciuto in quella vostra camminata, mi crede?

– Può darsi.

– Non sa le volte che me l'ha raccontata.

– Può darsi.

– Mi scusi ancora, non volevo essere brusca.

– Non ci pensi. Parliamo d'altro, vuole?

– D'accordo.

– Lei è ricca, vero?

– Io i soldi li ho presi, sì. Ho sposato un uomo molto ricco.

– È un brav'uomo?

– Non è cattivo, no. Non lo è mai.

– E lei lo ama?

– Sì, credo di sì.

– Questo aiuta.

– Sì.

– Lo sa come si fa a riconoscere se qualcuno ti ama? Ti ama veramente, dico?

– Non ci ho mai pensato.

– Io sì.

– E ha trovato una risposta?

– Credo che sia una cosa che ha a che vedere con l'aspettare. Se è in grado di aspettarti, ti ama.

– Beh, allora io sono a posto. Mio marito mi ha scelto quando io ero una bambina di dieci anni. Si usava così, allora. Mi ha visto, mi ha parlato una volta, lui era un signore di trent'anni. È andato da mio padre e gli ha chiesto di sposarmi. E poi si è messo ad aspettare. Ha aspettato per dodici anni, no, di più, tredici, quattordici, non mi ricordo neanche bene. Ma insomma, per un sacco di tempo sono sparita nel nulla, e quando sono tornata lui era lì che mi aspettava. C'era stata una rivoluzione di mezzo, eravamo finiti agli estremi opposti del mondo, ma

186

quando mi ha vista tornare, sa cos'ha detto?

– Aspetti che mi metto comodo. Me la voglio godere.

– No, niente di speciale, non è un uomo di grande fantasia.

– Provi.

– Mi è venuto incontro e mi ha detto: non importa.

– Bravo.

– Baciandomi la mano. Non importa, Elizaveta.

– La ama.

– Sì.

– E adesso dov'è?

– A casa.

– Gliel'ha detto cosa veniva a fare qui?

– Non ce n'è stato bisogno.

– Lo dica a me, allora.

– Cosa.

– Cosa è venuta a fare qui.

– Domanda difficile.

– Vuole pensarci un po'?

– No... è che non è semplice... volevo vedere il garage. Forse volevo vedere lei. Credo che avessi bisogno di rimettere qualche pezzo a posto. Quando si è giovani ci si lascia dietro un sacco di cose a metà... poi la vita ti lascia più tempo... ti viene da tornare indietro a dare un'ultima riordinata. Ma poi non so. Forse la mia felicità mi stava annoiando un po'.

– L'ha mai più visto, Ultimo?

– No. E lei?

– Non l'ho più visto, no. Se n'è andato un giorno e non l'abbiamo più visto. Lì per lì non mi ero preoccupato, c'era pieno di gente tornata dalla guerra, e nessuno si trovava più, nella vita normale, così molti si mettevano a girovagare. Ero sicuro che sarebbe tornato. E invece lui se n'era proprio andato per sempre.

– Le scrive, ogni tanto?

– Ogni tanto. Una, due lettere all'anno. Chiede se abbiamo bisogno. Ma racconta poco. Dice che va tutto bene. E poi si scusa sempre. È la cosa che mi fa imbestialire. Cosa c'entra chiedere scusa? Se qui ci mettiamo a chiedere scusa non finiamo più.

– Lei è stato un magnifico padre.

– Può darsi.

– Se deve andare, non faccia complimenti, me lo dica.

– Sì, è davvero un po' tardi.

– Sua moglie sarà preoccupata.

– Sì. Vuole venire con me, vuole conoscerla?

– Io?

– Lei, sì.

– No, non credo che... no, va bene così.

– Non morde, sa?

– Lo so, non è quello, è che non so, va bene così.

– D'accordo.

– Un'altra volta, magari.

– Mi dice un'ultima cosa, Elizaveta?

– Sì.

– Mio figlio, cosa le ha raccontato dell'incidente?, voglio dire, le ha mai detto che... insomma che alcuni pensavano che fosse colpa mia, che l'avessi ucciso, io, il conte?

– Non gli piaceva raccontare quella storia.

– Sì, lo so, ma qualcosa gliel'ha detta?

– Qualcosa.

– E lei s'è fatta un'idea di cosa aveva in testa?

– Non pensava di essere figlio di un assassino.

– Ma ne era proprio sicuro?

– Sì, credo che ne fosse proprio sicuro.

– Grazie. La ringrazio davvero.

– Davvero la accusarono di omicidio?

– Fu la famiglia del conte. Quella stranezza dell'eredità li aveva fatti imbufalire, e così... se ne vennero fuori con quella storia dell'omicidio...

– Per riprendersi i soldi?

– Credo di sì. All'idea dell'omicidio arrivarono per quello che avevano raccontato alcuni testimoni. Dicevano che d'improvviso, senza ragione, l'automobile aveva puntato verso una fila di platani, fuori dalla strada, e che nel momento dell'impatto io ero sporto dal mio sedile e stringevo con entrambe le mani il volante.

– Avevano pagato i testimoni?

– No. Era tutto vero.

– Anche le mani sul volante?

– Sì. Qualcuno disse anche di aver udito la voce del conte che gridava "No, no".

– Ma era assurdo, ci sarebbe morto anche lei, là dentro.

– Adesso abbia pazienza, ma davvero non mi va di dirle altro.

– Non mi dice la verità?

– No.

Allora io gli chiesi se l'aveva ucciso lui.

Libero Parri sorrise.

– Lei è proprio come Florence. Non ha paura delle parole. Lo sa come andò, quella mattina, la mattina della gara? Il conte mi viene a prendere, e Florence ci si mette davanti, a tutt'e due, dopo aver spedito Ultimo da qualche parte. E ci dice: io aspetto un figlio. E non so chi di voi due è il padre. Mi ammazzerei per quello che ho fatto, ma adesso è troppo tardi. Non dite niente. Andate a fare questa stupida gara. Dopo troveremo una soluzione. Mi spiace. Andate e non fate idiozie, che a quello ci ho già pensato io. E se ne va. E io lo sapevo che c'era qualcosa tra loro, cioè lo sapevo e non lo sapevo, insomma *me l'aspetta-vo*, questo non mi chieda di spiegarlo. Ma fu una botta tremenda. Salimmo in silenzio in macchina e andammo alla partenza. C'era ancora un po' di tempo, e andammo a sbronzarci. A un certo punto il conte mi disse che avremmo dovuto scazzottarci o qualcosa del genere. Disse che i veri uomini facevano così. Continuammo a bere. Partimmo che eravamo ubriachi. Se li riesce a immaginare due uomini così, con quella storia, che si sparano a 140 all'ora in mezzo alla campagna?

– Forse.

– Se vuole sapere la verità la chieda a Ultimo. Lui la sa. A lui ho detto tutto.

– Io non lo rivedrò mai più, Ultimo, signor Parri.

– Adesso devo proprio andare.

– Come vuole.

– Non la voglio vedere con quella faccia. Sono storie vecchie di trent'anni, se ci pensa bene non gliene frega niente. È per Ultimo che lei è venuta qui. Non si lasci prendere dalla curiosità di sapere chi è l'assassino. Quello va bene per i polizieschi. Sono i parrucchieri che leggono i polizieschi.

– Davvero?

– Da noi è così. Li legge il barbiere e poi ce li racconta mentre ci fa la barba. Così ci risparmia la fatica, capisce?

– È un bel sistema.

– Ci abbiamo provato anche con i libri veri, ma non ha funzionato.

– No?

– L'idea che ci siamo fatti sui libri è che se non riesci a raccontarli nel tempo di una rasatura, allora sono letteratura. E quella non fa per noi. Lei legge?

– Sì. Ogni tanto scrivo anche.

– Libri?

– Mi è capitato.

– Fantastico.

– Sì.

– Lo sa che Fangio non scende mai in pista se non ha appena fatto la barba? È una sua ossessione.

– Non sono sicura di sapere chi sia Fangio.·

– Non lo dica nemmeno per scherzo.

Tante altre cose, però, che non ricordo più, o che sono difficili da scrivere. Per ore siamo stati lì, in quell'ufficetto. Poi gli ho chiesto se potevo accompagnarlo. Mi ha detto di sì. Dio come sono stanca. Ho scritto un sacco.

11 e 41 p.m.

Il giorno dopo.

Camminando, lui faticava un po', per via della gamba di legno. Mi ha detto che io non ero la prima persona che si faceva viva, da lui, proveniente dalla vita di Ultimo. Un vecchio professore dell'università, un matematico, era stato lì, anni prima. Voleva sapere se Ultimo era riuscito a realizzare il suo sogno. Una pista nel nulla.

– Io non ne sapevo niente di quella stranezza. Ho cercato di farmela spiegare dal professore ma ci ho capito poco. Lei ne sa qualcosa?

Gli ho raccontato tutta la storia della pista nel nulla, con tutte le curve rubate da Ultimo al mondo.

Che idea, ha detto. Ci sono le strade, per le corse automobilistiche. Non c'è bisogno di nient'altro.

Se c'è una cosa che mi ha sempre affascinato è la cecità che hanno i genitori per i sogni dei figli. Proprio non li vedono. Non lo fanno per cattiveria.

Poi si è fermato e mi ha detto che non potevo capire nulla di lui e Florence, se non capivo da dove venivano. Per lei è difficile anche solo immaginarselo, mi ha detto. Noi venivamo da un mondo che non sapeva cos'era la gioia della vita. Era solo un'agonia, un castigo. Vita da contadini. Lei non ha idea. Le voglio dire una cosa di mio fratello. Ha lavorato come un animale tutta la vita, con la terra e il bestiame, fino a quando è riuscito a comprarsi un alloggio in città. Da quel giorno si è installato nel suo alloggio e non ha praticamente più messo piede fuori. Era felice. Quando gli chiedevo che diavolo faceva tutto il giorno lui mi rispondeva con una frase che dice tutto su quel mondo lì. Mi godo l'alloggio. Si rende conto? Adesso lei guarda me e Florence e penserà che abbiamo fatto solo casino, ma mi creda, era appunto per quello che ci siamo dannati, per fare casino, per venir fuori da quella palude. Una fatica bestiale, le assicuro. Ma nessuno avrebbe potuto fermarci. Si rende conto cos'era, per me, un'automobile che fumava via all'orizzonte? Lo capisce che mi sarei giocato tutto per avere una sola possibilità di fumare via con lei, lontano?

O un conte ben vestito, che sapeva trovare le parole giuste, e profumava di un mondo che non avevamo mai visto.

Adesso lei mi vede così, con la mia gamba di legno, un figlio non mio, un altro sparito nel nulla, e un furgoncino da invalido per spostare cassette di frutta, e penserà che sono un uomo triste, o fallito. Ma non badi alle apparenze. Sa, la gente vive tanti anni, ma in realtà è davvero viva solo quando riesce a fare quello per cui è nata. Prima e dopo non fa che aspettare e ricordare. Ma non è triste quando aspetta o ricorda. *Sembra* triste. Ma è solo un po' lontana.

Sì, lo so, gli ho detto.

Doveva vedermi quando vendevo vacche in cambio di benzina, mi ha detto. Che godere.

E lei, ha già fatto quello per cui è nata?, mi ha chiesto. È così lontana perché sta aspettando o perché sta ricordando?

Forse tutt'e due, gli ho detto.

Si è messo a ridere.

Poi si è fermato. Voleva ben guardarmi negli occhi mentre mi faceva la domanda che da un po' gli girava nella testa. E lei cosa gli ha fatto, a Ultimo, per essere cancellata così, peggio di me?

L'ha fatta sorridendo, come se a tutti e due fosse chiaro che tanto ormai non c'era più niente da fare.

– Non è detto che mi abbia proprio cancellata.

– Se n'è andato senza nemmeno una parola, me l'ha detto lei. Non le ha nemmeno mai scritto. Come lo chiama questo?

– Essere cancellata.

– È il suo modo di fare i conti con il dolore, me lo ha spiegato lei. Cosa gli ha fatto? Me lo dica, tanto cosa vuole che importi più?

Cosa gli ho fatto, cosa gli ho fatto, caro vecchio signor Parri, Libero Parri, Garage Libero Parri. Dovrebbe chiederlo a quella ragazzina là, che corrompeva le famiglie, schiena dritta e capelli ben pettinati. Per me, da qui, è difficile capirlo. C'era talmente tanta roba nella mia testa, allora, che il mondo fuori lo sentivo appena, passava come un'ombra, la vita era tutta nei miei pensieri. Io quel ragazzo lo intravedevo appena, era più vero nel mio diario che sulle strade d'America, era un suono che percepivo appena e che cantavo ad occhi aperti nei miei sogni. Ultimo, mi sa che non sono mai arrivata a vederlo come una persona reale, vera. Era troppo presto, per me. Così, se adesso ci

193

penso, dal poggio di questi miei quarant'anni, vedo, lontano, un rosario di gesti che non saprei dire. I corpi, caro signor Parri, i corpi li avevamo come giocattoli senza istruzioni, nessuno di noi due li sapeva usare, il mio lo giostravo da maestra nelle pagine del diario, ma era un modo per non usarlo di giorno, alla luce del sole. E Ultimo, per quel che ricordo, se lo portava in giro come un impermeabile troppo grande. Sì, devo avergli fatto qualcosa, certo che gli devo aver fatto qualcosa, e ricordo anche vagamente una notte fastidiosa, con me che ridevo, e tutto un valzer di gesti che non volevo capire, e parole che supplicavo di non sentire. Ma cosa gli ho fatto, esattamente, non lo so.

Gli ho fatto che non ero ancora nata, e questa, per la gente, è una cosa difficile da capire.

Ci ho messo tanto tempo a nascere. È andata così.

Però al signor Parri ho solo detto:

– Non ero innamorata di lui.

Succede, ha detto.

Ho fatto le valigie, nella mia stanza in questo albergo lussuoso, sulle rive del lago. È ora che io parta. Una stanza d'albergo, quando hai rimesso tutto via, e dietro di te c'è solo il disordine, il *tuo* disordine, è un'orma bellissima, ed è un peccato che a leggerla e a cancellarla siano cameriere annoiate, con il cuore altrove. Prenderò il treno, e tornerò a Roma. Ho due figli, e tante cose di cui occuparmi. Ho un marito, da cui è delizioso tornare. Mi piacerà vedere passare il paesaggio, dal finestrino, mentre suonerò Schubert, con le mani nascoste sotto lo scialle di seta indiana.

Mi ha fatto impressione tornare a scrivere, dopo tanti anni, un diario. Ma è solo una delle tante cose che mi accadono in questi tempi, e che non so decifrare. Che stagione del cuore è questa, in cui ci si trova a correre in soccorso di anni dimenticati, fingendo di averli sentiti gridare aiuto?

Prima di lasciarci, Libero Parri ha fatto ancora in tempo a spiegarmi bene chi è Fangio e come si fa a truccare un carburatore senza che le giurie se ne accorgano. Può sempre tornarle utile, mi ha detto.

E poi ancora una cosa, ha aggiunto.

Ultimo era secco come un ramo, aveva quelle orecchie là, e gli occhi color topo, questo lo so. Aveva l'aria di uno che doveva fare sempre delle iniezioni, vero?

Sì, l'aspetto era quello.

Lo so, ha detto Libero Parri. Ma lui aveva l'ombra d'oro, e lei era innamorata di lui. E lo è ancora. E non smetterà mai di esserlo perché è per questo che lei è nata.

Gli ho chiesto cos'è l'ombra d'oro.

Lasci perdere. Quelli che ce l'hanno non possono capire.

Mi ha porto la mano. La mano quella offesa, quella che usa per pochi gesti importanti.

L'ho visto andarsene, di spalle, con quel passo zoppicante e sicuro.

Solo adesso mi accorgo che in tanto parlare non mi è venuto da chiedergli che ne è di Ultimo adesso, e se sapeva dov'era, e cosa faceva. E anche lui, mi ha raccontato tante storie, ma sempre su un bambino che gli correva dietro, come se l'uomo che Ultimo dev'essere diventato, nel frattempo, non fosse più una cosa che ci riguardava. Assurdo. Sarebbe stato così naturale parlarne, insieme, e invece non l'abbiamo fatto, e neanche so perché.

O forse lo so.

3 e 47 p.m.

Sinnington, Inghilterra, 7 maggio 1969

Così tanto tempo dopo

E va bene, facciamo questa sciocchezza. Perché no. Tanto non mi riesce di prendere sonno. Un'anziana signora di sessantasette anni riprende il suo diario di ragazza e

Caro diario, ti dovevo un'ultima pagina, eccola. Ci ho messo un po' di tempo. Le vedi queste lettere lunghe e affaticate?, sono mie. Erano dentro a quelle scattanti dei vent'anni e alla bella grafia della donna splendida che non sono più. Erano il fiore nel seme.

Cosa hai fatto tutto questo tempo? Sei stato nelle mie valigie, ecco cosa hai fatto. Anche quando ho buttato via tutto, tu sei rimasto. Ti dovevo un'ultima pagina. Eccola.

Scrivo nel salottino, alla luce di un piccolo abat-jour. Ho lasciato nel letto quei due, e ho chiuso la porta. Voglio che dormano mentre io resto sveglia ad aspettare questo singolare domani che mi attende. L'ho tanto voluto, e lui mi ha cercato dal fondo del mio passato. Sarà un gran giorno. Non c'è nessuno che ci capisca niente, e nessuno a cui io possa raccontare qualcosa. Tutti credono che sia pazza. Pensino quel che vogliono. Non ho voglia di spiegare. Non è per loro, questa storia.

Pensano che io sia una vecchia pazza, e una donna cattiva. Non è vero, ma mi fa piacere che lo pensino. Non vorrei che si dimenticassero, inoltre, che sono ricca, ricca in modo irrevocabile e irritante. È un privilegio che non mi sono meritata, e che pur tuttavia mi mette nella condizione di poter disporre degli altri. È ciò che ho sempre desiderato. Da piccola lo sognavo. Adesso lo faccio, ogni giorno. Non so cosa porti un bambino a crescere con il senso della vendetta, ma così è andata, con me, e sono stati inutili tutti gli anni spesi a convincermi che era solo un vezzo infantile, da combattere. Stronzate. È il risentimento, l'ebbrezza del risentimento, la vitalità del risentimento, ciò che mi ha messa in vita, e io sono stata morta per tutto il tempo in cui non ho voluto capirlo. Da giovane c'ero così vicina, era il mio compagno di letto, era sotto i miei vestiti, era il mio odore. *Vivevo*, per vendicarmi. Ma la giovinezza... quella è indigenza, povertà, o almeno lo è stata per me, ero troppo piccola, e dura, non ero all'altezza della mia verità, nessuno lo è, quando è giovane, nessuno. Ma come la amo quella ragazzina che la sera, con la penna in mano, corrompeva le famiglie, e uccideva i barboncini con il pesticida, e si strappava la camicia davanti a contabili arrapati. Ero con te, Elizaveta mia, ero io, ma non potevo aiutarti, provavo a urlare ma non mi sentivi. Vorrei che sapessi che non ti ho tradito, anche se ho sbagliato tanto alla fine non ti ho tradito. Sono una vecchia pazza, ricchissima e cattiva. Te lo dovevo. Ti devo i due ragazzi che sono nel mio letto, sono bellissimi e sono tuoi. Lei si chiama Aurora. Lui è un egiziano, non so neanche quanti anni abbia. Un ragazzo. All'inizio li compravo, i ragazzi. Quando mi sono svegliata dall'imbambolamento dei quarant'anni, ero ormai troppo vecchia per cercarmeli con il mio fascino. Avevo tanti soldi, mi sono messa a pagarli. Le prime volte era orribile, ma con un po' di alcol passava tutto, credimi. Poi ho imparato a fare quello che mi pareva. Li pagavo perché venissero a dormire con me, questo viene direttamente da te. Neanche per un attimo ho dimenticato di avere labbra vecchie e pelle stanca. Non voglio che mi bacino e non mi spoglio per loro. È per i loro corpi, che siamo lì, non per il mio. Li guardo, li tocco, passo la mia lingua sulla loro pelle. Ne sento gli odori, ed ascolto la loro voce mentre godono. Non mi piace scopare con loro, e se lo faccio, talvolta, è per stanchezza. Si sta troppo vicini, a scopare, anche questo me lo hai insegnato tu. Col tempo ho capito che potevo fare qualcosa di meglio. Mi son messa a comprare le ragazze. Le più belle che trovavo. Non perché mi piacessero, quella è una cosa che non ho più ritrovato, forse tu l'avevi, ma io l'ho persa per strada, non mi va di fare l'amore con una donna più bella di me. Non so. Ma le pago perché stiano accanto a me, e stando accanto a me seducano i ragazzi. Li scelgo io. Quelli che mi piacciono. Con i poveri è tutto più semplice. Loro li attirano, ce li portiamo via. Le prime volte lascio che facciano da soli. Leggo un libro, nella stanza accanto, ed è una sensazione che dovresti provare. Poi viene tutto molto normale. A un tratto sono lì con loro, che li guardo. Mi piace raccogliere le briciole della loro festa, perché non sono briciole ma miracoli. Mi piace accarezzare i capelli di questo ragazzo che scopa, e tenere il suo sesso tra le labbra mentre lui bacia una bocca giovane che io non ho più. Vero che riconosci qualcosa, in tutto questo? Tu eri così, Elizaveta, non eri all'altezza della tua verità, ma eri così, potevi anche nasconderlo sotto l'acciaio della tua figura bruttina, scolorita e offesa, ma eri così. Come hai fatto a non spaccarti in due, nella nebbia di quei giorni tutti uguali, sconfitti dalla paura, con dentro quella voglia, e fuori quel mondo cieco? Ce l'hai fatta, non ti sei spaccata, e adesso sei qui. Divertiti, Elizaveta.

E non badare a quei quarant'anni di donna splendente, moglie e madre, donna bellissima. Dio mio, che sofferenza rileggere quelle pagine. Che imbarazzo. Come si possa vivere nella finzione, con tanta nobiltà e cecità... E che giorni vivevo, in quegli anni, dio mi perdoni, che giorni *giusti*... Quella capacità mistica che abbiamo di crescere, tutt'a un tratto, relegando quel che siamo a imperfezione, se non addirittura a errore. Ci sarebbe da vergognarsi e basta. E nondimeno c'è qualcosa di grandioso in quel passaggio dell'età in cui gli umani che hanno ancora energie da spendere, tutte le fanno confluire nello sforzo titanico di *diventare grandi*. E trovano quella bellezza da statua greca, dove il profilo grottesco di quel che erano da ragazzi si ricompone, magistralmente, in forme e proporzioni auree, dettate dal senso di responsabilità, dall'astuzia dell'esperienza, dal *ralenti* dei corpi maturi. Perfino i volti, spesso, trovano una compostezza luminosa in cui leggi una verità che non c'era nei lineamenti senza prudenza degli anni giovani. È la lunga stagione in cui si diventa madri e padri, e si pone ordine nella vita, nel gesto paziente del tramandarla. Si può davvero sottrarsi a un passaggio del genere? Non credo. Vite senza inverno, che vite sarebbero? Che vite sono le vostre vite di bambini perenni ed estivi? La permanenza del seme sotto la neve, anche questo ci è dato di conoscere. E apprezzare. Io ho adorato, di quei quarant'anni, il crepitio sotterraneo e incessante, l'urlo ostinato sotto la neve, la disperazione muta nel cuore della calma, la fragilità infinita, la petrosa solidità in bilico sulla sabbia – l'invincibile angoscia di essere felici *in quel modo*. Sempre con il sospetto che sarebbe bastata un'occhiata per strada, un momento di solitudine, qualche minuto di troppo ad aspettare un'amica, e tutto sarebbe crollato d'improvviso, senza condizioni. E saremmo tornati indietro, come navi richiamate in porto, dopo la battaglia. Il porto che eravamo da giovani.

Poi è vero che spesso non succede niente e per molti si allontana qualsiasi disgelo, e l'inverno rimane a vigilare su tutti gli anni a venire, in vecchiaie composte, senza sole. Ma non è stato così per me – per me, e per te Elizaveta schiena dritta, capelli ben pettinati. Mi ha aiutato veder morire lentamente il nostro

Vasilij, amico caro, marito mio, e nostro. Quando lui se n'è andato, ho guardato in faccia i miei figli e d'improvviso non ho capito più perché io dovevo vivere per la loro giovinezza e non per la mia. Così sono tornata da te. Avevamo lasciato un lavoro a metà. Era tempo di finirlo.

La prima cosa che ho fatto è stata smettere di essere clemente. La seconda, pagare i ragazzini. La terza, cercare Ultimo. Ho faticato molto per comprendere come mai ne avessi bisogno, ma ho avuto tanto tempo per capirlo. Adesso so che Libero Parri si sbagliava quando pensava che io fossi nata per amare Ultimo. Nessuna donna nasce soltanto per amare qualcuno. Io sono nata per vendicarmi, e, questo è vero, sono viva finalmente adesso, che mi vendico ogni giorno, senza pentimenti. Ma nondimeno, è vero, cara piccola Elizaveta, che tu ne eri innamorata, e io lo sarò per sempre. In questo, il vecchio Parri non si sbagliava. Tu non potevi capirlo, io non l'ho voluto sapere per tanto tempo. Ma è così. Noi due non abbiamo amato nessun altro. Era brutto, strano e inavvicinabile. Ma noi abbiamo sempre saputo che nella sua ombra d'oro ci saremmo salvate. Lui avrebbe ricomposto il mondo ogni volta che noi l'avessimo spaccato, e accanto a lui sarebbe stato possibile essere noi stesse. E così è stato.

Andai a cercare Libero Parri, ma non lo trovai più. Se l'era portato via un colpo, subito dopo la guerra. In casa sua c'era una donna piccola, fiera, con i lineamenti bambini. Florence, ti ho vista, infine. Le dissi che mi dispiaceva. La abbracciai. Era una donna dura. Meravigliosamente inclemente. Le raccontai tutta la mia storia e poi le chiesi dove potevo trovare Ultimo. Lei mi porse una busta, grande, bianca. Ultimo ha lasciato questo per lei, mi disse.

Nella busta c'era un grande foglio, piegato tante volte. Grande come una mappa. Sulla carta grigia, in inchiostro di china rosso, c'era disegnato il tracciato di un circuito. Diciotto curve. Si muoveva nello spazio con un'eleganza inequivocabile. Il segno era pulito e netto, i raggi delle curve esatti. E nel grigio intorno, fitta fitta, la minuta grafia di Ultimo raccontava ogni singolo metro di quella strada. L'aveva promesso: c'era tutta la sua vita.

Poi non c'era nulla, per me, una riga, un messaggio, niente. Solo il circuito.

È riuscito a costruirlo?, chiesi.

Ma Florence non rispose.

Era seduta di fianco a suo figlio, e lo teneva per mano. Il figlio del conte. Sembrava assente. Corpo da adulto, ma sembrava un bambino. Muto. Un idiota.

È riuscito a costruirlo vero?, dissi.

È un disegno, disse Florence.

Sì, però ci è riuscito, vero?

Mi ha detto di lasciarle il disegno, tutto qua, disse lei.

Sì, c'è riuscito, e lei sa anche dove.

Io sono sua madre.

E poi, dopo una pausa: È solo un disegno.

Continuava a tenersi vicino quell'uomo bambino, come un giusto castigo di cui andava fiera.

Feci in tempo, prima di salutarla, a sentire di nuovo la voce che Ultimo mi aveva raccontato, e che lei sembrava aver perso. La voce di quella Florence là.

Lei è ricca da far schifo e ha un sacco di tempo. Lo cerchi. Disse. Con dolcezza.

Neanche sapevo se alludeva a Ultimo o al circuito.

Ma risposi senza esitazione.

Certo che lo farò.

E l'uomo bambino, allora, sorrise.

L'ho cercato, Elizaveta, e l'ho trovato. Devi essere fiera di me.

Forse dormirò un po'. Ma è all'alba che mi voglio svegliare.

Non voglio perdere un solo raggio di questo giorno che sorge per me, e solo per me.

Perdona tutti questi sentimenti, Elizaveta, ma i vecchi sono inclini alla commozione.

Che silenzio, intorno.

Che meraviglia.

Mi piace tutto di questo istante.

Che cade alle 2 e 12 a.m.

Fottuto diario, contento adesso?

1947. SINNINGTON, INGHILTERRA.

Mio fratello mi tiene per mano, Mio fratello mi tiene per mano e nell'altra mano io tengo la cartella del capitano Skodel, Mio fratello mi tiene per mano e io devo stare attento a non strisciare per terra la cartella del capitano Skodel che tengo con l'altra mano, Devo stare attento che la cartella del capitano Skodel non strisci nella terra battuta della pista, Il capitano Skodel mi ha detto di stare attento a non strisciare la cartella sulla terra battuta della pista, Così io tengo gli occhi sulla terra battuta bruna di questa pista d'aviazione. Mentre camminiamo.

Ma d'improvviso non ricordo più dove ho messo la moneta, Il capitano Skodel mi ha dato una moneta e io adesso non ricordo più dove l'ho messa, Il capitano Skodel mi ha chiesto di portare la sua cartella e in cambio mi ha dato una moneta che io adesso non ricordo più dove ho messo, Dovrei cercare in tutte le tasche per ricordare dove l'ho messa, ma come faccio a cercare nelle tasche se mio fratello mi tiene per mano e nell'altra mano io tengo la cartella del capitano Skodel?, Dovrei lasciare la mano di mio fratello o la cartella del capitano Skodel. Ma non posso.

D'altronde potrebbe anche non essere nelle tasche, Potrei averla lasciata da qualche parte invece di mettermela nelle tasche, Ma non posso sapere se l'ho lasciata da qualche parte se non mi fermo a guardare prima nelle tasche, Dovrei smettere di camminare e cercare nelle tasche se trovo la moneta, Invece continuo a camminare senza avere il coraggio di fermarmi perché accanto a me camminano mio fratello e il capitano Skodel, a grandi passi, sulla pista d'aviazione, Mio fratello e il capitano Skodel sono molto amici e camminano a grandi passi, uno accanto all'altro, ridendo, e così io non posso fermarmi a cercare la mia moneta. Devo smettere di pensarci.

Siamo in tre a camminare, Camminiamo in tre, da soli, su questa pista d'aviazione costruita nel nulla, Siamo molto piccoli mentre camminiamo su questa pista d'aviazione perché intorno c'è il nulla fino all'orizzonte, Nella luce della sera siamo tre piccoli uomini che camminano su una pista d'aviazione nel nulla e io ho perso la mia moneta, La luce della sera e il cielo sono una grande cattedrale e noi siamo piccoli mentre camminiamo su questa pista d'aviazione, come pellegrini, Siamo tre piccoli pellegrini che camminano a grandi passi in una cattedrale di luce in mezzo al nulla. E uno ha perso la sua moneta.

Il capitano Skodel cammina sicuro e d'altronde lui conosce questa pista come le sue tasche, La ragione per cui il capitano Skodel conosce questa pista come le sue tasche è che ci è atterrato 86 volte, Su questa pista il capitano Skodel è atterrato 86 volte nello spazio di quattro anni, Nei quattro anni di guerra lui ha potuto conoscerla molto inti-

mamente, essendoci atterrato 86 volte, e decollato altret-
tante, si intende, Tante sono le volte che è decollato e
atterrato nei quattro anni di guerra in cui l'Inghilterra ha
dovuto difendersi dall'aggressione nazista. Nella guerra vinta
contro i nazisti.

Io non ho combattuto questa guerra, Io e mio fratello non
abbiamo combattuto questa guerra, Io non l'ho combattuta e mio fratello l'ha combattuta in un modo molto particolare, Mio fratello ha combattuto questa guerra come
volontario perito meccanico, Non l'ha combattuta veramente, quindi, ma vi ha partecipato come volontario perito meccanico distaccato su questa pista d'aviazione, Il compito di mio fratello era fare il perito meccanico distaccato su questa pista di Sinnington, Inghilterra, in mezzo alla
campagna, In questa pista di Sinnington, Inghilterra, non
ha mai sparato. Riparava aerei.

Per questo mio fratello e il capitano Skodel sono molto
amici, Mio fratello e il capitano Skodel sono diventati
molto amici perché hanno vissuto in questa base di Sinnington, Inghilterra, per quattro anni, Ogni giorno, per
quattro anni, hanno pensato che sarebbe stato l'ultimo
giorno ma il capitano Skodel sempre tornava dalle sue missioni, così hanno finito per diventare grandi amici, Per 86
volte, in quattro anni, si sono salutati pensando che sarebbe stato per l'ultima volta, e adesso si stanno per salutare, e questa davvero sarà l'ultima volta. Perché il capitano
Skodel sta per partire.

Mio fratello mi dice qualcosa, Mio fratello mi dice di allungare il passo, Io devo allungare il passo perché mio fratello mi dice che il capitano Skodel ha fretta di partire, Mi dice che il capitano Skodel vuole arrivare a Londra prima del buio e quindi ha fretta di partire, Così io devo allungare il passo, ma senza strisciare la cartella del capitano Skodel sulla terra battuta della pista, Come posso allungare il passo senza rischiare di strisciare la cartella del capitano Skodel che ha fretta di partire? Correrò il rischio di strisciare la cartella del capitano Skodel sulla pista che lui conosce come le sue tasche. Striscio la cartella.

Alzo lo sguardo per vedere se il capitano Skodel si accorge che sto strisciando la sua cartella, Ma quando alzo lo sguardo non vedo il capitano Skodel perché vedo quell'unico aereo, un unico aereo in mezzo alla pista, Vedo un caccia Spitfire in mezzo alla pista, con il muso verso occidente, ed è l'unico aereo, sulla pista, Il caccia Spitfire 808 del capitano Skodel sta in mezzo alla pista e non ci sono più altri aerei da nessuna parte, C'erano ancora quattro aerei, solo ieri, accanto al caccia Spitfire 808 del capitano Skodel, ma adesso non se ne vede più uno, in mezzo alla pista. O in volo.

Perché questo sarà l'ultimo aereo a decollare, Il caccia Spitfire 808 sarà l'ultimo aereo a decollare da questa pista di Sinnington, Inghilterra, Mio fratello mi dice che questo è l'ultimo aereo che decollerà da questa pista di Sinnington, Inghilterra, perché la guerra è finita, Non ci saranno altri aerei a decollare da questa pista di Sinnington, Inghilterra, perché la guerra è finita da due anni, C'erano altri aerei ma adesso non ci sono più perché la guerra è finita da due anni e oggi si chiude l'aeroporto militare di Sinnington, Inghilterra, Mio fratello mi tiene per mano e mi dice che non decolleranno più aerei da questa pista di Sinnington, Inghilterra, e neanche atterreranno. Questo è l'ultimo.

Allora mi viene il terrore di aver perso la mia moneta, Quando mio fratello mi dice che questo è l'ultimo aereo che decollerà da questa pista di Sinnington, Inghilterra, di nuovo mi assale il terrore di aver perso la mia moneta, Così invece di allungare il passo mi fermo, bloccato dal terrore di aver perso la mia moneta, Mio fratello non sa che ho perso la mia moneta così si volta verso di me e mi chiede qualcosa, Mio fratello non sa che ho perso la mia moneta e così si volta verso di me e mi chiede cosa mi succede, Anche il capitano Skodel si volta verso di me proprio mentre mio fratello mi chiede cosa mi succede. Ma io non rispondo.

Il capitano Skodel dice qualcosa e ride, non fa che parlare e ridere, Il capitano Skodel non fa che parlare e ridere con il suo bel sorriso stanco, Io so che è molto triste e per questo non fa che parlare e ridere con il suo bel sorriso stanco, Mentre sorride con il suo bel sorriso stanco probabilmente pensa a questa pista su cui è atterrato per 86 volte, Rivede questa pista come la vedeva dal cielo, ogni volta che tornava, nelle 86 volte in cui atterrò su questa pista, Tornava dalle sue missioni e dall'alto del cielo alla fine vedeva questa pista sottile nel nulla e allora sapeva che avrebbe ritrovato la terra. Così adesso è triste, e ride.

Ho deciso che è meglio camminare perché prima arriveremo all'aereo prima potrò cercare la mia moneta, Quando arriveremo all'aereo potrò dare la cartella al capitano Skodel e allora potrò cercare la mia moneta nelle tasche, Darò la cartella al capitano Skodel e così con la mano sinistra potrò cercare nelle tasche la mia moneta, Potrò cercare la mia moneta con la mano sinistra perché la destra continuerò a tenerla stretta in quella di mio fratello, Potrò cercare in tutte le tasche a sinistra, nei pantaloni e nella giacca, ma non potrò farlo in quelle a destra perché da quella parte terrò per mano mio fratello. Mio fratello mi tiene sempre per mano.

Mio fratello mi tiene sempre per mano e questo dal giorno in cui sono arrivato qui, Mi tiene sempre per mano dal giorno in cui sono arrivato qui, appena finita la guerra, Appena finita la guerra sono arrivato qui e mio fratello mi ha preso per mano promettendo a nostra madre che non avrebbe mai smesso di farlo, Mia madre gli fece promettere che mi avrebbe sempre tenuto per mano, e solo a questa condizione mia madre gli permise di portarmi qui, appena finita la guerra, Probabilmente era solo un modo di dire, ma noi l'abbiamo preso alla lettera. Ci teniamo per mano.

Dobbiamo essere arrivati perché mio fratello mi dice di fermarmi qui, Io mi fermo qui e vedo che siamo arrivati a una ventina di passi dall'aereo, L'aereo del capitano Skodel è immobile a una ventina di passi da noi, così noi ci fermiamo, Il capitano Skodel guarda il suo aereo immobile a una ventina di passi da noi e non dice niente, Dato che il capitano Skodel non dice niente e mio fratello neppure c'è d'improvviso un grande silenzio su questa pista sola nel nulla dove l'aereo del capitano Skodel aspetta immobile a una ventina di passi da noi. C'è solo il vento.

Adesso il capitano Skodel si riprenderà la sua cartella, Questo è molto importante per me perché quando il capitano Skodel si riprenderà la sua cartella io avrò la mano sinistra libera, Allora potrò cercare nelle tasche la mia moneta con la mano sinistra libera, cosa che non potevo fare fino a quando dovevo tenere la cartella del capitano Skodel, Devo solo aspettare che il capitano Skodel si riprenda la sua cartella, ma lui non lo fa, Il capitano Skodel non si riprende la sua cartella perché adesso sta abbracciando mio fratello, Mio fratello e il capitano Skodel si abbracciano, mentre io aspetto che il capitano Skodel si riprenda la sua cartella. Si abbracciano forte, ma in silenzio.

Ma quando il capitano Skodel fa per riprendersi la sua cartella io non riesco ad aprire la mano che stringe il manico della sua cartella, Vorrei tanto aprire la mano ma non riesco ad aprirla e il capitano Skodel non può riprendersi la sua cartella, Mi succede ogni tanto che non riesco a fare i gesti che voglio così il capitano Skodel fa per riprendersi la sua cartella ma io non riesco ad aprire la mano che stringe il manico della sua cartella, Se non riuscirò ad aprire la mano che stringe il manico della sua cartella non potrò cercare la mia moneta e il capitano Skodel non potrà riprendersi la sua cartella. Ma più ci penso più stringo.

Mia madre diceva che non è una cosa importante e che succede a tutti, Mia madre diceva che succede a tutti di non riuscire a fare quello che vogliamo per cui non era una cosa importante se, ad esempio, stavo a fissare le scarpe, Se, ad esempio, stavo a fissare le scarpe senza riuscire ad infilarmele mia madre diceva che non era importante perché a tutti succede di non riuscire a fare quello che, in verità, vorremmo fare, Mia madre diceva che a tutti succede di non riuscire a fare quello che, in verità, vorremmo fare, per cui andava ancora bene se quello che volevi fare era semplicemente infilarti le scarpe. Allora io mi infilavo le scarpe.

Per fortuna mio fratello mi aiuta ad aprire la mano e io, alla fine, la apro, Per fortuna mio fratello si china su di me e mi aiuta con dolcezza ad aprire la mano così io, alla fine, la apro, Quando mi aiuta con dolcezza ad aprire la mano io, alla fine, la apro, staccando le dita una ad una dal manico della cartella, Mi accorgo che ho le dita rosse e gonfie mentre le guardo staccarsi una ad una dal manico della cartella, Sento appena le dita e mi accorgo che sono tutte rosse e gonfie mentre le guardo staccarsi una ad una dal manico della cartella. Ma adesso posso cercare la mia moneta.

Aspetterò un po' che le dita tornino normali e poi cercherò la mia moneta, Se non aspetto un po' che le dita tornino normali rischio di cercare la mia moneta ma di non trovarla, Così aspetto un po' che le dita tornino normali mentre il capitano Skodel cammina da solo verso il suo aereo tenendo in mano la sua cartella, Mentre aspetto un po' che le dita tornino normali il capitano Skodel cammina da solo verso il suo Spitfire 808 tenendo in mano la sua cartella e facendola dondolare, Senza voltarsi il capitano Skodel cammina facendo dondolare la sua cartella come se fosse un giorno qualunque. Invece non lo è.

Infilo la mano in tasca e i motori squarciano la cattedrale, Infilo la mano nella tasca sinistra della giacca e i due motori dello Spitfire 808 squarciano il silenzio della cattedrale di luce, I due motori dello Spitfire 808 squarciano il silenzio di questa cattedrale ma io non mi spavento perché sto cercando la mia moneta nella tasca sinistra della giacca, e questo si prende tutti i miei pensieri, Cerco la mia moneta nella tasca sinistra della giacca e così noto appena che lo Spitfire 808 rolla piano sulla pista mentre i suoi due motori squarciano il silenzio di questa cattedrale di luce. Poi mette la prua al vento e si ferma.

Sento qualcosa nella tasca della giacca ma non è la mia moneta, Sento una biglia di vetro nel fondo della tasca e non sento però la mia moneta, Se la mia moneta ci fosse la sentirei ma invece sento una biglia di vetro e anche qualcos'altro, di stoffa però, Una moneta la riconosci facilmente perché non è né di vetro né di stoffa, per cui tolgo la mano dalla tasca della giacca, Quando tolgo la mano dalla tasca della giacca per metterla nella tasca dei pantaloni il capitano Skodel manda al massimo i suoi due motori, Il capitano Skodel manda al massimo i suoi due motori mentre io infilo la mano nella tasca davanti dei pantaloni. Sto cercando la mia moneta.

Quell'impennata che li manda nel cielo, leggeri, Quanto mi piace quell'impennata dolce che li manda nel cielo, leggeri, Non ho mai detto a nessuno quanto mi piace quell'impennata dolce che li manda nel cielo, leggeri, Poiché parlare mi fa soffrire, non ho mai detto a nessuno quanto mi piace guardarli mentre quell'impennata dolce li manda nel cielo, leggeri, Ma se solo riuscissi a parlare senza soffrire, subito direi a mio fratello quanto mi piace guardarli mentre quell'impennata li manda nel cielo, leggeri, Leggeri li manda nel cielo e leggermente sbandati. Di traverso.

Così ho visto l'ultimo aereo decollare da questa pista di Sinnington, Inghilterra, Mentre cercavo la mia moneta nella tasca davanti dei pantaloni ho visto l'ultimo aereo decollare prima che questa pista di Sinnington, Inghilterra, venga chiusa definitivamente, È un peccato, io penso, perché prima di esser chiusa definitivamente questa pista di Sinnington, Inghilterra, ha visto così tante avventure, È un peccato, io penso, perché ha visto così tante avventure di fierezza e coraggio, Tante avventure di fierezza e coraggio e paura, Di fierezza e coraggio e paura e follia. Così tante avventure di uomini in guerra.

E proprio mentre penso che è un peccato, l'aereo del capitano Skodel vira largo nel cielo, Proprio mentre penso che è un peccato, l'aereo del capitano Skodel vira ampio nel cielo e torna verso di noi, Vira ampio nel cielo rosa e torna verso di noi abbassandosi di quota, L'aereo del capitano Skodel torna verso di noi sempre più basso nel cielo rosa finché passa sulle nostre teste nel cielo rosa a grande velocità, Così basso da passare proprio sulle nostre teste mentre riga il cielo rosa a grande velocità. Per salutarci.

Potrei spaventarmi ma non mi spavento, e anzi rido, Potrei spaventarmi per quel frastuono a sfiorare le nostre teste, ma non mi spavento, e anzi rido, Potrei spaventarmi per il frastuono e l'ombra nera che sfiora le nostre teste, ma la verità è che non mi spavento, e anzi rido forte, La verità è che mi metto a ridere e mio fratello anche si mette a ridere, e tutt'e due ci mettiamo a ridere, La verità è che ci mettiamo a ridere forte mentre l'ombra nera sfiora le nostre teste e il frastuono ci scompiglia i capelli. Ridiamo di emozione.

Tanto che per un attimo mi dimentico della mia moneta, ma poi subito me ne ricordo, Per un attimo mi dimentico che sto cercando la mia moneta, ma poi subito me ne ricordo molto bene, Mi ricordo molto bene che sto cercando la mia moneta nella tasca sinistra dei pantaloni, Con la mano sto cercando la mia moneta nella tasca sinistra dei pantaloni, ma non la trovo, Muovo le dita nella tasca sinistra dei pantaloni ma non trovo la mia moneta mentre l'aereo del capitano Skodel si allontana nel cielo rosa. Diventa sempre più piccolo.

Forse quando il capitano Skodel scomparirà, anche la moneta scomparirà, Forse quando il capitano Skodel scomparirà all'orizzonte anche la moneta scomparirà e insieme a lei tutto quello che era del capitano Skodel, Forse quando la gente scompare all'orizzonte tutto quello che hanno toccato scompare con loro, comprese le monete che si sono lasciate dietro, Per cui mi conviene sbrigarmi a cercare la moneta prima che scompaia all'orizzonte insieme al capitano Skodel, Mi conviene averla tra le dita nel momento in cui il capitano Skodel scomparirà all'orizzonte. Così la moneta non scomparirà.

Ma l'aereo è sempre più piccolo e io non la trovo, L'aereo del capitano Skodel è sempre più piccolo all'orizzonte e io ancora non ho trovato la mia moneta, È ormai un piccolo insetto nero all'orizzonte che va a scomparire e io ancora non ho trovato la mia moneta nella tasca dei pantaloni, È un ronzio da piccolo insetto nero all'orizzonte e io lo sento scomparire mentre muovo le dita nella tasca dei pantaloni senza riuscire a trovare la mia moneta, Lo sento scomparire inesorabilmente all'orizzonte, senza riuscire a trovare la mia moneta. Adesso scompare.

Nell'istante in cui scompare, giuro, sento la moneta sparire, Nell'istante in cui l'aereo del capitano Skodel scompare all'orizzonte, io sento la moneta sparire, lo giuro, Nell'istante in cui l'aereo del capitano Skodel scompare all'orizzonte un silenzio infinito cade su di noi, e in quel silenzio, giuro, sento la moneta sparire, La sento sparire inghiottita da quel silenzio gelido che è caduto su di noi insieme a un'improvvisa solitudine, un silenzio gelido e un'improvvisa solitudine dove io sento scomparire la mia moneta. Scompare come una bolla di sapone.

Allora mi viene da piangere, improvvisamente, e mio fratello se ne accorge, Mi viene da piangere perché ho sentito la moneta sparire e mio fratello se ne accorge e mi stringe più forte la mano e mi dice non piangere, Ma io ho una gran voglia di piangere, improvvisamente, e anche se mio fratello mi stringe più forte la mano e mi dice di non piangere io inizio a piangere perché ho sentito la moneta sparire come una bolla di sapone, Perché ho sentito la moneta sparire e arrivare questo silenzio e questa solitudine. Allora io piango.

Ma mio fratello mi dice di non piangere e mi chiede se lo voglio sapere un segreto, Mio fratello sorride e mi dice se lo voglio sapere un segreto in mezzo a questo silenzio e a questa solitudine, E io faccio sì con la testa, che lo voglio sapere un segreto in mezzo a questo silenzio e a questa solitudine, così mio fratello mi dice un segreto in mezzo a questo silenzio e a questa solitudine, Mi dice un segreto per disperdere questo silenzio e questa solitudine, me lo dice a bassa voce, chinandosi un po' su di me. La vedi questa pista, mi chiede.

È nostra, dice.

Questa pista è nostra, dice, perché io l'ho comprata, Questa pista di Sinnington, Inghilterra, adesso è nostra perché io l'ho comprata per 70.000 sterline, dice, Questa pista di Sinnington, Inghilterra, adesso è nostra, dice, perché io l'ho comprata per 70.000 sterline insieme a tutta la terra che vedi intorno, Ho comprato per 70.000 sterline questa pista di Sinnington, Inghilterra, e tutta la terra che vedi intorno, dice, perché non è una pista d'aviazione, questa, e non è terra quella che vedi tutt'intorno, fino agli alberi, laggiù. È il mio circuito, dice.

E non ci saranno più aerei ma soltanto automobili, dice, Non decolleranno più aerei da questa pista ma correranno automobili su questo rettilineo, Non decolleranno più aerei su questa pista ma correranno automobili divorando questo rettilineo, Non decolleranno più aerei perché correranno automobili divorando questo rettilineo e poi girando per diciotto volte in mezzo alla campagna, prima divorando questo rettilineo e poi correndo per diciotto curve in mezzo alla campagna fino a ritornare su questo rettilineo. Il mio circuito, dice.

Le vedi, mi chiede, Le vedi le automobili che corrono in mezzo alla campagna, mi chiede, Le vedi le automobili che corrono morbide in mezzo alla campagna e si allontanano per poi ritornare, mi chiede, Le vedi che sfrecciano su questo rettilineo e poi piegano in mezzo alla campagna per correre morbide su diciotto curve fino a ritornare qui, mi chiede, Le vedi fiammanti le automobili sfrecciare nella polvere di questo rettilineo per poi piegare a sinistra nella campagna dove disegnano in fretta diciotto curve che a poco a poco le portano a tornare esattamente qui, mi chiede. Allora io guardo.

E vedo il verde smeraldo dell'erba, la curva morbida di una collina appena accennata, un incerto filare di piante da frutta, il letto asciutto di un fiumiciattolo, una catasta di legna da tagliare, il chiarore fosco di un sentiero, gli avvallamenti incongrui del terreno, una macchia di fiori, il tagliente profilo dei rovi, uno steccato lontano, la terra smossa di un campo abbandonato, una pericolante piramide di bidoni di benzina, i cespugli cresciuti secondo un ordine imperscrutabile, uno scheletro di aereo al sole, le poche canne ai bordi della palude, la pancia di un serbatoio squarciato, l'ombra degli alberi a terra, la picchiata morbida di piccoli uccelli sull'erba, la ragnatela di rami in mezzo alle foglie, il riflesso tremolante delle pozze d'acqua, molti nidi leggeri, un cappello militare nell'erba, il giallo di spighe solitarie, un'orma seccata nel fango del sentiero, il pendolo nel vento di steli troppo lunghi, il volo dell'insetto incerto, la radice sollevata ai piedi della quercia, le tane nascoste di animaletti frenetici, il bordo seghettato di foglie scure, il muschio sulle pietre, la farfalla sul petalo blu, le zampette accartocciate del calabrone in volo, le pietre azzurre sul greto asciutto del rivo, la malattia che brucia le felci, il riflesso verde sul dorso del pesce nello stagno, la lacrima di linfa sulla corteccia dell'albero, la ruggine di un falcetto dimenticato, la ragnatela e il ragno, la bava della lumaca, e il fumo della terra. Poi vedo le automobili, fiammanti.

Sono come fantasmi e girano senza far rumore, Sono come fantasmi che girano molto lentamente senza fare il minimo rumore, Sono come fantasmi colorati che girano molto lentamente sfiorando la terra senza fare il minimo rumore se non una sorta di respiro, Come fantasmi colorati che respirano senza fare il minimo rumore mentre girano molto lentamente sfiorando la terra, Fantasmi colorati che girano molto lentamente, sfiorando la terra, senza fare il minimo rumore se non una sorta di respiro regolare, Girano in silenzio molto lentamente respirando la terra, senza fare il minimo rumore se non una sorta di respiro. Fantasmi colorati.

Quando senza dire niente mio fratello lascia la mia mano, Sto guardando le automobili fiammanti quando mio fratello senza dire niente lascia la mia mano, Non lascia mai la mia mano mio fratello ma mentre sto guardando le automobili fiammanti lui senza dire niente lascia la mia mano e si allontana, Non lascia mai la mia mano mio fratello perché sempre mi tiene per mano ma quando sto guardando le automobili fiammanti lui senza dire niente e senza nemmeno avvertirmi prima lascia la mia mano. E si allontana.

Mio fratello fa qualche passo e io ho paura, Vedo mio fratello fare qualche passo e vorrei seguirlo ma non riesco a muovermi perché ho paura, Vedo mio fratello che dopo aver lasciato la mia mano fa qualche passo sulla pista e vorrei seguirlo ma non riesco a muovermi così rimango fermo con la mano in aria inchiodato dalla paura, Così rimango fermo con la mano in aria inchiodato dalla paura mentre mio fratello fa qualche passo sulla pista e poi si ferma e si china, Fa qualche passo sulla pista poi si ferma e si china allungando una mano. Raccoglie una manciata di terra, sulla pista.

Quanto ci mette a tornare, Mi chiedo quanto ci mette a tornare, Mi chiedo quanto ci mette mio fratello a tornare

e lui intanto è ancora lì, Mi chiedo quanto ci mette mio
fratello a tornare ma lui intanto è ancora lì che si rialza
e guarda la terra che ha preso in mano, Guarda la terra
polverosa che ha in mano poi guarda le automobili fiammanti, Guarda la terra polverosa che ha in mano poi alza
lo sguardo sulle automobili fiammanti e sorride, Guarda la
terra polverosa poi le automobili fiammanti poi di nuovo
la terra polverosa. Poi si mette in tasca la terra, e sorride.

Si mette la mano in tasca, la apre, e poi la ritira fuori,
vuota, Mio fratello si mette la mano in tasca, la apre, e
poi la ritira fuori, vuota, Allora finalmente mio fratello si
mette la mano in tasca, la apre, la ritira fuori vuota e
torna verso di me, Dopo essersi messo la terra polverosa
in tasca si gira e torna verso di me senza smettere di sorridere, Si gira e torna verso di me senza smettere di sorridere in questa cattedrale di luce fioca e solitudine, Senza
smettere di sorridere in questa cattedrale di luce fioca e
solitudine dove io l'aspetto. Adesso mi prenderà per mano.

Ma lui invece fa quella cosa strana, Ma lui invece che
prendermi per mano fa quella cosa strana, Invece che
prendermi per mano fa una cosa strana che io non so
capire, Invece che prendermi per mano prende un po' di
quella terra che ha in tasca senza che io possa capire, Prende un po' di quella terra che ha in tasca e senza smettere di sorridere mi guarda negli occhi, Prende un po' di
quella terra senza smettere di sorridere e guardandomi negli
occhi me la infila in tasca, Guardandomi negli occhi mi
infila un po' di quella terra nella tasca della giacca. È tua,
dice.

Mio fratello mi dice che è mia e io smetto di aver paura, Non so capire perché ma quando mio fratello mi dice che quella terra è mia io smetto di aver paura, Ha preso un po' di quella terra me l'ha infilata in tasca dicendomi che è mia così io ho smesso di aver paura, Anche se in verità mio fratello non mi ha preso per mano io ho smesso di aver paura quando lui ha preso un po' di quella terra e con un gesto gentile me l'ha infilata nella tasca della giacca dicendomi senza smettere di sorridere che era mia. Quella terra.

Siamo solo noi quaggiù, Siamo solo noi quaggiù mio fratello ed io, Siamo solo noi quaggiù mio fratello, io e questa terra che è nostra, Siamo solo noi quaggiù mio fratello, io, questa terra che è nostra e le automobili fiammanti, Siamo solo noi quaggiù come fantasmi colorati che girano molto lentamente sfiorando la terra senza fare il minimo rumore se non una sorta di respiro sotto le volte di questa cattedrale di luce e solitudine. È perfetto.

Molto adagio allora io infilo la mano in tasca, Molto adagio allora io infilo la mano in tasca e spingo le dita nella terra polverosa, Molto adagio infilo la mano nella tasca della giacca e senza paura spingo le dita nella terra polverosa per toccarla, Senza paura spingo le dita nella nostra terra ancora tiepida di sole per il piacere di toccarla, Le rigiro senza paura nella nostra terra ancora tiepida di sole e non smetto di toccarla fino a quando nella nostra terra ancora tiepida di sole le mie dita non toccano qualcosa di metallico. La mia moneta.

Moneta, moneta mia, Dov'eri sparita moneta mia, Ti ho
tanto cercata ma eri sparita moneta mia, In tutte le tasche
ti ho cercata ma eri sparita moneta mia, Dov'eri sparita
mentre io ti cercavo in tutte le tasche moneta mia, Allora
non sei sparita all'orizzonte mentre io continuavo a cercar-
ti in tutte le tasche moneta mia, Pensavo che fossi sparita
all'orizzonte ma mentre io ti cercavo in tutte le tasche tu
eri qui ad aspettare moneta mia, Ero sicuro che tu fossi
sparita all'orizzonte ma mentre io ti cercavo tu eri qui che
aspettavi di esser trovata. Moneta mia.

Chiudo la mano, nella tasca, con una forza e una sicurezza che non riconosco. La tengo un po' immobile, stringendo sotto le dita e nel palmo la terra e la moneta. Poi
lentamente ma senza tremare tolgo la mano dalla tasca e
la giro con cautela fino a che il dorso non è rivolto in
basso. Apro la mano, adagio. Le dita una ad una, con ordine. Non tremo, non ho paura. Apro la mano, adagio.
Guardo. La nostra terra e la mia moneta. La mia moneta,
sporca di terra. Nella mia mano.

Andiamo fratellino. C'è un mucchio di lavoro che ci aspetta, dice.

1950. MILLE MIGLIA.

Era una locanda sulla strada statale, all'inizio del paese. Si poteva mangiare e dormire. C'erano anche un'officina meccanica e un distributore di benzina. Era tutto dello stesso proprietario. All'inizio la pompa di benzina era un aggeggio rudimentale che perdeva da tutte le parti. Ma dopo la guerra avevano fatto tutto moderno, e brillante. Le pompe erano due, rosse. C'era il nome della benzina, e i numeri che scattavano automaticamente. Avevano illuminato tutto e adesso era il posto più sfavillante del paese. Anche la locanda l'avevano risistemata. Avevano messo i tavoli con la plastica sopra. E c'erano dei sedili imbottiti. Era un bel posto.

Prima della guerra, la Grande Corsa, ogni anno, passava da lì. Alcuni concorrenti si fermavano a mangiare qualcosa, e molti facevano rifornimento o piccole riparazioni. C'era sempre un sacco di gente a spiare le macchine e i piloti. Molti erano diventati amici. Dopo la guerra, però, si decise che la Grande Corsa avrebbe evitato i paesi, quando era possibile, per ragioni di sicurezza. Così adesso il tracciato deviava in una strada secondaria, un chilometro prima della locanda, e girava intorno all'abitato. Alla locanda c'erano rimasti male. Ma la Grande Corsa l'avevano ormai nel sangue, e così le cose non erano poi molto cambiate. In quei giorni non si chiudeva mai, e se volevi sapere come andava la gara lì sapevano tutto. C'erano perfino dei piloti che allungavano di quel chilometro per andare a salutare. O per berne uno.

La Grande Corsa era una faccenda massacrante che i più veloci sbrigavano in dodici, tredici ore. Ma al via poteva andarci chiunque. Alcuni finivano per metterci anche due giorni. Erano milleseicento chilometri, senza fermate. Un paio di controlli e via. Centinaia di macchine, una dopo l'altra, su e giù per le strade d'Italia. La gente ci andava matta. Si fermava ogni cosa, dove passava la Grande Corsa, e le automobili si prendevano gli occhi e il cuore di tutti. Spesso ci scappava il morto. Un pilota, alle volte, ma più spesso era gente accorsa sul bordo della strada, per vedere. Gente normale. Ma nessuno era normale, in quelle ore.

Vecchi e bambini, e tutti gli adulti: diventavano strani.

Quell'anno la Grande Corsa passò dal paese il 21 maggio. Fu una cosa che durò due giorni. Ma queste cose accaddero di notte. Incominciarono la sera, che il sole era tramontato, e finirono che era ancora notte. Dalla locanda si potevano vedere lontano le scie dei fanali delle auto in gara che giravano verso la campagna. Nel buio, erano come minuscoli fari oceanici che spiavano le onde del grano.

La ragazza uscì dalla locanda quasi correndo, e sbattendo la porta. Avrà avuto quindici anni. Sedici. Portava delle scarpe col tacco e una gonna stretta sui fianchi. Si era ondulata con cura i lunghi capelli neri, e al collo aveva un giro di piccole perle. Aveva un bel seno, giovane, e lo teneva in serbo sotto un maglioncino stretto e scollato. Aveva le dita laccate di rosso.

Fece qualche passo rabbioso e poi si fermò di fianco al distributore, nel pieno della luce. Guardava nel buio, davanti a sé. Aveva gli occhi umidi e la faccia seria.

La porta della locanda si aprì di nuovo, bruscamente, e una donna si sporse un po' fuori, senza uscire veramente. Gridava.

– E non ti permettere di trattare tuo padre così, sai?

La ragazza non disse niente. Neanche si voltò.

– Guardati, sembri una di quelle.

La ragazza alzò le spalle.

– Ti rovini con le tue mani, lo sai?, così non fai che rovinarti con le tue mani!

Anche la donna aveva gli occhi umidi.

– E guardami quando ti parlo!

La ragazza non si voltò. Non disse niente.

La donna rimase un po' in silenzio, scuotendo la testa. Fece un passo fuori e lasciò che la porta si chiudesse. Si aggiustò una ciocca che le era scappata sulla fronte. Era una bella donna, di una quarantina d'anni. Aveva il grembiule da cucina legato ai fianchi. Disse forte:

– Non mi importa cosa hai nella testa ma tu i tuoi genitori li devi rispettare, capito?, fino a quando resti qui la regola è che i genitori li rispetti e se vuoi uscire lo devi chiedere, e dire dove vai! Mi hai sentita?

La ragazza non si mosse. La donna scosse la testa, e si asciugò le mani nel grembiule. Ma così, senza ragione. Guardò verso la Grande Corsa, dove giravano i fanali delle auto. Si sentiva il rumore dei motori, a ondate, e nelle pause il silenzio della campagna rigato dai grilli. Alla fine fece qualche passo verso la ragazza e si fermò quando le arrivò alle spalle. Riprese a parlare, ma senza gridare.

– Non lo devi trattare così, tuo padre.

– Io lo odio, mio padre –, disse la ragazza.

– Non dire sciocchezze.

– Lui non capisce –, disse la ragazza voltandosi.

La donna la guardò bene, con l'aria di non riuscire proprio a capire, neanche lei.

Poi disse:

– Come vanno le scarpe?

– Un po' larghe.

– Io non ci riesco nemmeno a camminare, con quelle scarpe.

– Sono solo un po' larghe –, disse la ragazza tirando su col naso.

– Sembri proprio una di quelle –, disse la donna, ma questa volta senza cattiveria.

La ragazza si girò di nuovo, dandole le spalle.

La donna le chiese dove voleva andare, vestita così.

La ragazza fece un gesto vago verso la Grande Corsa.

– Non tornare tardi. E non metterti nei guai.

Cercò ancora qualcosa da dire.

– E non smagliarmi le calze. Ho solo quel paio.

La ragazza istintivamente abbassò lo sguardo sulle proprie gambe. Erano belle gambe, non tanto lunghe ma sottili.

– Non te le rovino.

– Ecco.

Poi la donna si voltò e tornò verso la locanda. Aprì la porta e gettò un ultimo sguardo verso la figlia. Sembrava davvero una di quelle. Però era bella. Le si strinse il cuore. Ma non era chiaro per cosa.

Rientrò nella locanda con passo svelto. Dentro c'era un sacco di gente. E tutti parlavano della Grande Corsa. C'erano quelli che mangiavano e quelli che bevevano soltanto. La radio era accesa e dava musica leggera e notizie sulla Corsa. C'erano anche alcune donne, ma poche. Molti fumavano. Tutti parlavano a voce alta. Era come una festa. La donna attraversò velocemente la sala, con l'aria allegra, come se non fosse successo niente. Prima di entrare in cucina incrociò lo sguardo del marito. Ma solo un istante, così, senza che volesse dire niente. Qualcuno le fece una battuta, forse sulla figlia. Lei rispose con una risata.

Fuori, sotto la luce del distributore, la ragazza prese una delle sigarette che aveva nascosto sotto il maglione e se l'accese. Guardò indietro, verso la locanda, un po' per controllare, un po' per sfida. Si mise a fumare. Non sapeva esattamente cosa fare. Di solito capitava che arrivassero dei piloti, per fare benzina o cercare il meccanico. Sapevano che lì ce n'era uno. Ma non accadeva molto spesso. Rischiavi di aspettare per ore e non vedere nessuno. Stette un po' lì, a dondolarsi da una gamba all'altra e a fumare. Poi dal buio sbucò la luce fioca di una bicicletta. Veniva dal paese. C'era un uomo giovane in sella. Era uno del posto. Sul tubo portava un bambino biondo, un bambino di quattro, cinque anni. Quando arrivò davanti alla ragazza, l'uomo tirò i freni e si fermò.

– Ciao.

– Ciao.

– È pieno, lì da voi?

– Sì.

– Non vai alla Corsa?

– Adesso ci vado.

L'uomo la guardò bene. Lei si lasciò guardare.

– Hai visto che bella signora? –, disse l'uomo al bambino. – Guarda bene che tette, perché non se ne vedono mica tutti i giorni di tette così –, aggiunse, e si mise a ridere.

Perché quando c'era la Grande Corsa la gente diceva e pensava cose che negli altri giorni teneva da parte.

La ragazza rispose con una mossa che aveva imparato al cinema.

Il bambino sorrise.

L'uomo pensò che era un peccato non essere uscito da solo, quella sera. Era sicuro che ci sarebbe scappato qualcosa.

– È già passato Fangio? –, chiese.

– No, non mi sembra.

– Gli ho promesso che gli faccio vedere Fangio –, disse l'uomo accennando al bambino.

La ragazza diede una carezza al bambino.

– Fangio è il più grande –, gli disse, sorridendo.

231

Poi alzò lo sguardo e fermò gli occhi in quelli dell'uomo. Non aveva intenzioni, lo fece soltanto per divertirsi.

– Serve il pieno? –, chiese, accennando alla pompa di benzina.

L'uomo si sentì imbarazzato. Rise.

– No –, disse, perché non gli veniva in mente altro.

La ragazza continuava a fissarlo negli occhi, con uno strano sorriso.

L'uomo tirò indietro il pedale. Non sapeva bene cosa fare. Diede una carezza sulla testa del bambino.

– Allora ci vediamo –, disse.

La ragazza non smetteva di fissarlo.

– State attenti –, disse.

– Sì, ci vediamo alla Corsa.

– Forse.

L'uomo sorrise. Poi spinse sui pedali e partì. Non si voltò.

La ragazza rimase a fumare la sigaretta. Era contenta di averlo guardato in quel modo. Forse la cosa le aveva anche dato un po' di coraggio. Così decise di andare verso la Grande Corsa. C'era un po' di strada da fare, e con i tacchi non sarebbe stato tanto facile. Ma se arrivava qualche pilota, comunque l'avrebbe vista. Ho ancora due sigarette, pensò.

Nella locanda tutto andò normalmente fino a quando arrivò un uomo, in moto, a dire che c'era stato un incidente, alla curva del Tordo, e che forse c'erano dei morti. Allora tutti fecero la faccia seria e si scaraventarono fuori. Si vedeva che la cosa li elettrizzava. Volevano tutti correre a vedere l'incidente. Chi con la bici, chi a piedi. Un paio avevano l'automobile. Sarebbero partiti facendo gemere le gomme, come la polizia nei film. "Tutti gli anni la stessa storia", dicevano, scuotendo la testa. Ma si vedeva che gli piaceva.

La donna sentì la notizia mentre era in cucina, ai fornelli. Si affacciò in sala e vide quelli che si alzavano da tavola e si infilavano la giacca per andare. E quelli che svuotavano il bicchiere in fretta. Disse qualcosa al marito, che le rispose di non stare in pensiero. Andò al bancone a prendere i bicchieri vuoti, e intanto salutava quelli che uscivano. Poi tornò in cucina a spegnere i fornelli. Per un po' non sarebbe servito tenere in caldo la roba. Magari tra due o tre ore sarebbero tornati affamati, ma adesso non serviva più. Le venne in mente la figlia, e si chiese se si sarebbero incontrati, lei e il padre, in mezzo alla folla dell'incidente. Magari avrebbero fatto la pace. La Grande Corsa faceva e disfaceva, era sempre stato così. Dalla sala le voci sfumavano via disordinatamente, tra il rumore di sedie strisciate e porte che sbattevano. Dopo un po' ci fu solo silenzio, e la radio che dava l'annuncio dell'incidente.

Sembrava che ne sapessero poco, quelli della radio, ma comunque la donna tornò nella sala per sentire meglio. Quando fu al bancone si accorse che in un angolo, seduto a un tavolo, era rimasto un uomo. Aveva un piatto vuoto, davanti, e stava aspettando tranquillo. Si era tolto la giacca e l'aveva appesa allo schienale della sedia. Sul tavolo aveva una bottiglia di vino quasi vuota.

— Mi scusi, non l'avevo vista —, disse la donna.

— Non si preoccupi.

— Lei aspettava qualcosa, vero?

— Della carne, credo.

— Sì, la carne.

— Ma non si preoccupi.

La donna scosse la testa, come per cacciar via una qualche confusione.

— Non c'ho proprio la testa, stasera —, disse. — Credevo che se ne fossero proprio andati tutti.

Tornò in cucina, a riaccendere il fornello. Non ho testa, stasera, si disse. Forse ho bevuto troppo. Non dovrei bere quand si lavora così tanto. Ma poi pensò che era la notte della Grande Corsa, e allora si versò un altro bicchiere e disse piano Ma vadano al diavolo. E rise, tra sé.

Arrivò al tavolo con il piatto di carne che fumava.

– Lei non va a vedere l'incidente? –, chiese.

– No.

– Qui ci vanno tutti matti per gli incidenti.

– Ho visto –, disse l'uomo, sorridendo.

La donna prese il piatto vuoto della minestra ma rimase lì, in piedi, vicino al tavolo.

– Lei era qui anche ieri sera, vero? –, chiese.

– Sì.

– È un appassionato della Corsa?

– No, veramente no, sono qui perché aspetto un amico. Doveva arrivare ieri, ma forse ha avuto dei problemi per strada. Eravamo d'accordo che l'avrei aspettato.

– Le porto dell'altro vino, vuole?

– Sì, mi fa piacere.

– E del pane, mi sono anche dimenticata quello.

La radio adesso trasmetteva musica. Stavano aspettando di sapere qualcosa di più dell'incidente. Pareva ci fossero dei feriti, ma nessun morto. La donna tornò in cucina, e pensò che era così strano quel silenzio, e quella solitudine, proprio in quella notte lì. Era un po' come un incantesimo. La metteva di buon umore. Ma magari era solo il vino.

Quando tornò al tavolo, con il pane e il vino, le venne da chiedere all'uomo se poteva sedersi con lui.

– Certo –, disse l'uomo. – Prenda un bicchiere anche per lei.

– Sì, è una buona idea –, disse la donna e andò a prendere un bicchiere pulito al bancone. Prima di tornare al tavolo andò alla radio ad abbassare un po' il volume. Adesso che se n'erano andati tutti non c'era più bisogno di tutta quella musica.

– Pare che non sia morto nessuno –, disse, sedendosi.

– Così hanno detto.

– Speriamo.

– Sì.

– Sa quanti ne ho visti, di morti, della Grande Corsa? Quattro. In tutti questi anni: quattro. Un pilota, un tedesco con un nome difficile, tanti anni fa. E tre persone, l'altr'anno, che erano andate a vedere. C'era anche una donna. Poverina.

– Spesso ci va di mezzo la gente.

– L'automobile è volata fuori strada, e sono morti sul colpo. Li hanno portati qui, sa?

– Davvero?

– Li abbiamo stesi sui tavoli, con le tovaglie sopra –, disse la donna. Poi pensò: ma cosa diavolo sto dicendo?

L'uomo capì e si mise un po' a ridere.

– Mi scusi, sono proprio una sciocca –, disse la donna scuotendo la testa. E si mise a ridere anche lei.

– Mi scusi davvero, stasera non ne azzecco una. E comunque non era proprio su *questo* tavolo, glielo giuro.

L'uomo le versò il vino, e per un po' continuarono a ridere, piano.

Poi la donna disse che però la Grande Corsa era una cosa magnifica.

– A parte i morti, voglio dire.

Disse che lei non ne aveva persa una. Le aveva viste passare tutte. A parte gli anni della guerra, si intende, perché in quegli anni non l'avevano fatta. Disse che si ricordava anche della prima volta, nel 1927. La prima volta lei aveva quindici anni.

– Fu una meraviglia. Non avevamo mai visto nulla di simile, la gente, le automobili... Vivevamo nel deserto, noi, e poi, da un giorno all'altro, ecco tutto quel mondo che ci arrivava sotto casa. Cominciavano giorni prima, sa? Venivano a provare il tracciato. Provavano le curve, andavano a cercarsi i punti di rifornimento o le officine dei meccanici. Arrivavano, bellissimi, rila sati, si fermavano a mangiare o addirittura a dormire. Sulle macchine avevano una freccia rossa con la scritta "concorrente in prova". A me sembravano tutti eroi, tutti, senza eccezioni. Anche quelli più grassi o vecchi, dei cavalieri.

L'uomo la stava ad ascoltare, mangiando la sua carne.

– Io mi lavavo i capelli ogni mattina. E per tutti quei giorni non capivo più niente. Quindici anni, pensi lei. Credo di essermi innamorata di una dozzina di piloti, solo in quel primo anno. Mi andavano tutti bene.

Rise.

L'uomo disse che magari anche i piloti si innamoravano di lei.

– Chissà. Certo facevano tanti complimenti. Ci sapevano fare. E quando ripartivano ti baciavano, e qualcuno andava anche vicino vicino alle labbra, sento ancora i baffetti pungere qui, era una cosa che ti aspettavi per ore, prima. Certi batticuore...

Sorridendo, la donna spostò il cestino del pane e si mise ad allineare le briciole, sulla tovaglia.

Disse che poi, quando partiva la corsa vera, allora per due giorni non si dormiva più, era un'unica festa lunghissima.

– Sa, una volta passava proprio qui davanti, sarebbe stato impossibile dormire, anche se avessimo voluto. Ogni minuto c'era il rombo, e i fari, e la gente che urlava. Passavamo il tempo a servire da mangiare e bere, e poi c'era la benzina o le riparazioni in officina. Non sentivamo neanche la fatica. E la notte... che meraviglia, la lunga notte della Corsa, tutti un po' matti, a scappare per andare alla curva del fiume, e correre nel buio con gli altri, sembrava che tutto fosse permesso, ogni angolo era buono per nasconderti e fare quello che volevi, e non c'era nulla che potesse spaventarti. Era un sogno.

Fece una pausa, come per ascoltare l'eco di quello che aveva detto. Poi disse che il giorno dopo, finita la Corsa, era tutto coperto di polvere, anche dentro casa, sulle bottiglie e perfino nei cassetti. La polvere della strada.

L'uomo passò il pane nel sugo della carne. Lasciò il piatto che sembrava lavato.

– Le è piaciuto, eh?

– Sì, complimenti.

– Specialità della casa.

– Buono, davvero. Le posso versare ancora del vino?

– Penso proprio di sì –, disse la donna, prendendo il piatto e alzandosi. – Le porto della frutta –, disse.

E andando verso la cucina iniziò a dire che adesso volevano fare le corse nei circuiti, su quelle stupide piste fatte apposta per le automobili da corsa. Continuò a dire delle cose mentre era in cucina, e quando uscì con la frutta chiese all'uomo se non gli sembrava una tristezza.

– Cosa?

– Questa storia dei circuiti e delle gare d'automobili.

L'uomo sorrise strano.

– Non c'è più poesia, eroismo, niente –, disse la donna. – Fanno mille volte lo stesso giro, come degli animali instupiditi.

L'uomo disse che a pensarci bene non era poi così stupido.

– Scherza? –, disse la donna, tornando a sedersi davanti a lui.

– Sempre a fare le stesse curve? Dove sta il difficile? E poi senza il mondo intorno, la gente, quella vera, quella uscita di casa con ancora in mano lo strofinaccio o in braccio il neonato... Sono cose false, quei circuiti, sono false, ecco, non è mica roba vera.

– In che senso?

– Come in che senso?, non sono strade vere, sono una cosa che sta solo nella testa di quelli che la fanno, le strade vere sono quelle, non crede? –, e indicò con la testa verso i fari che spiavano il mare della campagna.

– Sì, è possibile che sia così –, disse l'uomo.

– E non le sembra una tristezza?

L'uomo stette un po' a pensarci. Poi disse che sì, in effetti era una tristezza. Disse che i circuiti erano una grande tristezza.

– Lo sono –, disse la donna. Poi si misero a ridere insieme.

La radio continuava a trasmettere musica. Forse aveva dato qualche notizia dell'incidente, ma loro due non se n'erano accorti.

La donna pensò che forse stava parlando troppo. Pensò anche che era proprio strano che quell'uomo fosse lì per caso, per incontrare un amico, proprio nella notte della Grande Corsa. Così gli disse che non gli credeva, e che certo ci doveva essere una ragione per cui lui aveva proprio scelto quel posto lì.

– Sì, a dire il vero una ragione c'è.

– Quale?

– È una storia che non c'entra però con la Corsa. Non con questa almeno.

La donna si sporse un po' verso di lui e gli appoggiò una mano sul braccio, stringendo.

– Adesso lei me la racconta.

– Ma non è una bella storia.

– Non importa, me la racconti.

Si stava divertendo. Rimase lì, con la mano.

L'uomo iniziò a parlare un po' timidamente, ma tranquillo. Disse che molti anni prima suo padre aveva avuto un incidente in automobile proprio lì, nel rettilineo che portava al paese, dove c'era quella lunga fila di platani.

– L'ha presente quella lunga fila di platani?

– Certo.

– Mio padre faceva il meccanico e correva insieme a un pilota, un conte appassionato di automobili. Non se la cavavano male. Un giorno vennero a fare una gara da queste parti, e arrivati in quel rettilineo il conte, improvvisamente, sterzò verso gli alberi. Lo fece accelerando e gridando il proprio nome.

238

– Vuol dire che lo fece apposta?

– Sì.

– Cosa voleva fare?

– Suicidarsi, immagino.

– Scherza?

– No, no, è tutto vero. Mio padre capì, e allora si buttò sul volante e cercò di deviare la traiettoria. Ma il conte non mollò.

– E poi?

– Il conte morì. Mio padre fu sbalzato dal sedile e se la cavò. Perse una gamba e si ruppe un po' tutto. Ma tornò a casa.

– Mi spiace.

– È acqua passata.

– Che storia... Suicidarsi in macchina...

– Mio padre diceva che non era poi così strano. Diceva che tutti quelli che corrono in macchina sotto sotto cercano quella cosa lì.

– Quale cosa lì?

– Morire.

– Oddio, no, non è affatto così.

– Non lo so.

– Glielo dico io che non è così. E guardi che io ne ho conosciuti, di piloti. Non era proprio gente che avesse voglia di morire. Alcuni, forse, i più pazzi, ma mi creda che...

– Forse quelli che correvano ai tempi di mio padre erano tutti pazzi. Avrebbe dovuto vedere con che macchine andavano...

– Dei catorci, vero?

– Da non crederci.

– Sì, ho visto le foto.

– E facevano i 140, 150 all'ora...

– Pazzi.

– Sì.

– E lei è tornato qui per via di quell'incidente?

L'uomo indugiò un attimo, poi disse che gli era venuto in

mente di andare a vedere quei platani. Disse che non era mai andato a vederli, prima.

– E adesso li ha visti?

– Da lontano. Non mi è venuto da andare proprio vicino. Li ho visti da lontano.

– Siamo di nuovo qui a parlare di morti, se n'è accorto?

– Cristo.

Alla donna piacque che lui avesse detto Cristo. Non sembrava il tipo da dire cose del genere. Invece lo era. Strinse la mano sul suo braccio e poi la ritirò.

– Non è che è morto anche il suo amico, quello che doveva arrivare ieri?

– Spero di no, accidenti.

– È sicuro che arriverà?

– Sì. Credo. Non lo vedo da un sacco di tempo. Ma ha scritto che veniva. Abbiamo fatto la guerra insieme, io e lui.

– Sul serio?

– Non *questa* guerra, l'altra, quella sul Carso.

La donna fece un gesto nell'aria.

– Nessuno se la ricorda più, quella.

– Io sì. Io ero a Caporetto.

– Col suo amico?

L'uomo esitò un attimo.

– Sì, anche con lui.

Poi disse che se uno non ci era stato, non poteva capire. Disse che senza Caporetto la sua vita sarebbe stata completamente diversa. E disse che era da allora che non lo vedeva più, il suo amico.

La donna guardò l'uomo e pensò che non sembrava così vecchio da aver fatto Caporetto. Chiese come mai si erano persi, lui e il suo amico.

– Siamo finiti lontani –, rispose l'uomo.

Poi si mise a raccontare, senza che lei nemmeno glielo chiedesse. Era una storia che aveva a che fare con la Prima Guerra Mondiale. Era anche una storia bella, c'era perfino un tesoro o qualcosa di simile, ma la donna non la stette molto ad ascoltare perché mentre teneva fissi gli occhi su quell'uomo le venne da pensare a che cosa buffa era quella, di stare lì ad ascoltarlo, loro due soli, in quella notte della Grande Corsa. Era tutto così calmo, e insieme febbrile. Le venne da fantasticare, e si immaginò che più nessuno tornasse, quella notte, e che loro due se ne rimanessero insieme fino all'alba. Mentre l'uomo raccontava, lei vide tutta una serie disordinata di immagini, e tutte le piacevano. Ce n'era una in cui lei ballava con l'uomo, seguendo la musica della radio, proprio in centro alla locanda. E in un'altra lui dormiva, con la giacca sulle spalle, appoggiato a un tavolino. Forse anche lei dormiva. Oppure stava a guardarlo, e ogni tanto gli passava la mano tra i capelli. Era una cosa strana. Forse doveva smettere di bere.

Poi si aprì la porta e l'uomo allora si interruppe. Entrarono due ragazzi e quando videro che la locanda era vuota rimasero lì un po' sperduti.

– Non c'è nessuno? –, chiesero.

La donna si alzò, dicendo che erano tutti alla curva del Tordo, perché c'era stato un incidente.

– Un incidente! –, dissero i due ragazzi, spalancando gli occhi.

La donna gli disse che se si sbrigavano trovavano ancora tutti là. Tenne aperta la porta mentre loro correvano via, e gli gridò di fare attenzione. Poi rimase un po' lì, a guardare intorno nella luce del distributore e più lontano nel buio che si ingoiava la strada. Sembrava che cercasse qualcosa. Quando richiuse la porta non sembrava più felice come prima.

L'uomo le chiese se era preoccupata per sua figlia.

A lei piacque che lui le avesse letto nel pensiero. Era un uomo davvero strano.

– Uff, mia figlia... Se l'è goduta, prima, la scena con suo padre?

– Succede.

– Sì, ma davanti a tutti...

– Non ci pensi.

– No, dico, l'ha vista com'era vestita?

– Era carina.

– *Lo so* che era carina, ma non ci si veste così, se una si veste così poi si va a cercare guai.

– È la notte della Grande Corsa, no?

– Sì, ma io non mi vestivo così, quando avevo la sua età, mi creda.

– Forse lei non ne aveva bisogno.

La donna lo prese come un complimento. E le piacque. Allora andò verso il tavolo dell'uomo e le scappò di dar all'uomo un buffetto, sulla guancia. Ma guarda cosa sto facendo, pensò.

– Non ne ha figli, lei? –, chiese, tornandosi a sedere.

– No.

– È sposato?

– No.

– Come mai?

Non era chiaro perché, ma le veniva da fare quelle domande, con una voce limpida, da ragazzina. Piuttosto bella, la voce.

L'uomo rispose che non c'era una ragione precisa. Non si era sposato e basta.

– Figuriamoci. C'è sempre una ragione –, disse la donna.

– Ah sì?

– Beh, diciamo che in genere uno *voleva* sposarsi, ma poi la cosa è andata storta.

– Davvero?

– Di solito è così. A lei cos'è andato storto?

L'uomo si mise a ridere. Ma proprio di cuore. Per la prima volta alla donna sembrò che fosse davvero lui, così com'era, senza schermi, o facciate. Le sembrò che l'aveva fatta entrare da qualche parte segreta. Allora si alzò, si sfilò il grembiule da cucina, lo appoggiò sul tavolo o risedendosi, si sporse un po' sul tavolo, verso di lui, e disse:

— Com'era? La ragazza, com'era?

-- Cattiva —, rispose l'uomo, sorridendo.

— Fantastico. E poi?

— Non penserà che io le racconti tutta la storia...

— Certo. Perché no?

L'uomo non trovò nessuna risposta intelligente, e così iniziò a raccontare. Lo fece in modo divertente, come se ormai fosse una cosa che non bruciava più. Era una storia di tanti anni prima. Alla donna fece morire dal ridere la scena in cui lui, dopo un sacco di tempo, aveva detto alla ragazza che la amava, poi, molto serio, si era tolto la maglietta e i pantaloni, in silenzio. Era rimasto in mutande e calze. Le scarpe se le era già tolte prima. La ragazza aveva incominciato a ridere e non si era più fermata. Quando riusciva a prendere fiato, diceva delle cose orribili, e poi riscoppiava a ridere. L'uomo lo raccontava divertendosi ma poi giurò che, sul momento, si era sentito davvero morire. Morire. Era la cosa più brutta che mi fosse mai successa, disse. Per quel che ne sapevo io, disse, lei era pazza di me.

— E invece non lo era, eh?

— Non so. Non è così semplice. *Lei* non era così semplice.

— Magari era solo nervosismo.

— Sì. Magari aveva dei problemi con gli uomini in calze e mutande, non so.

— E come è andata a finire?

— Oh, quello... finì in un modo strano.

Lo disse con una voce così bella che alla donna tornò in mente quell'immagine di loro due che ballavano, in mezzo alla locanda vuota. Ci aggiunse perfino che lui stringeva un po'. Tu sei scema, si disse. Però, intanto, se lui non avesse continuato l ne sarebbe morta.

– Se non mi racconta come è andata a finire mi suicido andando a sbattere in bicicletta contro i platani del rettilineo.

– Non ce la farebbe mai.

– Lei non mi conosce.

L'uomo sorrise. Si vedeva che non aveva voglia di raccontare quella storia, però aveva anche un po' voglia di raccontarla.

– La ascolto –, disse la donna.

Allora lui raccontò.

– Fu per quella storia del diario. Sa, lei si era messa a scrivere un diario, a un certo punto, che però non era proprio un diario. Alcune cose erano vere, ma molte altre no. Se le inventava. Non so come spiegarle. Si inventava delle cose che faceva, o che facevamo, ed erano straordinarie. C'era la parte nascosta di noi, tutta raccontata bene, anche le cose peggiori. Sa le cose nascoste, no?

– Sì.

– C'erano tutte quelle cose lì. Lei scriveva quasi ogni giorno e poi lasciava in giro il diario. Lo faceva apposta, voleva che io lo leggessi. E io lo leggevo. Poi lo rimettevo a posto. Non ne parlavamo mai, ma tutt'e due sapevamo. Andò avanti così per un bel po'. Era molto più che dormire insieme, o fare l'amore. Era una cosa molto intima, capisce?

– Sì.

– Per me era un po' come essere fidanzati. Poi però venne quella sera, con me in calze e mutande e tutto il resto. Per qualche giorno, dopo, andò tutto normale. Ma una mattina, che lei era andata a fare lezione, io presi il diario e nel diario c'era scritto che io me n'ero andato. Ero sparito senza dire nulla e lasciando il furgone lì, con le chiavi al loro posto e tutti i pianoforti dentro. Lì per lì mi sembrò una cosa strana, ma non la presi troppo sul serio. Però i giorni dopo, nel diario io continuavo a essere scomparso. E alla fine il diario diceva che me n'ero proprio andato, mi ero licenziato e me n'ero andato senza una parola. Allora capii. Feci proprio tutto come era scritto nel diario. Me ne andai per la stessa strada che c'era scritta lì, e proprio in quel modo. Mi licenziai dalla ditta e senza una parola sparii nel nulla. È così che è finita.

– E non l'ha mai più vista?

– No.

– Ma è pazzesco.

– A dire il vero, quel che pensavo era che un giorno, in qualche modo, lei mi avrebbe fatto capire qual era il passo dopo. Ero sicuro che lei aveva tutto sotto controllo, e prima o poi ci avrebbe rimesso insieme. C'era sicuramente qualche altra pagina di diario, dopo quell'ultima, e lei l'avrebbe scritta, e io l'avrei letta. Mi misi in testa che dovevo solo aspettare, che c'avrebbe pensato lei. Invece non è andata così.

– Non si è mai più fatta viva?

– No.

– Magari l'ha cercata e non l'ha trovata.

L'uomo sorrise.

– Forse –, disse.

– Come *forse*?, se l'è lasciata dietro qualche traccia, qualcosa con cui quella ragazza la potesse trovare?

– Non so, forse una volta, molti anni dopo. Una volta le ho lasciato una cosa, dai miei, nell'unico posto in cui lei avrebbe potuto venirmi a cercare.

– E cosa le ha lasciato?

– Tutta la mia vita –, disse l'uomo.

– In che senso?

– No, questo è troppo lungo da spiegare.

– Me lo spieghi.

L'uomo allora allungò una mano, sfiorò per un attimo il volto della donna e poi la appoggiò sulla mano di lei, sul tavolo.

– Davvero, è una storia troppo lunga, non me la faccia

245

contare –, disse.

La donna tenne la mano immobile, nel palmo di quella di lui.

– Magari non era affatto la donna della sua vita. Probabil-mente era solo una stupidella viziata e vagamente frigida, lo sa? –, disse.

– No, non lo era –, disse l'uomo.

Poi disse che era sicuramente la donna della sua vita.

– E perché?

– Perché era cattiva. Era matta, cattiva, e tutta sbagliata. Era vera, se capisce cosa voglio dire. Era una strada piena di curve assurde, e correva in aperta campagna, senza preoccuparsi mai di tornare. Senza nemmeno sapere bene dove stava andando.

Fece una piccola pausa.

– Era una di quelle strade su cui ci si ammazza.

Stavano lì, tenendosi per mano, e l'uomo stava dicendo qual-cosa di sé. Qualcosa che veniva proprio da lontano, da un punto molto dentro di lui.

– È che io non ho avuto mai altra possibilità che essere un bambino buono. Avevo capito che fosse quello il sistema di sal-varsi.

Sembrò cercare con gli occhi qualcosa, nell'aria.

– Ma forse non è così –, disse.

La donna tolse la mano da quella di lui. Si aggiustò una cioc-ca sulla nuca. La imbarazzava un po', tutto quello. Le piaceva, ma la imbarazzava. Nel silenzio, la radio continuava a trasmet-tere una musica lenta. Pensò seriamente di alzarsi e invitare l'uo-mo a ballare. Per impedirsi di farlo, disse la prima cosa che le passava per la mente.

– Lei parla strano, voglio dire, con un accento strano.

– Sono stato molto tempo via dall'Italia, mi è rimasto un po' ₊i inglese, addosso.

– Lei sa l'inglese?

– L'ho imparato, sì.

– I soldati, alla fine della guerra, parlavano così. I soldati americani. Mi piaceva da matti.

– È una bella lingua.

– Mi dica qualcosa. In inglese.

– Cosa vuole che le dica?

– Faccia lei. Quel che vuole.

– *It's great to be here.*

– Bello. Lo ripeta.

– *So nice, you are so nice, and it's so great to be here with you.*

La donna rise, prese il bicchiere e bevve un sorso di vino.

– Lei sembra davvero un americano, sa? Un'altra, me ne dica un'altra.

L'uomo sorrise e fece segno di no con la testa.

– Su, me ne dica un'altra, solo un'altra, poi basta.

– Non so –, disse l'uomo. Poi disse *Let me kiss you, and hold you in my arms.* Era un verso di una canzone che andava per la maggiore subito dopo la guerra, in Inghilterra.

– Cosa vuol dire? –, chiese la donna.

– Vuol dire che qui è un posto carino, e si sta bene.

La donna rise. Poi tornò seria. Ma non completamente seria.

– No, mi dica cosa vuol dire *davvero.*

L'uomo ci pensò un attimo. Poi disse

– Fatti baciare, e stringere tra le mie braccia.

Lo disse tranquillo, ma guardandola negli occhi.

La donna rise, e istintivamente si lasciò andare indietro, appoggiandosi allo schienale.

Poi alzò lo sguardo verso una delle finestre. Poi tornò a guardare l'uomo e gli sorrise.

– Non ha mangiato la frutta.

– Già.

– Forse è il caso di bersi un liquorino, cosa dice?

– Sì, quello sì.

– Liquorino, allora.

Si alzò e andò verso il bancone. Aveva lasciato il grembiule sul tavolo. Camminando si lisciò la gonna, sui fianchi, con un gesto veloce. Non riusciva a mettere ordine nei propri pensieri. Prese una bottiglia senza etichetta e due piccoli bicchieri. Il liquore era trasparente. Ne versò un po' nei due bicchieri. Poi alzò lo sguardo sull'uomo.

– Lo facciamo noi. Il solito grappino della casa, sa?

Ma rimase dietro il bancone, posando la bottiglia accanto ai bicchieri.

Allora l'uomo si alzò e andò verso il bancone. Attraversando la sala, si scosse via le briciole di pane che gli erano rimaste attaccate ai pantaloni. La donna lo guardò bene, come non aveva ancora fatto. Era per capire se era bello. Ma era difficile dirlo. Aveva il volto di un bambino invecchiato, ed era molto magro. Erano belle le rughe sul volto. Forse la bocca, quando sorrideva. Chissà quanti anni aveva. Era pulito.

Arrivò al bancone e si appoggiò di fronte alla donna.

– Allora, alla Grande Corsa –, disse alzando uno dei due bicchieri.

– Alla Grande Corsa, a me e a lei –, disse la donna.

Si guardarono negli occhi. Sì, le rughe e anche gli occhi, non il colore, ma *la piega* degli occhi.

– Adesso è meglio che vado in cucina. Torneranno, prima o poi –, disse la donna.

– Sì.

– Resta ad aspettare il suo amico?

– Sì. Forse sì.

– Se ne vuole ancora, non si faccia problemi –, e indicò la bottiglia.

– Grazie.

La donna sorrise, si voltò ed entrò in cucina.

Davanti ai fornelli si mise a cercare i fiammiferi. Aveva

dimenticato il grembiule sul tavolo. Le batteva forte il cuore. Sollevò un coperchio, e poi un altro. Non trovava i fiammiferi. Poi vide l'uomo entrare in cucina. Venne verso di lei, lentamente, senza dire niente. Si fermò proprio di fianco a lei.

La donna si voltò verso l'uomo. Lui fece uno strano sorriso.

– Se mi permette, eviterei questa volta di rimanere in calze e mutande.

La donna rise molto, ma in segreto, in un punto molto lontano, e importante, del suo cuore.

Mise le braccia intorno al collo dell'uomo, e posò la testa sulla sua spalla. Lui le appoggiò le mani sui fianchi. Si strinsero. La donna sentì che la sua mente era d'improvviso lucida come un mattino, e che tutto era esattamente come lei voleva.

– Non qui, qui ci possono vedere –, disse.

Prese la mano dell'uomo e lo portò in un angolo della cucina che non si vedeva dalle finestre. Poi gli prese la testa fra le mani e lo baciò. Lo fece con gli occhi chiusi.

L'uomo la toccava, ma con prudenza, come se non avesse fretta. Prima il seno, poi sotto la gonna. Ogni tanto si stringevano forte e lei sentiva il suo corpo magro sotto i vestiti. Gli infilò una mano sotto la camicia. Le venne da premere i fianchi contro di lui, a tempo con la musica lenta che veniva dalla sala. Sentiva il respiro dell'uomo, tranquillo, solo un po' più veloce. Non pensava a niente.

Si udì un rumore secco. La donna capì che qualcuno aveva aperto la porta della locanda. Però non voleva essere lei a staccarsi per prima, e così non si mosse. La porta si richiuse. Anche l'uomo non si mosse. Erano lì abbracciati. Solo avevano smesso di accarezzarsi. Una voce maschile chiese forte

– Non c'è nessuno?

La donna sapeva che era da pazzi, ma davvero non voleva esser la prima ad aver paura.

– Non c'è nessuno?

Era una voce che la donna non riusciva a riconoscere. Si udirono i passi dell'uomo venuto da fuori che attraversavano la sala. Poi si sentì il volume della radio abbassarsi, di colpo. La voce ripeté ancora una volta, nel silenzio, Non c'è nessuno?

Allora la donna sentì che l'uomo si stringeva a lei, e le posava la testa sulla spalla, e molto forte si stringeva a lei. Siamo pazzi, pensò. Infilò una mano tra i capelli dell'uomo, e glieli baciò, molte volte, con leggerezza, come si fa con i bambini.

Il volume della radio tornò alto, e l'uomo, di là, borbottò qualcosa che non si capì. La donna se lo immaginò che girava tra i tavoli, per capirci qualcosa. Pensò alla giacca lasciata sullo schienale e al suo grembiule, sul tavolo. Alla frutta nel piatto. Poi sentì la porta riaprirsi. La voce, di là, disse forte ancora qualcosa.

– Allora, proprio tutti morti qua dentro, eh?

Poi la porta si richiuse. Tornò il silenzio. Solo la musica della radio.

Forse da fuori venne come il rumore di una moto che partiva. Ma era probabilmente solo l'eco della Grande Corsa.

L'uomo rialzò la testa. Si guardarono negli occhi. C'era da capire cosa fare, adesso. La donna tornò a sentire quella lucidità, nella testa, come l'aria del mattino. Diede una carezza all'uomo, poi lo strinse a sé, con forza.

L'uomo si era rimesso la giacca e adesso era un po' in imbarazzo perché in teoria avrebbe dovuto pagare la cena. Continuava ad avvicinare la mano alla tasca col portafoglio, ma, dopo quello che era successo, era proprio un gesto che non c'era modo di fare. Al quarto tentativo la donna scoppiò a ridere, e ridendo come una matta disse che le venivano in mente un sacco di battute volgari.

– Era meglio che pagavo prima, mi sa –, disse l'uomo, quan- riuscirono a tornare seri.

– Ricordatelo, la prossima volta –, disse la donna.

Ma si pentì di aver parlato di una prossima volta.

– Non aspetti che tornino dall'incidente? –, chiese.

Non aveva finito la frase che già si era pentita anche di quella. Ma lo sapeva che da lì in poi sarebbe stato difficile trovare qualcosa di giusto da dire, lo sapeva e non c'era niente da fare. Avrebbero camminato sulle uova fino a quando lui non se ne fosse sparito nel buio là fuori.

Anche l'uomo lo sapeva e così disse che adesso doveva proprio andare. La donna non chiese nulla dell'amico che doveva arrivare, e lui non ne parlò. Bevve ancora un sorso di grappa, e scherzarono un po' sui liquori che si fanno in casa. Alla radio, a un certo punto, parlarono dell'incidente, e dissero che un pilota era stato ricoverato in ospedale in gravi condizioni. Pareva che fosse esploso uno pneumatico, in piena curva. Era andata bene, perché nessuno, nel pubblico, si era fatto male. Il giornalista diceva che l'accaduto avrebbe fatto tornare d'attualità il dibattito sulla pericolosità della Grande Corsa.

– Allora io vado –, disse l'uomo.

– È tardi, dove puoi andare a quest'ora?

– Oh, non è importante, a me piace camminare di notte.

– Se vai verso la Corsa puoi trovare un passaggio.

– Sì, forse farò così.

Erano uno di fronte all'altra, in piedi, accanto alla porta.

Lei fece un passo avanti e senza prudenza lo baciò, con dolcezza, sulla bocca.

– Non ti perdere, là fuori –, disse.

L'uomo le disse che non si sarebbe perso.

Poi le disse che era una donna bellissima. Per quanto ne capisse lui, lei era una donna bellissima.

Lei sorrise.

L'uomo aprì la porta e uscì. Lasciò che la porta si chiudesse senza voltarsi si allontanò.

La donna tornò al tavolo dove l'uomo aveva mangiato. Prese il grembiule che aveva lasciato lì e se lo legò alla vita. Riavvicinò le due sedie al tavolo e rimise i resti del pane nel cestino di vimini. Prese le posate sporche e il piatto della frutta e fece per tornare in cucina. Ma poi andò verso una finestra e gettò uno sguardo verso il distributore di benzina. Guardò un po' intorno. Non c'era nessuno.

– Buona fortuna –, disse piano.

L'uomo si allontanò dal distributore. Troppa luce, pensò. Andò a cercarsi la penombra. Aveva l'idea di andare verso la Grande Corsa, ma quando vide in lontananza i fari delle auto che giravano sulla campagna non fu più tanto sicuro di voler andare là. Si voltò dalla parte opposta e gli parve di vedere qualcuno, sul ciglio della strada, dove iniziava l'oscurità. Allora decise di andare da quella parte. Quando fu più vicino, vide che seduta su un paracarro c'era la figlia della donna. Si era tolta le scarpe e le aveva posate, ordinatamente, nell'erba. Era ancora ben pettinata, ma adesso la pelle del viso luccicava un po' di sudore.

– Ha una sigaretta? –, chiese la ragazza.

– No. Non fumo, mi spiace.

La ragazza tornò a fissare il buio, davanti a sé.

Lui le chiese se aveva visto passare un uomo, da quelle parti, un uomo molto alto, che usciva dalla locanda.

– Uno grande e grosso?

– Sì, probabilmente.

– Un po' ubriaco?

– Non so.

La ragazza fece una smorfia come per dire che non le era piaciuto.

– Se n'è andato a vedere la Corsa. Non sapeva nemmeno cosa ̶sse, ma se n'è andato là.

ꞌuomo si girò a guardare verso la curva, laggiù, dove passavano i fari. Si immaginò tutta la gente, e la polvere che si alzava sotto le gomme, e il sottile odore di olio bruciato e benzina. Poteva sentire, come se fosse là, il brusio della folla tra un passaggio e l'altro. Sapeva con che voce i bambini urlavano il numero sulle fiancate delle automobili, e conosceva la fierezza dei padri che dicevano allora il nome dei piloti. Si ricordava la stanchezza e la paura, il silenzio e il rumore. Si ricordava tutto, perché mai sarebbe riuscito a dimenticare.

Si voltò verso la ragazza e vide che stava piangendo, silenziosamente.

– Cosa fa, signorina? –, chiese.

La ragazza si passò il dorso della mano sugli occhi. Piangeva in silenzio, ma le spalle le andavano su e giù, dai singhiozzi.

– È tutto uno schifo –, disse.

L'uomo si guardò un po' intorno, poi tornò a fissare la ragazza.

– Non deve fare così.

– È tutto uno schifo –, lei ripeté.

– Non è vero.

– Sì che è vero.

È tutto uno schifo, disse ancora una volta.

L'uomo prese dalla tasca un fazzoletto e glielo porse. Lei lo prese, senza ringraziare. Se lo premette sugli occhi, continuando a piangere.

– Dovrebbe andare a vedere la Corsa –, disse l'uomo.

La ragazza scrollò la testa e si soffiò il naso nel fazzoletto.

Poi disse che lei la Corsa la odiava. Lo disse con cattiveria.

– Non si può odiare tutto –, disse allora l'uomo.

La ragazza si voltò a guardarlo, come se si fosse accorta di lui solo in quel momento.

– Cosa dice?

– Niente, ho detto che non si può odiare tutto.

La ragazza abbassò lo sguardo. Non le interessava già più non capiva.

L'uomo cercò qualcosa da dirle, ma era difficile perché la tristezza dei giovani è sempre irrimediabile, e senza ragione il loro dolore.

Poi sentì il rumore di un'auto, in lontananza.

– C'è qualcuno che arriva –, disse.

Dalla parte della Corsa, i fari di un'automobile stavano risalendo la strada, verso il distributore, ad alta velocità.

La ragazza si voltò a guardare. Strizzava gli occhi, perché non vedeva bene, tra le lacrime.

– È di sicuro un'auto della Corsa –, disse l'uomo.

I due fari si avvicinavano veloci, sembravano gli occhi di un serpente che strisciava nella notte.

– Vada, si sbrighi, avranno bisogno di benzina.

La ragazza si alzò e vide l'auto entrare nella luce e frenare bruscamente davanti al distributore. Allora raccolse le scarpe e tenendole in mano iniziò a correre sul ciglio della strada. Mentre correva si risistemava i capelli. Aveva fatto qualche metro quando si fermò e si voltò. Aveva il fazzoletto in mano, e lo alzò.

– Non importa, vada –, disse forte l'uomo.

La ragazza si mise di nuovo a correre.

L'uomo vide da lontano che l'auto era una Jaguar argento, splendida. Sul cofano, dipinto in rosso, aveva un numero molto bello. 111. Sperò che portasse fortuna alla ragazza. La vide arrivare al distributore e avvicinarsi all'auto. Dopo un po' le portiere si aprirono e scesero due piloti. Così, visti da lontano, sembravano vestiti eleganti, dei signori. Chissà, pensò l'uomo. Sarebbe bastata anche solo una frase giusta, e la ragazza avrebbe smesso di pensare che faceva tutto schifo. Ma non si può mai dire quando la gente ha voglia di dire frasi giuste.

Diede un'ultima occhiata al distributore, poi si voltò e prese a camminare verso il buio. La strada correva diritta e scompari- nel nero assoluto. L'uomo prese a contare i suoi passi, e quan- arrivò a 111 ricominciò da capo. Lo faceva per la ragazza.

Sono trucchi che a volte funzionano.

L'uomo morì quattro anni dopo, sul ciglio di uno stradone, in Sud America. Era una di quelle strade che corrono per centinaia di chilometri, nel nulla, senza una curva. Una di quelle strade che nessuno sa veramente dove finiscano e dove siano iniziate. Poiché l'uomo viveva lì, fu lì che gli si fermò il cuore.

EPILOGO

Poiché se l'era promesso, Elizaveta Seller, vedova Zarubin, cercò
per anni un circuito di diciotto curve, costruito nel nulla e probabilmente mai usato. Lo conosceva a memoria e avrebbe potuto disegnarlo, con precisione, in qualsiasi momento e dovun-
que: lo faceva, ogni tanto, oziosamente, sul retro di lettere inutili, o sull'ultima pagina di libri che non finiva.

Disponeva di ricchezze sorprendenti, e spenderle per scopi
imperscrutabili non era l'ultimo dei suoi diletti. Quando firma-
va gli assegni per gli uomini che, in ogni parte del mondo, occu-
pavano il loro tempo a chiedere notizie di un circuito dimenticato, amava farlo sotto gli occhi, indispettiti, dei suoi consulen-
ti finanziari. Uno di loro, un olandese, le chiese il permesso di
riassumerle, un giorno, le spese a cui si era esposta per finanzia-
re l'insolita ricerca.

– Permesso accordato –, disse Elizaveta Seller.

L'olandese aprì una cartellina e lesse una cifra che aveva una
sua solennità.

Elizaveta Seller non fece una piega. Chiese all'olandese se era
così cortese da calcolare per quanti anni ancora avrebbe potuto
andare avanti a cercare, prima di ritrovarsi in miseria.

– Non è questo il punto –, obbiettò l'olandese.

– Lei si limiti a calcolare, per favore.

Risultò che, approssimativamente, aveva ancora davanti
qualcosa come centottantadue anni.

– Lo troveremo prima –, disse Elizaveta Seller, convinta.

Sul fatto che il circuito esistesse davvero, non aveva dubbi. Aveva conosciuto Ultimo e il suo mondo abbastanza per sapere che quella gente aveva la pazienza dell'insetto e la determinazione dell'uccello rapace. Non avevano ricevuto in eredità il lusso del dubbio, e da generazioni nessuno aveva mai immaginato che in una vita potesse starci altro che una vita sola: e una sola follia. Con premesse del genere, se solo avevi del talento e la fortuna di campare, quello che volevi fare l'avresti fatto. Da quando Florence le aveva porto quel disegno, piegato in otto, aveva capito che non era il sogno passeggero di un ragazzo, quello di Ultimo, ma la pacata decisione di un adulto. Gente che per secoli aveva avuto la calma di dissodare la terra, ogni anno, senza dubitare della fedeltà delle stagioni, non si sarebbe mai sognata di disegnare qualcosa per il gusto di farlo, o per la debolezza, a loro estranea, di giocare con l'immaginazione. Ne era sicura: *prima* Ultimo aveva costruito il circuito, *poi* l'aveva disegnato. Era anche sicura di un'altra cosa: l'aveva disegnato *per lei*.

Tutto quel che occorreva fare era avere pazienza, e cercare. Lo fece prima negli Stati Uniti, perché le era sembrata la cosa più logica. Poi sguinzagliò i suoi uomini in Sud America e in Europa. Un anno, cedendo a una ispirazione inutilmente romantica, mandò un emissario in Russia. Ogni tanto le arrivavano dei resoconti dettagliati di circuiti strani e assurdi, mezzo distrutti, completamente dimenticati o cancellati dalle periferie anonime di grandi città. Lei studiava ogni caso, con cura e perfino con curiosità. Scoprì, come spesso accade, che per quanto uno abbia un'intuizione strampalata e geniale, c'è sempre un bel numero di persone, in giro per il mondo, che l'hanno avuta tale e quale. Era perfino possibile trovare qualcuno che ne aveva messo a punto una qualche variante anche più sorprendente. In Colombia le segnalarono un circuito su cui, dicevano, aveva corso anche Nuvolari. Adesso gli avevano versato sopra un lago artificiale. Riposava a una ventina di metri sott'acqua, abitato dai pesci. La divertì l'idea di mandare dei sommozzatori, a spiarlo, e farne un disegno. Non aveva diciotto curve, e, paragonato al tracciato di Ultimo, era una cosa da ragazzi.

– Lasciatelo là sotto –, disse.

Non cercava con l'ossessione febbricitante di un collezionista, ma con la cura tranquilla di un artigiano intento a rimettere insieme i cocci di un vaso rotto. Non aveva fretta, non aveva rivali, e le piaceva il gesto di cercare. Era un modo di stare con Ultimo, e per tutti quegli anni fu il solo che la sorte avesse tenuto in serbo per lei. Un'altra persona, forse, si sarebbe ribellata, e avrebbe ceduto alla tentazione di pretendere la realtà di un fatto qualunque al posto di quella inconsistente liturgia dell'assenza. Ma neanche per un attimo la sfiorò l'idea che forse sarebbe stato più facile trovare Ultimo che non il circuito. Molti anni prima lei gli aveva scritto in un diario quello che si sarebbe aspettata da lui, e lui l'aveva fatto. Adesso toccava a lei. C'era un disegno, e si trattava solo di fare quello che c'era scritto lì. Non è importante se le persone, alla fine, non riescono a trovarsi. Non tradirsi, quello è importante.

Elizaveta Seller cercò per diciannove anni, tre mesi e dodici giorni. Poi un dispaccio dall'Inghilterra le comunicò che un circuito di diciotto curve, in tutto corrispondente al disegno da lei fornito, giaceva semidistrutto tra le paludi di Sinnington, un piccolo centro dello Yorkshire. C'erano allegate delle foto aeree. Elizaveta non le volle nemmeno guardare. Partì il giorno stesso, con sette bauli, tre persone di servitù, una bellissima ragazza che si chiamava Aurora, e un ragazzino egiziano. Alla governante della sua casa di campagna disse che non sapeva quando sarebbe tornata. Ma si raccomandò che ogni giorno ci fossero fiori fresc͏ nei vasi, e che i sentieri del giardino fossero tenuti puliti d foglie morte. Partì senza voltarsi. Aveva sessantasette anni, in tutti quegli anni molto aveva vissuto, e non era mort

261

Il suo agente inglese era un omino magro magro che si chiamava Strauss. Da giovane, dopo la guerra, aveva messo su una società di investigazioni con un compagno di scuola, un tipo belloccio e non troppo acuto. Dopo qualche anno il compagno di scuola se n'era sparito portandosi via le due cose più vacue dell'azienda: la segretaria e la cassa. Così adesso sulla porta dell'agenzia c'era solo un nome. Strauss.

L'Inghilterra pullulava di circuiti automobilistici perché i severi limiti di velocità avevano da sempre scoraggiato le gare su strada. Per Strauss, così, s'era trattato di andare in giro per tutto il paese, incontrando la gente più stramba, e sorbendosi infinite perlustrazioni su tracciati che non gli dicevano nulla. Lui non guidava e, di solito, sulle auto vomitava.

Tanto per non perdere tempo, si era abituato a chiarire, preliminarmente, che gli interessavano solo circuiti con diciotto curve.

– Lei si confonde con il golf –, gli disse una volta un driver scozzese, visibilmente omosessuale. – E si tratta di buche, non curve –, aveva aggiunto.

Alcuni circuiti erano tuttora in funzione, molti altri erano decaduti a parcheggi o discariche. Spesso erano giusto un ricordo, sostituito da palazzine popolari piene di pendolari e bambini da cambiare. Anche quando era inutile, Strauss prendeva nota e mandava accurati report all'indirizzo romano di Elizaveta Seller. Non le aveva mai parlato, direttamente, e non aveva la più pallida idea del perché una signora russa avesse un bisogno così impellente di trovare un circuito automobilistico. Dato che disponeva di una fantasia misurata, si era immaginato un'eccentrica miliardaria che voleva mettersi nel business delle corse. Ma una sera, che era un po' ubriaco, gli venne da pensare a un ~~artista~~, probabilmente d'avanguardia, che scolpiva circuiti, ~~come~~ se fossero statue. Non aveva un'idea precisa, peraltro, di ~~cosa sig~~nificasse la parola *avanguardia*.

A Sinnington ci arrivò per caso, seguendo il suggerimento, apparentemente inutile, di un tassista di Liverpool. Il tassista parlava molto e aveva voluto sapere da lui che mestiere facesse.

– Ho un'agenzia investigativa –, aveva detto Strauss.

– Fantastico! Sta cercando un assassino?

– No, un circuito.

Venne fuori che il tassista aveva fatto la guerra in aviazione. Un giorno di virile nostalgia era tornato alla pista dov'era decollato tante volte negli anni in cui era un eroe e non un fallito. La pista c'era ancora, ma tutto il resto era molto cambiato. Ci avevano fatto una cosa senza senso, che però assomigliava a un circuito. Strauss aveva già setacciato tutto il Regno Unito, e non sapeva più cosa inventarsi per giustificare le note spese che mandava regolarmente in Italia. Si fece dare il nome del posto.

Quando arrivò a Sinnington pioveva e tirava un vento da nord che non perdonava. Salì su una collinetta e diede un'occhiata intorno. Si capiva poco, ma indubbiamente qualche segno di un circuito c'era. Chiese in paese, se ne sapevano qualcosa. Da quelle parti la gente non ama chiacchierare, e Strauss aveva addosso un'inevitabile aria da sbirro. Ma qualcuno lasciò cadere lì che effettivamente un pazzo c'era stato, anni prima, che aveva comprato l'aeroporto e ne aveva fatto qualcos'altro. Strauss chiese se si ricordavano il nome del pazzo. Uno disse che era un italiano.

– Si chiamava Primo, o qualcosa del genere –, disse, senza convinzione.

Elizaveta Seller scese dalla macchina e proseguì a piedi per salire su una collinetta da cui era possibile vedere qualcosa. Si era fatta accompagnare solo da Strauss e da un ingegnere del post che aveva un bel nome. Si chiamava Bloom. C'era un bel s Camminò senza alzare lo sguardo perché non voleva rovin sorpresa. Non si illudeva troppo su quello che avrebbe ma sapeva che la linea dell'orizzonte, davanti a lei, sarebbe stata la stessa che avevano visto, anni prima, gli occhi di Ultimo. Era un bel punto da cui ricominciare.

Arrivarono sul colmo della collina e si girarono verso la campagna. Per un po' stettero in silenzio. Poi l'ingegnere, che si era preparato, disse quello che sapeva.

– È un terreno paludoso. Bisognava essere scemi per pensare di costruirci qualcosa.

Elizaveta Seller evitò di commentare. L'ingegnere proseguì.

– Col tempo, l'acqua si è mangiata un bel po' di roba. Nei tratti che vede laggiù, prima del bosco, avevano fatto una pavimentazione in mattoni. Lì qualcosa è rimasto. Ma dov'era terra battuta il fango si è ingoiato tutto.

Poi indicò una collinetta un po' sghemba su cui si intuiva il tracciato di una strada scura.

– Alcuni particolari sono sinceramente sorprendenti. La collinetta è artificiale, appoggia su una struttura in legno. È mal messa, ma è rimasta in piedi.

Strauss fece un passo avanti. Aveva qualcosa da dire.

– È la collinetta che mi ha convinto. Nel disegno c'è proprio uguale, e mi creda che non ci sono molte piste con dossi del genere.

Elizaveta Seller fece cenno di sì, col capo. Poi disse qualcosa a bassa voce che non si capì bene.

– Prego? –, fece l'ingegnere.

– Vada avanti –, disse Elizaveta Seller continuando a fissare la campagna.

L'ingegnere disse che alcune curve erano rialzate, e che per lunghi tratti il circuito viaggiava ormai sotto il livello degli stagni, ma sufficientemente riconoscibile. Indicò una striscia bianche disegnava un'ampia curva morbida e chiarì che lì aveva provato con una pavimentazione di pietre e ghiaia, una te che risaliva agli anni venti. Era per risolvere il problema della polvere. Disse che da un punto di vista strettamente tecnico, doveva essere una pista inguidabile. Troppe curve, non c'era un vero ritmo, e alcuni tratti sembravano francamente pericolosi. Forse con le automobili di oggi si potrebbe fare, disse, ma con le macchine di allora non poteva funzionare. Aggiunse che lui aveva cercato negli archivi del giornale, ma proprio non c'era prova che si fosse mai fatta una gara, su quel circuito. Facile che l'abbiano costruito e poi abbandonato, senza provarci neppure, disse. Poi si mise tranquillo.

Elizaveta Seller fece qualche passo avanti. C'era finalmente un gran silenzio. Guardò i resti della pista, che sbucavano qua e là dalle paludi. E capì che non si era sbagliata, né sul conto di Ultimo, né sul conto di se stessa. Pensò a due ragazzi persi sulle strade d'America con un furgone pieno di pianoforti, e li vide limpidi e forti come mai li aveva visti. Adesso sapeva che per quanto la terra tutta si fosse data una gran pena a confondere ogni orizzonte, così lineare e semplice era stata la loro strada, e pulita oltre ogni dire. Era sembrata, a tanti, una follia e invece era stato solo un gesto esatto, strappato al caos dell'accadere, e compiuto insieme. Non c'è nulla, pensò, nulla come esser qui, in questo momento. A mettere in ordine il mondo.

Stette lì per un bel po', a guardare. C'erano tante cose che solo lei poteva vedere. Era come leggere una lettera scritta in una lingua che solo due persone conoscevano, al mondo. Alla fine si alzò una piccola brezza, venuta dal nulla, e lei pensò che era ora di andare. Abbracciò ancora una volta, con lo sguardo, il sogno di Ultimo, poi si voltò. I due uomini stavano immobili, con un'aria piuttosto solenne. Loro non lo sapevano, ma restava ancora una cosa da fare, per rimettere davvero tutto a posto. Elizaveta Seller si avvicinò all'ingegnere e tirò fuori dalla borsa un grande foglio, piegato in otto. Glielo porse.

– Prosciugate questo cazzo di palude e rimettete in pied[i] circuito. Lo voglio identico a come era.

L'ingegnere aveva un aplomb inglese che si vantava di non perdere neppure nei momenti peggiori.

– Non sono sicuro di aver capito –, disse.

Elizaveta Seller lo guardò come avrebbe potuto guardare una pozza di vomito nella hall di un albergo a cinque stelle.

– Ho detto che lei ritirerà su questo circuito, identico a com'era, e lo farà in tre mesi, dovesse essere l'ultima cosa che fa.

A Strauss, l'investigatore, scappò come un gridolino. Da tempo aveva perso contatto con certi suoi sogni di giovinezza e ormai non gli risultava che vivere fosse qualcosa di diverso da un decoroso limitare i danni. Il piglio della miliardaria russa gli resuscitò qualcosa dentro per cui non aveva nemmeno più nomi. Probabilmente quella sera si sarebbe ubriacato e avrebbe detto alla signora MacGovern che aveva un culo da far impazzire.

Elizaveta Seller discese la collina commentando l'incurabile trascuratezza della campagna inglese. L'ingegnere la seguiva, qualche passo indietro, cercando tra sé una formulazione elegante con cui manifestare il suo sgomento. Quando arrivarono alla macchina, prese il coraggio a quattro mani.

– È una follia –, disse, sintetico.

– Lei non ha nemmeno una pallida idea di cosa sia una follia veramente –, rispose Elizaveta Seller, con il tono che di solito si usa per fare le condoglianze.

L'ingegnere si vendicò dicendo quel che pensava.

– Non ci correrà mai nessuno, su una pista del genere.

Strauss, l'investigatore, fece un passo avanti, perché non intendeva perdersi la risposta.

– Ci correrò io, e questo basta –, disse Elizaveta Seller.

ᵀ lavori costarono una cifra decisamente curiosa e durarono sei
ᵉsi e ventisette giorni. Era molto più del previsto, ma l'inge-
Bloom riuscì a dimostrare che far le cose più in fretta era

umanamente impensabile. A meno di non ingaggiare Superman, chiarì. Per i suoi parametri, questa era una battuta. Piuttosto buona, anche.

Elizaveta Seller si sistemò in un albergo di lusso a trentadue miglia dal circuito e da lì non si spostò mai. Non volle vedere il cantiere, e nemmeno si mostrò interessata alle mete turistiche che pure, nei dintorni, non mancavano. Passava le giornate a camminare nei giardini dell'hotel o a fissare il vuoto, serenamente, sistemata in una poltrona di vimini, in veranda. Le mani in grembo, nascoste sotto uno scialle di seta indiana, si deliziava a suonare Schubert, senza che nessuno potesse saperlo.

Divideva una suite all'ultimo piano con il ragazzo e la ragazza che l'avevano accompagnata. Il personale dell'albergo non aveva mancato di giudicare con severità un ménage di quel tipo, ma le mance di Elizaveta Seller avevano qualcosa di spettacolare, e dopo le prime settimane la soglia del pudore, tra le mura dell'hotel e in tutto il paese, si dimostrò sorprendentemente flessibile. Finirono per affezionarsi tutti a quella matura signora che parlava in modo scorbutico ma si muoveva con dolcezza e sembrava esente da qualsiasi malinconia. Molti si erano fatti la convinzione che fosse lì per ragioni d'affari, e si vociferava di un imponente casinò che sarebbe nato accanto al circuito. Ma i vecchi che di giorno spiavano il cantiere, in piedi, appoggiati alle reti metalliche, nutrivano il sospetto che in realtà, tra quelle paludi, lei stesse cercando un tesoro. In un certo senso non erano lontani dalla verità. Un giorno, Strauss, l'investigatore, le disse che almeno a lui, che l'aveva trovato, poteva dire perché le interessasse tanto quel groviglio assurdo di curve inguidabili.

– Non è un circuito, è una vita –, si lasciò scappare lei.

Strauss non disponeva né dell'immaginazione né dell'ottimismo necessari a dedurne qualcosa.

– Una vita? –, chiese.

Per un attimo Elizaveta Seller ebbe la tentazione di r

targli tutto, da cima a fondo, senza cautele. L'attirava la perfida prospettiva di violentare l'anima domestica di quell'uomo, rivelandogli come possa essere profonda una passione e sofisticato un destino. Ma poi subito si pentì della sua presunzione e cercò di ricordarsi che tutti gli amanti si credono unici, e nessuno lo è. Fece molta fatica, ma ci riuscì.

– Le ho mai detto che lei è sputato Gloria Swanson? –, disse.

Il 7 maggio 1969, l'ingegner Bloom si presentò al suo tavolo, durante la prima colazione, e le comunicò, non senza una punta di acredine, che il circuito era pronto. Elizaveta Seller stava imburrando una fetta di pane tostato. Posò il coltello e alzò lo sguardo sull'ingegnere. Le fece tenerezza, perché aveva lavorato come un mulo per costruire qualcosa che non avrebbe mai saputo cos'era.

– Io le devo delle scuse, ingegner Bloom –, disse.

Bloom accennò un inchino.

– L'ho trattata spesso con un'inutile asprezza. Non posso dire che me ne dispiaccia, ma convengo che è stata una leggerezza del tutto gratuita. Le devo invece una grande riconoscenza.

Bloom accennò un altro inchino.

– Lei mi sta per regalare uno dei giorni più belli della mia vita.

Poi si accorse che non era del tutto esatto.

– Per quanto *regalare* non sia il termine tecnicamente più appropriato –, aggiunse.

Passò la giornata come se fosse una giornata qualunque. La sera si chiuse nel suo salottino e tirò fuori da una borsa un vecchio diario, rilegato in pelle. Aveva dei fogli scuciti che sporgevano un po' e lei li rimise pazientemente a posto. Poi si mise a leggere, e lesse tutto, dall'inizio alla fine. Senza fretta. Quando ⁓rivò all'ultima riga, chiuse il diario e stette a lungo lì, nel silen- della notte, a pensare. Poi andò allo scrittoio, prese una , riaprì il diario alla prima pagina bianca e si mise a scrivere. Lo fece per ore, senza mai correggersi o cancellare, semplicemente scrivendo, come le veniva. Da quanto tempo, pensò, avevo bisogno di scrivere questa storia. Erano già suonate le due del mattino quando si accorse che una stanchezza felice le era scesa sugli occhi. Scrisse ancora una riga, sorridendo, poi chiuse il diario e andò a risistemarlo nella borsa. Si addormentò in poltrona, senza nemmeno cambiarsi. Quando la luce dell'alba la svegliò, decise di fare tutto in silenzio, per non svegliare i due ragazzi che dormivano di là. Si lavò, si truccò, e si mise un vestito elegante e appropriato che, per l'occasione, aveva portato da casa. Aveva un taglio maschile, e questo era inevitabile visto l'uso che ne avrebbe fatto. Ma non gli mancava né lo splendore né l'ardire di un abito da sera. Uscì dalla stanza senza far rumore, si presentò nella sala della colazione, e chiese un caffelatte, dicendo che non avrebbe consumato altro. Nella sala c'era solo una coppia di francesi, che discutevano sulla presunta superiorità delle marmellate inglesi. Quando uscì dall'albergo trovò Strauss ad aspettarla. Si era vestito elegante e aveva un esubero di brillantina sulla testa. Elizaveta Seller pensò che sembrava Gloria Swanson dopo che le avevano versato sulla testa una coppa di gelatina.

Aveva avuto così tanto tempo per preparare quel giorno che non aveva trascurato nessun dettaglio. Naturalmente non pensava di guidarla lei, la macchina, ma anche l'idea di affidarla al suo abituale chauffeur le era sembrata inadeguata. Per un po' aveva pensato a un vero pilota, poi si era immaginata i commenti inutili sulla stranezza della pista. Alla fine aveva optato per un collaudatore. L'aveva chiesto giovane e, possibilmente, non brutto. Strauss gliel'aveva trovato. Quanto alla macchina, sapeva ch... non poteva sceglierne una qualunque. Quelle moderne le av... scartate d'istinto, certa che, da un punto di vista per così di... *listico*, non sarebbero state appropriate. Cercò di ricord...

Ultimo aveva mai fatto trapelare una qualche preferenza per un certo particolare modello, ma la verità è che lui le automobili quasi non le vedeva, considerandole un futile corollario alla bellezza delle strade. Così, alla fine, optò per la Jaguar XK120. Era una due posti scoperta e magnifica che lei aveva comprato nel 1950. In quel periodo aveva appena ricominciato a vivere, e tra le cose assurde che le era sembrato necessario fare, c'era stata quella di partecipare a una corsa di pazzi, che si faceva in Italia, e che si chiamava Mille Miglia. Era per professionisti ma anche per amateur. Si correva sulle strade normali, di tutti i giorni. Lei aveva comprato la Jaguar e si era scelta come compagno un gentiluomo russo, vedovo anche lui, che aveva un passato da sportivo. Alla fine la cosa le era tanto piaciuta che l'automobile, terminata la corsa, l'aveva tenuta, per ricordo. Era color argento. Sul cofano, e sulle fiancate, c'era il numero, in rosso. Era un bel numero. 111. Al momento buono, le parve che fosse la macchina giusta per il circuito di Ultimo. Mentre ancora ferveva il cantiere se l'era fatta spedire, via nave, dall'Italia. La ritrovò lì, quella mattina, sul rettilineo della partenza, splendida e luccicante. Con il collaudatore alla guida. Ferma sulle sue quattro ruote di gomma lucida. Una meraviglia, pensò.

Disse a Strauss e Bloom di togliersi dai piedi e si avviò verso la Jaguar. Non c'erano testimoni né pubblico, su questo era stata perentoria. Fece un cenno al collaudatore per fargli capire che sarebbe salita da sola e prese posto nel sedile vuoto, di pelle rossa. Richiuse la portiera, gustandosi lo scatto meccanico assicurato dalla diligente tecnologia inglese. Si voltò verso il collaudatore.

– Splendida giornata, vero?

– Non sembra di essere in Inghilterra.

– Lei di dov'è, giovanotto?

– Francia. Del Midi.

– Bei posti.

– Sì, signora.

Elizaveta Seller lo guardò con attenzione. Ebbe un pensiero grato per Strauss. In effetti ne aveva trovato uno che non era niente male.

– Lei fa il collaudatore.

– Sì, signora.

– Che razza di mestiere è?

Il giovanotto alzò le spalle.

– Un mestiere come un altro.

– Sì, ma cos'è che fate di preciso?

– In pratica guidiamo una macchina fino a quando muore. Facciamo migliaia di chilometri e prendiamo nota di tutto quello che succede. Quando muore, abbiamo finito.

– Non ha l'aria molto eccitante.

– Dipende. In fabbrica è peggio.

– Già.

C'erano solo le loro voci, in mezzo a quel gran nulla. Sembrava una cattedrale vuota e scoperchiata.

– Le han detto cosa stiamo per fare, giovanotto?

– Credo di sì.

– Riassuma.

– Partiamo e giriamo. E ci fermiamo quando vuole lei.

– Perfetto. L'ha già provato il circuito?

– Qualche giro. È un po' strano. Non sembra un circuito.

– No?

– Sembra più che altro un disegno. Come se qualcuno avesse voluto disegnare qualcosa nella campagna.

– Già.

– Lei ha un'idea di chi l'abbia fatto, e perché?

Elizaveta Seller esitò un attimo. Guardò in faccia il giovanotto. Aveva occhi neri, e belle labbra. Era un peccato che fosse ormai, troppo tardi.

– No –, disse.

Poi lui le chiese se voleva giusto percorrere il tracciato o le interessava farlo veloce, come se fosse davvero una corsa. Vada più veloce che può, disse lei, e si fermi solo quando io le faccio un cenno. Lui fece segno di aver capito, ma poi aggiunse ancora una cosa.

– La devo avvertire che come circuito non è molto sicuro, soprattutto ad alta velocità.

– Se volevo stare tranquilla rimanevo a casa a fare gli origami.

– D'accordo. Partiamo?

– Solo un attimo.

Elizaveta Seller chiuse gli occhi. Cercò di immaginarsi Ultimo, seduto al volante, un giorno di tanti anni prima, alla partenza del suo circuito. Il motore in folle, nel silenzio della campagna. Nessun testimone, neanche un'anima. Solo lui e quelle diciotto curve, distillato di tutta una vita.

– Ciao, Ultimo –, pensò.

Ci ho messo un po', ma eccomi. Ho studiato. Il circuito lo conosco a memoria e tutte le note che hai scritto, per ogni curva, le potrei recitare. Andrà tutto bene, e io mi perderò nella tua vita, come volevi tu. C'è il sole. E nessuna probabilità di sbagliare.

Riaprì gli occhi.

– Adesso possiamo andare –, disse.

Non ci fu preludio, e nemmeno un vero e proprio inizio: l'auto fu subito in corsa, a quella velocità nella quale la larghezza della pista si riduce a un nervo teso da tenere stretto in mezzo alle ruote. Al termine del rettilineo Elizaveta Seller pensò che stava finendo tutto prima di cominciare, e che si sarebbero schiantati nella campagna, come un proiettile impazzito. Era già morta quando la Jaguar trovò, miracolosamente, una lunga curva sulla sinistra, stretta e lunga. Ci si buttò dentro ed Elizaveta a mala pena riuscì a capire che si stava salvando nella pancia della U di

Ultimo, come l'aveva scritta, in rosso, Florence, sulla scatola di cartone dei segreti del suo bambino. In verità si era immaginata qualcosa di più pacato. Come l'intellettuale piacere di veder combaciare un oggetto e la sua descrizione. Non aveva pensato alla velocità. Ora era tutto fulminante, rapido e brutale, caldissimo, e pericoloso. Non c'era ragionamento, era solo emozione. Senza quasi respirare precipitò da una curva all'altra, come in un abisso, scoprendo che non stava leggendo la vita di Ultimo, ma la stava vivendo, a ritmo forsennato. C'era tutto quello che lei sapeva, ma l'automobile andava più veloce del suo cervello e sempre arrivava prima, così che tutto era sorpresa, e frustata al cuore. Salì i tornanti di Colle Tarso come se fossero i passi di un tango brutale, scese stupefatta sul collo di una donna bellissima e come un lungo respiro percorse la morbida curva della fronte di un vecchio matematico che cercava suo figlio. Senza accorgersene si trovò sulla cunetta di Piassebene, urlando nel salto, e capendo cosa vuole dire avere la freddezza di urlare il proprio nome quando la terra ti spara via nel cielo. Si riposò nel lungo rettilineo che aveva portato Ultimo all'ospedale, da suo padre, e che in verità, per un attimo, le diede l'effettiva impressione che adesso tutto sarebbe stato sotto controllo. Ma tornò a mozzarle il fiato la esse morbida e allungata del profilo di una forchetta che Ultimo aveva salvato dal disastro di una ritirata, e scelto come unica curva di tutta una guerra. Bruciò curve che erano dorsi di animali, e angoli di sorriso, e tramonti. Divenne ansa del fiume e orma sul cuscino, e fu per un attimo la donna che viaggiava nascosta, nella prima automobile che quel bambino avesse mai visto. Risalì la chiglia di una nave, la schiena di una luna americana e la pancia di una vela al vento del Tamigi. Fu proiettile e sparo, a una velocità impensabile, finché si trovò di fronte l'ultima curva, quella che nel disegno era spiegata con un'unica, semplice parola: *Elizaveta*. Si era chiesta tante volte cosa c'entrasse lei con quella curva così ordinata, e impersonale. Fece appena in tempo a capire, con gli occhi, quello che d'improvviso si sentì precipitare addosso, con l'automobile che saliva sul morbido muro e sparata dalla forza centrifuga roteava l'amabile acrobazia di quattro ruote gommate appese a una curva parabolica. Elizaveta sentì sparire ogni peso, e si accorse che stava volando senza staccarsi da terra. Era impossibile respirare. Ma lei disse piano, e sorridendo:

– Che stronzo.

Poi sentì la curva sciogliersi nel rettilineo da cui erano partiti, con una morbidezza che nella vita non era nemmeno pensabile. Un attimo ed era di nuovo nel respiro mozzato di Ultimo, su quella pista d'aerei, sotto le botte degli aguzzini, in mezzo ai prigionieri, dove tutto era ricominciato. Non si mosse. Lasciò che l'automobile di nuovo puntasse al disastro per trovare alla fine il conforto di una curva ad U, dipinta in rosso, su una scatola di cartone.

Continuò a girare, l'automobile, per un tempo che nessuna lancetta misurò mai. Elizaveta non contò quante volte vide il rettilineo d'arrivo, ma si accorse che a poco a poco quel che Ultimo aveva cercato spesso di spiegarle, stava succedendo. Sentì ogni curva sciogliersi gradualmente nell'ordine illogico di un unico gesto, e trovò nella propria mente il cerchio che non esisteva se non per lei. Nel cuore della velocità, trovò la perfezione di un semplice anello. Pensò allora all'infinito caos di ogni vita, e all'arte sopraffina delle cose che sanno pronunciarlo in un'unica figura, compiuta. E capì cosa ci commuove nei libri, nello sguardo dei bambini e negli alberi solitari, in mezzo alla campagna. Quando si accorse di essere scesa nel segreto di quel disegno, chiuse gli occhi, vide gli occhi di Ultimo, sorrise. Poi appoggiò una mano sul braccio del ragazzo che guidava. L'automobile rallentò come se si fosse staccata dall'invisibile forza che fin lì l'aveva trascinata. Percorse sulla spinta ancora due curve, che tornarono, in quella antica lentezza, a sembrare curve. Poi, giunta sul rettilineo, la macchina si fermò.

Il ragazzo spense il motore.

Tornò un silenzio che si sarebbe detto perso per sempre.

Elizaveta Seller si risistemò il vestito, scompigliato dall'aria e dalla velocità.

– Bravo –, disse.

– Grazie.

– È stato molto bravo.

Scese dalla Jaguar e si avviò a passi lenti verso i due uomini che la aspettavano sulla collina. Sembrava d'improvviso stanca, e forse perfino indecisa. Se ne accorse lei stessa ma non aveva voglia di mostrarsi diversa da quel che era. Salì la collina piano, perché stava pensando. Per la prima volta sentiva una gran voglia di stringere Ultimo tra le braccia, e di toccarlo, e di sentire il suo corpo. Non mi importa di niente, pensò, vorrei solo quello. Voglio una cosa perduta, si disse.

Quando arrivò davanti all'ingegner Bloom, Elizaveta Seller non si fermò nemmeno. Continuando a camminare fece giusto un cenno verso il circuito e si limitò a dire, in tono perentorio:

– Distruggetelo.

L'ingegner Bloom, in quei sei mesi, era cambiato.

– Come vuole, signora –, disse.

Elizaveta Seller morì undici anni dopo, sulla riva di un lago, in Svizzera. Era uno di quei laghi che sembrano disegnati dalla mano di un chirurgo, come medicazioni della terra. Uno di quei laghi che nessuno sa veramente se dispensino pace o dolore. Poiché Elizaveta Seller viveva lì, fu lì che le si fermò il cuore.

INDICE

Nota

Forse è il caso di chiarire, per i più avveduti e i più curiosi, che in questo libro – come in tutti i miei libri, peraltro – le informazioni storiche sono quasi sempre corrette, o almeno così vorrebbero essere, ma convivono con alcune variazioni fantastiche che mi è piaciuto seminare qua e là. Così, ad esempio, la vicenda dell'Itala è sostanzialmente fedele ai fatti, ma il signor Gardini ha finito per diventare la sintesi di tanti pionieri diversi, e dunque un personaggio immaginario. L'Ouverture racconta una corsa effettivamente accaduta, ma raccoglie anche molte delle storie che, all'indomani, contribuirono a fare, di quella corsa, una leggenda. Per quanto riguarda Caporetto, non ho dovuto inventare niente perché lì la realtà superò qualsiasi immaginazione. La base militare di Sinnington non è mai esistita, ma molte come lei esistettero davvero, spesso diventando, in tempo di pace, circuiti automobilistici. La Steinway & Sons pensò effettivamente che le pianole avrebbero messo fuori gioco i pianoforti, e mise a fuoco davvero l'idea di mandare in giro maestri a regalare lezioni di piano; tuttavia non potrei assicurare che lo abbia fatto nei modi e negli anni descritti dal libro. Potrei andare avanti, ma l'importante è capire che la Storia, in queste pagine, è un po' meno reale di quella che si vede su History Channel, ma molto di più di quella che si può trovare in *Cent'anni di solitudine*. (D'altronde, il confine tra osservanza storica e invenzione assume, spesso, contorni surreali. Quando scrissi *Seta* mi inventai il nome del paese in cui vivevano i protagonisti combinando due nomi trovati su un atlante. Ne venne fuori Lavilledieu. Anni dopo, mi scrisse il sindaco di un paesino del sud della Francia. Il paesino si chiamava Lavilledieu. Nella lettera il sindaco mi spiegava che, nell'Ottocento, da quelle parti, campavano allevando bachi da seta. Mi invitava anche a inaugurare la loro nuova biblioteca comunale. Naturalmente ci sono andato. Me la ricordo come una gran bella giornata. Un'altra volta mi è successo che una mia lettrice inglese abbia riconosciuto, in un personaggio di *Oceano Mare,* una sorella da tempo scomparsa nel nulla. Era convinta che io l'avessi conosciuta, e ne avessi scritto la storia nel libro. Mi chiedeva se potevo darle una mano a ritrovarla. Scrivere una risposta, in casi del genere, è una faccenda che ti può prendere anche settimane.)

A proposito di sorelle, vorrei dire un'altra cosa. Il cinque per cento dei diritti d'autore di questo libro non finirà nelle mie tasche ma in quella di una Associazione appena nata che si chiama Casa Oz. Loro si occupano dei bambini con malattie gravi o incurabili e delle loro famiglie. Studiano sistemi per aiutare tutti quanti a vivere in modo meno disumano possibile un passaggio così crudele della loro vita. Se volete saperne di più potete andare in questo sito:

www.casaoz.org

Io, di mio, preferirei non saperlo neanche che esistono bambini malati gravemente, è una cosa che mi fa una paura orrenda. Ma tra i fondatori di Casa Oz c'è una mia sorella. Lei c'è passata, da quel problema, e sa. Così mi ha convinto a tirar fuori la testa dalla sabbia. In genere io son portato a fidarmi di quelli che curano ferite che conoscono da vicino. Psicanalisti depressi, urologi che vanno in bagno continuamente, persone così. Per cui l'idea di aiutare Casa Oz mi è parsa una buona idea. Ecco tutto.

Ultimi volumi pubblicati in
"Universale Economica"

A.M. Homes, *Questo libro ti salverà la vita*

Umberto Galimberti, *La casa di psiche*. Dalla psicoanalisi alla pratica filosofica. Opere XVI

Frank Furedi, *Il nuovo conformismo*. Troppa psicologia nella vita quotidiana

Stanley Ellin, *La specialità della casa e altri racconti*

Paolo Nori, *Pancetta*

Alessandro Baricco, *I barbari*. Saggio sulla mutazione

Ricardo Piglia, *Soldi sporchi*

Mohammed Dib, *La casa grande*. Algeria

Kurt Vonnegut, *Ghiaccio-nove*

Domenico Starnone, *Ex cattedra e altre storie di scuola*

Eugenio Borgna, *Le intermittenze del cuore*

Sophie Marinopoulos, *Nell'intimo delle madri*. Luci e ombre della maternità

Rabindranath Tagore, *Lipika*. A cura di B. Neroni

Manuel Vázquez Montalbán, *La Mosca della rivoluzione*

David Remnick, *Il re del mondo*

Quindici. Una rivista e il Sessantotto. A cura di N. Balestrini. Con un saggio di A. Cortellessa

Federico Moccia, *Ho voglia di te*

Isabel Allende, *Inés dell'anima mia*

Doris Lessing, *Gatti molto speciali*

Francesco Renga, *Come mi viene*. Vite di ferro e cartone

Manuel Vázquez Montalbán, *Sabotaggio olimpico*

Marek van der Jagt, *Storia della mia calvizie*

Gianni Mura, *Giallo su giallo*

Pino Cacucci, *Mastruzzi indaga*. Piccole storie di civilissimi bolognesi nella Bologna incivile e imbarbarita

Mohammed Dib, *L'incendio*. Algeria

Mohammed Dib, *Il telaio*. Algeria

Ingo Schulze, *Semplici storie*

Amy Tan, *Perché i pesci non affoghino*

Efraim Medina Reyes, *C'era una volta l'amore ma ho dovuto ammazzarlo* (Musica dei Sex Pistols e dei Nirvana)

Anthony Bourdain, *Avventure agrodolci*. Vizi e virtù del sottobosco culinario

Osho, *L'avventura della verità*. Commenti al Dhammapada di Gautama il Buddha

J.G. Ballard, *Il paradiso del diavolo*

William P. McGivern, *La città che scotta*

James Hadley Chase, *Inutile prudenza*

Zygmunt Bauman, *La solitudine del cittadino globale*

Luigi Perissinotto, *Wittgenstein*. Una guida

Jürgen Habermas, *L'inclusione dell'altro*. Studi di teoria politica

Le canzoni di Woody Guthrie. Premessa di N. Guthrie. A cura di M. Bettelli. Testo originale a fronte

La questione settentrionale. Economia e società in trasformazione. A cura di G. Berta

Alessandro Baricco, *Seta*

Douglas Lindsay, *La bottega degli errori*

Ernesto Che Guevara, *America Latina*. Il risveglio di un continente. A cura di M. del Carmen Ariet García

Leggere Che Guevara. Scritti su politica e rivoluzione. A cura di D. Deutschmann

Tomás Maldonado, *Disegno industriale: un riesame*

Salvatore Veca, *Cittadinanza*. Riflessioni filosofiche sull'idea di emancipazione. Nuova edizione

Mauro Grimoldi, *Adolescenze estreme*. I perché dei ragazzi che uccidono

La saggezza dell'Islam. Un'antologia di massime e poesia. A cura di A. Schimmel

Christine Jordis, *Gandhi*

Lella Costa, *Amleto, Alice e la Traviata*

Christoph Ransmayr, *Gli orrori dei ghiacci e delle tenebre*

Frédéric Beigbeder, *L'amore dura tre anni*

Salvatore Natoli, *Stare al mondo*. Escursioni nel tempo presente

Jürgen Habermas-Charles Taylor, *Multiculturalismo*. Lotte per il riconoscimento

Krishnananda e Amana, *Fiducia e sfiducia*. Imparare dalle delusioni della vita

Lucia Tilde Ingrosso, *A nozze col delitto*

Alessandro Baricco, *Senza sangue*

Yu Hua, *Vivere!*

Fabio Geda, *Per il resto del viaggio ho sparato agli indiani*

Donatella Bisutti, *La poesia salva la vita*. Capire noi stessi e il mondo attraverso le parole

Günter Grass, *Il tamburo di latta*. Nuova traduzione

Simonetta Agnello Hornby, *Boccamurata*

Giulia Carcasi, *Ma le stelle quante sono*

Alessandro Baricco, *Next*. Piccolo libro sulla globalizzazione e sul mondo che verrà

Eva Cantarella, *L'amore è un dio*. Il sesso e la polis

Richard Ford, *Incendi*

Miranda July, *Tu più di chiunque altro*

Christian Gailly, *Una notte al club*

Stewart Lee Allen, *La tazzina del diavolo*. Viaggio intorno al mondo sulle Vie del caffè

Bernard Ollivier, *La lunga marcia*. A piedi verso la Cina

Ryszard Kapuściński, *L'altro*

Michel Foucault, *"Bisogna difendere la società"*

Remo Bodei, *Destini personali*. L'età della colonizzazione delle coscienze

Pierre Bourdieu, *Il dominio maschile*

Jesper Juul, *Eccomi! Tu chi sei?* Limiti, tolleranza, rispetto tra adulti e bambini

William Voors, *Il libro per i genitori sul bullismo*

Jonathan Coe, *Caro Bogart*. Una biografia

Irene Bignardi, *Memorie estorte a uno smemorato*. Vita di Gillo Pontecorvo

Tullio Kezich, Alessandra Levantesi, *Dino*. De Laurentiis, la vita e i film

Stephen Cope, *La saggezza dello yoga*. Una guida alla ricerca di una vita straordinaria

Reinhard Kammer, *Lo zen nell'arte del tirare di spada*

Osho, *Cogli l'attimo*. Metodi, esercizi, testi e stratagemmi per ritrovare l'armonia dentro di sé

John Parker, *Il gioco della Tarantola*

Michael Koryta, *L'ultima notte di Wayne*

Cornell Woolrich, *Giallo a tempo di swing*

Nadine Gordimer, *Il conservatore*

Paolo Nori, *Bassotuba non c'è*

António Lobo Antunes, *In culo al mondo*

Enrique Vila-Matas, *Bartleby e compagnia*

Jonathan Coe, *La pioggia prima che cada*

Rossana Campo, *Più forte di me*

Osamu Dazai, *Il sole si spegne*

Erwin Panofsky, *Rinascimento e rinascenze nell'arte occidentale*

Sharon Maxwell, *È ora di parlarne*. Quel che i figli devono sapere dai genitori sul sesso

Rabindranath Tagore, *Il paniere di frutta*. A cura di B. Neroni

Ernesto Ferrero, *I migliori anni della nostra vita*

Giovanni Pesce, *Quando cessarono gli spari*. 23 aprile-6 maggio 1945: la liberazione di Milano

Yukio Mishima, *Neve di primavera*

Ryszard Kapuściński, *Giungla polacca*. Prefazione di A. Orzeszek
Abdourahman A. Waberi, *Gli Stati Uniti d'Africa*
Stefano Benni, *La grammatica di Dio*. Storie di solitudine e allegria
Banana Yoshimoto, *Il coperchio del mare*
Marcela Serrano, *I quaderni del pianto*
Benedetta Cibrario, *Rossovermiglio*
Domenico Starnone, *Prima esecuzione*
A.M. Homes, *La figlia dell'altra*
J.G. Ballard, *Regno a venire*
Osamu Dazai, *Lo squalificato*
Richard Ford, *Donne e uomini*
Christoph Ransmayr, *Il Mondo Estremo*
Will Ferguson, *Autostop con Buddha*. Viaggio attraverso il Giappone
Duilio Giammaria, *Seta e veleni*. Racconti dall'Asia Centrale
Michel Foucault, *Gli anormali*. Corso al Collège de France (1974-1975)
Serge Latouche, *La scommessa della decrescita*
Gerd B. Achenbach, *La consulenza filosofica*. La filosofia come opportunità di vita
Khyentse Norbu, *Sei sicuro di non essere buddhista?*
Grazia Verasani, *Velocemente da nessuna parte*
Alessandro Baricco, *L'anima di Hegel e le mucche del Wisconsin*. Una riflessione su musica colta e modernità
Yukio Mishima, *Colori proibiti*
Gianluca Bocchi, Mauro Ceruti, *Origini di storie*
Howard Gardner, *Sapere per comprendere*. Discipline di studio e disciplina della mente
Licia Pinelli, Piero Scaramucci, *Una storia quasi soltanto mia*
Edward W. Said, *Sempre nel posto sbagliato*. Autobiografia
Stefano Rodotà, *La vita e le regole*. Tra diritto e non diritto. Edizione ampliata
Ippolita Avalli, *La Dea dei baci*
Gino & Michele, *Neppure un rigo in cronaca*
Allan Bay, *Cuochi si diventa*
Manuel Puig, *Il bacio della donna ragno*
A.M. Homes, *La sicurezza degli oggetti*
Yukio Mishima, *A briglia sciolta*
Calixthe Beyala, *Gli alberi ne parlano ancora*
Isabel Allende, *La somma dei giorni*
Daniel Pennac, *Diario di scuola*
Amos Oz, *La vita fa rima con la morte*